CLOUD COMPUTING ET SaaS

Consultez nos parutions sur dunod.com

CLOUD COMPUTING ET SaaS

Une rupture décisive pour l'informatique d'entreprise

Guillaume Plouin

Responsable de l'offre Cloud Computing chez OCTO Technology

Préface de
Dave Armstrong
Head of Marketing - Google Enterprise EMEA

DUNOD

Illustration de couverture : © Anne Pachiaudi

Interdit à la vente

ISBN 978-2-10-054595-7

Préface

La vie dans « le nuage »

Imaginez qu'un de mes collègues de Saint-Pétersbourg m'envoie un message par sa messagerie instantanée. Je ne parle pas russe mais le message est traduit automatiquement par le système. Il me demande de cliquer sur un lien vers un document relatif au projet sur lequel nous travaillons ensemble, de manière à ce que nous puissions l'ouvrir ensemble en temps réel. Je suggère que nous ouvrions aussi une session de video-conférence pour compléter cet échange par quelques mots de vive voix (en anglais). Toutes ces applications sont lancées depuis notre navigateur Internet. En ce qui me concerne, je suis dans une gare et j'utilise mon iPhone, de son côté il est dans un aéroport et il se sert d'un terminal mis à la disposition du public.

Cette scène est-elle réaliste aujourd'hui ou est-ce encore de la science fiction ? Eh bien tout ceci est possible dès maintenant grâce au *cloud computing*.

De temps en temps il se produit des événements qui changent radicalement notre manière de penser et apportent de profonds changements dans nos vies. Prenez par exemple l'arrivée de l'électricité dans les foyers au début du XXe siècle. Elle a changé le rythme de la vie en permettant de rester actif plus tard le soir grâce à la lumière et en développant de nouveaux loisirs. De la même façon l'arrivée d'Internet et son impact sur la manière dont nous créons, transmettons et consommons de l'information sera ultérieurement considérée comme l'une de ces périodes fécondes. Cela semble évident, mais les effets ne sont pas toujours apparents, dans cette période où nous sommes les témoins du mouvement de fond vers ce que l'on appelle le *cloud computing*. Ce mouvement est en train de profondément modifier la manière dont nous utilisons Internet au travail, apportant davantage de flexibilité, améliorant les communications et créant de nouvelles façons de collaborer au-delà des frontières géographiques et linguistiques.

L'évolution rapide des technologies grand-public sur Internet ces dernières années nous donne envie de disposer dans notre travail des mêmes outils « de partage » que ceux que nous avons à la maison. En bref échanger et travailler ensemble sur des projets, de la même façon que nous « chattons » sur un réseau social ou que nous postons des commentaires sur un blog. Echanger des informations est tout aussi important pour les sociétés que pour les individus, mais bien des entreprises n'ont ni le temps ni l'argent ni l'infrastructure nécessaires pour permettre cet échange entre leurs collaborateurs.

L'un des avantages du *cloud computing* est que les technologies Internet ont d'abord progressé pour répondre aux besoins des utilisateurs au lieu de commencer par les processus professionnels, et cela s'est traduit par plus d'échange, plus d'interaction entre les gens, plus de contacts entre collègues ou amis. Le but du *cloud computing* c'est de faciliter la vie. Nous sommes nombreux à apprécier d'avoir accès en ligne à notre compte en banque, à pouvoir télécharger de la musique, ou organiser nos loisirs grâce au web. Une fois ces habitudes prises il est naturel que nous nous demandions pourquoi nous ne retrouvons pas ces moyens de communication et de collaboration dans notre travail.

Les entreprises sauront tirer profit de ce nouveau modèle informatique quand elles réaliseront qu'elles ont intérêt à se concentrer sur leur cœur de métier plutôt que de dépenser du temps et de l'argent à gérer des infrastructures IT complexes. Ces bénéfices se feront sentir au niveau de la productivité des salariés et en termes financiers car les coûts de fonctionnement auront été réduits et les entreprises deviendront plus agiles.

Ce changement profond et durable commence seulement à se faire sentir. L'une des conséquences majeures du *cloud computing* sera la suivante : l'accès à l'information favorise la démocratie et le « *cloud* » rend l'information très peu chère, facile à partager et il favorise le travail en commun. Par conséquent même les plus petites sociétés peuvent se faire une place en ligne parmi les grandes entreprises multinationales dès l'instant qu'elles donnent à leurs employés les outils de communication et de travail en commun qui étaient jusqu'alors réservés aux très grandes entreprises. Nous ne sommes qu'au début d'un vaste mouvement qui ouvre de larges possibilités, et il est essentiel de bien se tenir informé pour être prêt à appréhender efficacement les changements qui arrivent.

Ce livre explique non seulement les concepts du *cloud computing*, mais aussi les changements concrets qu'il va entraîner. Il devrait se révéler une ressource inestimable pour tous ceux qui souhaitent se préparer à cette rupture sismique dans notre perception et notre utilisation des technologies de l'information.

Dave Armstrong

Head of Marketing

Google Enterprise EMEA

Table des matières

Avant-propos

Le **cloud computing**, en français, « **informatique dans les nuages** », est en train de révolutionner le monde informatique. Il consiste à externaliser des infrastructures informatiques vers des prestataires spécialisés, au même titre par exemple que les entreprises externalisent la production d'électricité vers des producteurs dont c'est le métier principal. C'est un virage comparable à celui du web en 1995. Il aura un impact très profond sur les utilisateurs et sur les stratégies informatiques des entreprises.

Les utilisateurs vont gagner en autonomie, en ergonomie et en simplicité. Ils bénéficieront des innovations issues du web. La composition d'applications sur le « cloud » leur ouvrira des possibilités de collaboration aujourd'hui encore imprévisibles, entre les informations issues du web et celles issues de leurs applications métiers.

Dans les directions informatiques, les départements des études assisteront à la mutation de leurs outils de développement et de leurs pratiques autour du cycle de vie des applications. Et le métier des équipes d'exploitation sera lui aussi profondément transformé.

Des plates-formes comme celles de SalesForce ou Google ont aujourd'hui atteint un niveau de maturité satisfaisant pour les entreprises : elles offrent des services de qualité et des garanties de disponibilité supérieures à celles de beaucoup de DSI. C'est pourquoi, dès qu'elles ont surmonté leurs craintes au sujet de la confidentialité, les entreprises commencent à externaliser leurs applications non stratégiques afin de recentrer leur direction des systèmes d'information sur leur cœur de métier.

Cet ouvrage a pour objectif de présenter les concepts et les révolutions sous-jacentes au *cloud computing*. Nous verrons en particulier que l'on parle de **SaaS,**

Software as a Service, pour désigner les progiciels hébergés par leurs concepteurs, et qu'on désigne par **PaaS, *Platform as a Service,*** les environnements d'exécution mis à la disposition des entreprises qui souhaitent faire héberger leurs développements spécifiques. L'accent sera fortement mis sur les SaaS, qui constituent la première étape d'une démarche d'externalisation de l'informatique d'entreprise.

Tous les grands cabinets d'analyse internationaux s'accordent pour dire que le *cloud computing* va monter en puissance dans les entreprises dans les années à venir :

- Le Gartner, qui a inventé l'acronyme SaaS, parle 21 % de croissance par an jusqu'en 2011.
- Le Forester estime que les SaaS ont représenté 13 % des dépenses informatiques en 2008.
- McKinsey prévoit un CA de 37 M$ en 2013.

En France, le marché du *cloud computing* est estimé à 1 milliard d'euros dans les prochaines années. On considère que 3 % des logiciels sont vendus sous cette forme, que 35 % des entreprises utilisatrices devraient rapidement adopter le modèle, et que seulement 21 % des entreprises devraient rester sur l'ancien modèle « software » (voir chapitre 2).

Une étude Markess internationale montre que 52 % des entreprises envisagent de passer au SaaS pour des usages collaboratifs d'ici 2010. Selon Markess, les entreprises les plus intéressées par le SaaS sont :

- Les PME de moins de 100 collaborateurs, par souci de simplicité.
- Les grands comptes de plus de 10 000 collaborateurs, par la volonté des directions métiers de gagner en agilité.

Le point de vue des DSI a été sondé par Forester : 16 % utilisent des SaaS, mais 80 % restent méfiantes. Nous reviendrons largement sur ce point dans le chapitre 7.

> Selon le docteur Timothy CHOU, un pionnier du *cloud computing* :
> « De façon générale, il faut multiplier le prix d'achat d'un logiciel par quatre pour obtenir son coût de gestion… annuel ! Résultat : 75 pour cent ou plus de votre budget seront absorbés par la gestion des systèmes logiciels existants. »

À qui s'adresse ce livre ?

Cet ouvrage s'adresse à tous ceux qui souhaitent comprendre les concepts et les enjeux du *cloud computing*. Il est bien sûr accessible aux informaticiens (chefs de projets, architectes, développeurs, équipes d'exploitation) mais aussi aux profils non techniques (métiers, maîtrises d'ouvrage, marketing, communication).

Seule la cinquième partie présente des concepts techniques qui s'adressent surtout aux informaticiens.

Première partie : concepts du cloud computing & des SaaS

Cette partie a pour objectif d'introduire les concepts du *cloud computing*, des SaaS et PaaS. Elle présente les différents modèles logiciels et situe le modèle du *Software as a Service* dans ce contexte. Elle montre la cohérence des SaaS avec la tendance actuelle des entreprises à externaliser et à s'ouvrir sur Internet.

Cette partie est accessible à tous.

Seconde partie : aller ou ne pas aller vers le cloud computing ?

L'objectif de cette partie est de présenter de manière détaillée les opportunités et les risques du *cloud computing* pour l'entreprise. Elle aborde successivement les points de vue de la direction, des utilisateurs, et des informaticiens, avant de dresser une synthèse en vue d'une aide à la décision.

Un cas d'usage est introduit : celui de la société INDUS, dans le secteur industriel.

Cette partie est accessible à tous.

Troisième partie : une feuille de route vers le cloud computing

Cette partie décrit les différentes étapes que va franchir une entreprise qui souhaite aller vers le *cloud computing*. Elle aborde le recours à un service « accessoire », l'usage d'une première application SaaS de commodité, suite à une phase de pilote. Elle évoque l'intégration des SaaS avec le SI.

Cette partie est accessible à tous.

Quatrième partie : les offres SaaS disponibles

Quelles sont les attitudes des différents acteurs informatiques vis-à-vis du *cloud computing* ? C'est le sujet de cette partie propose ensuite un panorama des offres SaaS, ou progiciels en ligne prêts à l'emploi. Ces offres sont classées suivant les catégories : services « accessoires », services de collaboration, services de cycle de vie des documents, progiciels intégrés.

Cette partie est accessible à tous.

Cinquième partie : les plates-formes *de cloud computing*

La dernière partie aborde les aspects techniques du *cloud computing*. Elle décrit les architectures sous-jacentes aux applications en ligne et elle présente leurs particularités. Elle décrit les principales plates-formes disponibles pour les entreprises qui souhaitent faire héberger leurs développements spécifiques sur des architectures multi-tenant.

Cette partie, plus technique, est davantage destinée aux informaticiens.

Remerciements

Je tiens tout d'abord à remercier mon épouse, toujours aussi patiente après quatre livres, et mon fils, qui a appris à marcher pendant les mois de la rédaction de ce livre. Ma reconnaissance va aussi à Yahya EL MIR, directeur du groupe SQLI, qui a sponsorisé ce projet et l'a rendu possible.

Les équipes de SQLI Oujda ont largement contribué au contenu en analysant les offres disponibles sur le marché. Je remercie en particulier Nabil Boutakhrit, Mohamed Larbi Elhafyani, Fatima Bouchnaif, Idriss Mrabti, Lamyae Jdaini et Pascal Borelli.

Enfin, je remercie mes collègues et amis qui ont bien voulu relire l'ouvrage ou aider à le compléter par leurs retours d'expérience : Hugues Marguet, Médéric Morel, Arnaud Deslandes.

PREMIÈRE PARTIE

Concepts du *cloud computing* & des SaaS

Cette première partie présente l'émergence du *cloud computing* comme une suite logique dans l'histoire de l'informatique. Elle montre comment les évolutions successives des systèmes informatiques et l'ouverture des entreprises vers l'Internet aboutissent logiquement au *cloud computing*. Elle montre aussi comment le contexte actuel, volonté de réduction des coûts, nouveaux terminaux, etc., constitue un cadre idéal pour le *cloud computing*.

Cette partie présente d'abord les grands concepts du *cloud computing* : SaaS, PaaS,

puis les différents modèles logiciels et situe le modèle du Software as a Service dans ce contexte.

Elle montre la cohérence des SaaS avec la tendance suivie actuellement par les entreprises à externaliser et à s'ouvrir sur Internet.

1

Contexte de l'émergence du *cloud computing*

Objectif

L'objectif de ce chapitre est de brosser le contexte qui a donné lieu à l'émergence du *cloud computing* et des applications en ligne (*Software as a Service*).

Ces applications sont dans la logique de l'évolution des sites web statiques vers les sites applicatifs transactionnels.

Leur première déclinaison destinée aux entreprises était l'ASP. Le demi-échec de ce modèle a conduit à l'émergence des SaaS.

1.1 LE CYCLE DES INTERFACES INFORMATIQUES

Depuis sa montée en puissance dans les années 1960, l'architecture informatique suit un cycle régulier de centralisation/décentralisation. Ainsi les premiers systèmes utilisés en entreprises étaient des mainframes, c'est-à-dire des machines dans lesquelles toute la logique de calcul et de persistance de l'information était centralisée. Les interfaces d'accès à ces systèmes étaient des terminaux passifs, à l'image du fameux Minitel, vielle fierté nationale française. Les terminaux passifs étaient composés d'un simple couple écran/clavier et constituaient des interfaces d'accès interchangeables, qui ne contenaient aucune donnée utilisateur.

Au début des années 1990 sont apparues les architectures client/serveur qui ont permis le report des traitements sur les postes de travail, les fameux ordinateurs personnels (PC ou *Personal Computer*), inventés par IBM. Ces PC ont permis la montée en puissance de Microsoft qui leur a fourni leurs logiciels embarqués : les incontournables Windows et Office. L'idée novatrice du client/serveur était de répartir les traitements entre un serveur et un poste utilisateur devenu capable d'exécuter certains processus métier. Le rôle du serveur était dans la plupart des cas de centraliser les données et de gérer une partie des traitements, tandis que le client gérait l'autre partie des traitements et l'interface utilisateur. La communication entre ces deux « tiers » s'effectuait au travers d'une couche logicielle spécifique souvent appelée « middleware ». L'architecture client/serveur a été massivement utilisée dans la plupart des systèmes d'information, mais elle a fini par montrer ses limites. En effet, l'absence de standardisation du protocole d'échange rendait difficile la gestion des flux. De plus, la non-standardisation du frontal client a confronté les directeurs informatiques à la délicate problématique du déploiement sur les postes utilisateurs.

Au milieu de ces mêmes années 1990, les architectures web ont conduit à la recentralisation de la logique de traitement sur des serveurs centraux, ramenant le PC à un simple dispositif d'affichage au travers du navigateur. Elles ont permis l'usage d'applications à l'échelle de l'Internet grâce aux standards HTTP[1] et HTML[2]. De plus, elles ont permis un accès aux applications sans passer par la douloureuse phase de déploiement logiciel sur chacun des PC du parc informatique.

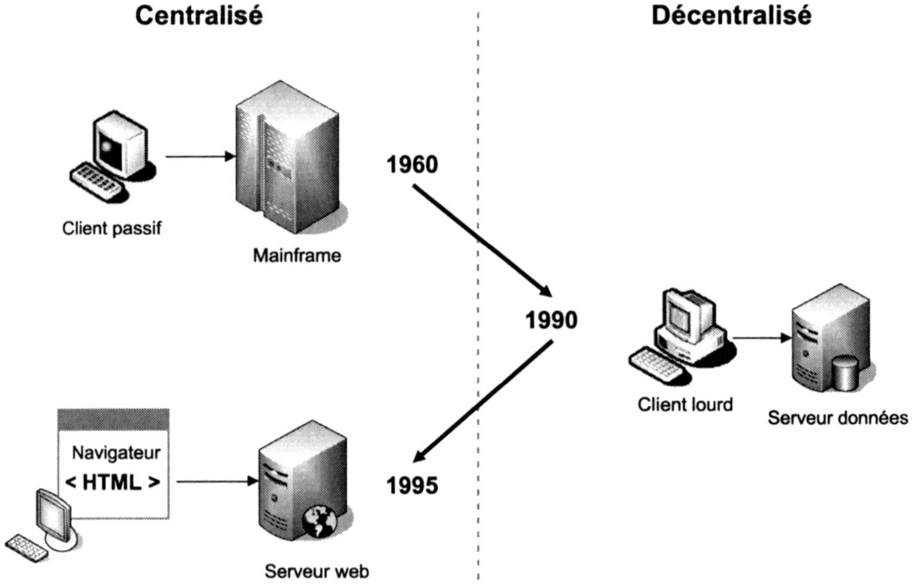

Figure 1.1 — Le cycle de centralisation/décentralisation.

1. HTTP (*HyperText Transfer Protocol*) est le protocole de communication utilisés par les sites web.
2. HTML (*HyperText Markup Language*) est le langage utilisé pour décrire les pages web. Il est notamment basé sur le principe de l'hypertexte.

1.2 LA MONTÉE EN PUISSANCE DU WEB

Les standards du web (HTTP et HTML) ont été inventés en 1990 par Tim Berners-Lee. Ce scientifique souhaitait partager des données avec ses collègues du CERN[1] : il a pour cela conçu un principe de pages présentant des fiches techniques, liées entre elles par des liens hypertextes.

L'idée initiale de Tim Berners-Lee était donc de créer une sorte d'encyclopédie en ligne, à la manière de Wikipedia. Lorsque le web est devenu une plate-forme mondiale, son invention a été reprise par les entreprises qui l'ont utilisée pour diffuser des plaquettes commerciales à moindre coût : les fameux « sites vitrines ». Puis à la fin des années 1990, ces sites ont commencé à devenir transactionnels, permettant l'émergence du commerce électronique, pour devenir de **véritables applications informatiques**.

Le web a aussi introduit un changement dans l'évolution de l'informatique : en effet, des **innovations ont commencé à être testées auprès du grand public** (par exemple les moteurs de recherche), **avant d'être déclinées pour les entreprises**.

1.3 L'ÉMERGENCE DE L'ASP

C'est à cette période qu'est né le concept des **ASP,** les ***Application Services Providers***. Des créateurs de start-up ont vu le parti qu'ils pouvaient tirer des architectures web : proposer aux entreprises de louer des applications métiers hébergées par leurs soins, dans leurs centres serveurs. Les ASP promettaient à leurs éditeurs des revenus réguliers grâce à un système d'abonnement. Elles promettaient aux entreprises utilisatrices de se débarrasser des problématiques d'exploitation de ces applications.

À cette époque, deux alternatives s'offraient aux applications en ASP :

- utiliser une interface web ;
- utiliser une interface client/serveur.

1.3.1 L'ASP en interface web

À ce stade, il est important de souligner qu'accéder à une application de collaboration ou à une application métier depuis une interface HTML élémentaire peut se révéler très frustrant : en effet, ces dernières sont limitées en termes de capacité d'interaction. Elles proposent une navigation de page en page suivant un scénario préétabli. Ce mode d'interaction est très adapté à une opération exceptionnelle comme la télédéclaration des impôts ou l'achat d'un livre sur un site de commerce électronique. En revanche il est très limitant pour une application utilisée tous les jours, pour laquelle on souhaiterait disposer d'une bonne productivité (réactivité de

1. Le laboratoire de recherche fondamentale européen situé à Genève.

l'interface, raccourcis clavier, etc.) L'interface web élémentaire était donc inadaptée à une application ASP destinée à un usage quotidien.

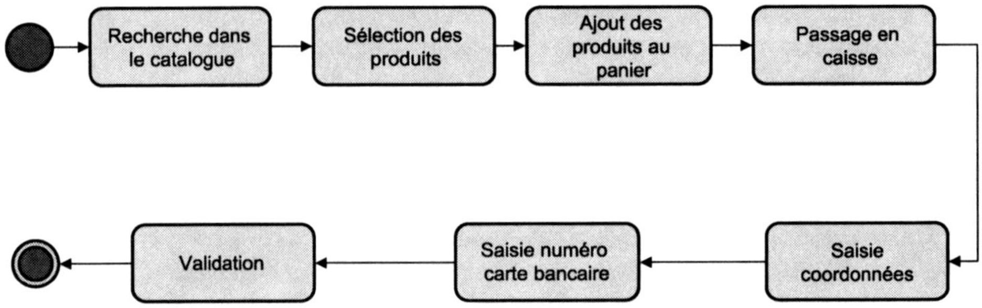

Figure 1.2 — La navigation web et la contrainte d'un scénario préétabli.

1.3.2 L'ASP en interface client/serveur

L'autre alternative d'interface qui s'offrait aux applications ASP était le client/serveur (elles proposaient souvent des applications écrites en Java). Ce type d'interface est beaucoup plus satisfaisant en terme d'ergonomie. Cependant, il nécessite un déploiement sur les postes utilisateurs, ce qui va à l'encontre de la promesse des ASP : fournir une application en mode hébergé. En effet, on retombe là dans la fameuse problématique de déploiement propre aux applications internes à l'entreprise. De plus les middlewares utilisés par les applications client/serveur sont souvent bloqués par les firewalls d'entreprise, ce qui complexifie beaucoup leur déploiement.

Cette problématique d'interface est la principale raison de l'échec des ASP. Nous verrons dans la suite que les interfaces RIA ont résolu ce problème dans le cadre du *cloud computing.*

1.3.3 Les insuffisances techniques des ASP

Sur le plan technique, les applications en ASP s'appuyaient sur des architectures similaires à celles des applications d'entreprises classiques et reposaient ainsi sur :

- une application unique ;
- une version unique de l'application ;
- une base de données unique ;
- un système d'authentification unique.

Or une application ASP ne s'adresse pas à une communauté d'utilisateurs unique, mais à N communautés correspondant à N entreprises. Par exemple, une application ASP de gestion de congés doit savoir gérer N x M utilisateurs, si N est le nombre d'entreprises abonnées au service, et M leur nombre maximum d'utilisateurs. Cette combinatoire peut induire une forte volumétrie de données, difficile à gérer avec une base unique.

D'autre part, il peut être pertinent, pour des raisons de sécurité, de séparer les données des différentes entreprises, ainsi que leur système d'authentification. Ceci afin d'éviter qu'un utilisateur d'une entreprise A accède par mégarde aux données de l'entreprise B.

De plus, une entreprise cliente pourra souhaiter customiser son application afin d'intégrer des spécificités propres à son métier. Dans l'exemple de la gestion de congés, il pourra être nécessaire de traiter le rattrapage des week-ends pour les entreprises qui fonctionnent 7 jours sur 7. De fait, la mise à disposition d'une application ASP unique et monolithique pourra être un point de blocage pour les entreprises clientes.

Enfin, une entreprise peut souhaiter conserver la version en cours de son application, et ne pas intégrer les nouveautés proposées par l'éditeur ASP. Il peut donc être nécessaire de faire coexister plusieurs versions d'une même application pour respecter le rythme d'adoption de ses clients.

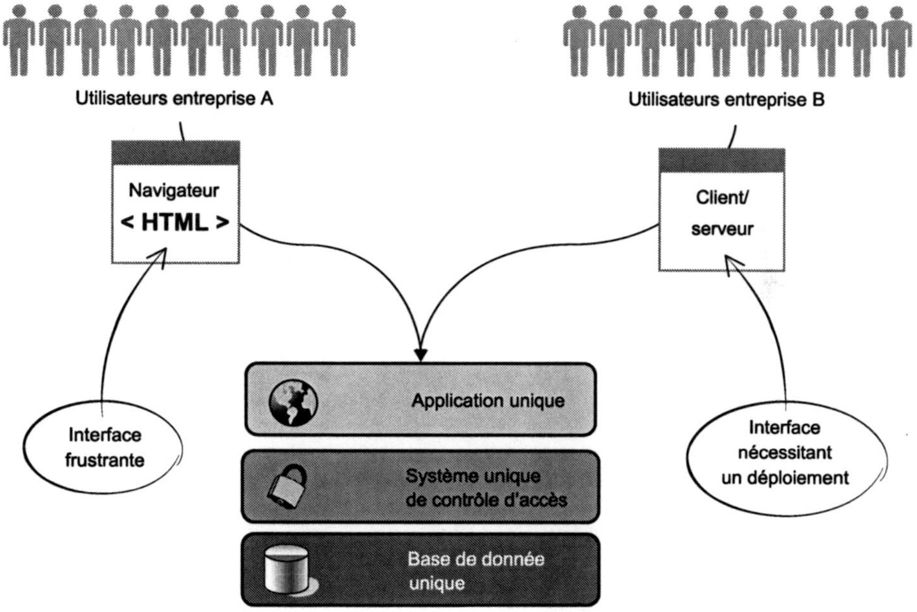

Figure 1.3 – Les problématiques d'architecture des ASP.

Nous verrons dans le chapitre 18 que de nouvelles architectures ont émergé avec le *cloud computing* : **les architectures « multi-tenant ».** Multi-tenant signifie à plusieurs locataires. Il s'agit donc de structurer les applications pour les adapter à un usage par plusieurs clients distincts. Les architectures multi-tenant ont ainsi été conçues pour résoudre la problématique exposée précédemment.

1.4 LES RIA : UNE NOUVELLE OPPORTUNITÉ POUR LES APPLICATIONS HÉBERGÉES

Le concept du « client riche » est né en 2003. Il désigne une interface à la croisée des chemins entre les mondes client/serveur (ou client lourd) et web ou (client léger). Le qualificatif « riche » désigne sa capacité à être enrichi par rapport au client léger. Cette sémantique peut paraître absconse, mais elle fait consensus.

Le concept du client riche a été affiné par la suite et il est aujourd'hui divisé en deux sous-catégories :

- Le **RIA, *Rich Internet Application***, client riche basé sur un navigateur et successeur des applications web.
- Le **RDA, *Rich Desktop Application***, client riche installé sur le poste de travail et successeur des applications client/serveur.

Grâce à des extensions technologiques du très frustre HTML, le RIA offre un supplément d'ergonomie aux pages web et permet des interfaces sophistiquées. Le RIA est basé sur un environnement d'exécution intégré au navigateur web. Lorsqu'on accède à une application RIA :

- Une interface est déployée dans cet environnement.
- L'interface échange avec des services en ligne au travers du protocole HTTP. Le RIA fonctionne alors comme une application client/serveur, le client étant l'interface RIA. Cette dernière persiste au sein du navigateur pendant toute la durée d'usage de l'application. Elle disparaît du poste utilisateur à la fermeture du navigateur.

Le RIA constitue donc une certaine forme de retour à une architecture Client/serveur, mais sans problématique de déploiement sur les postes de travail.

Le défaut majeur du RIA est l'absence de gestion du mode déconnecté (travail dans un train ou un avion). Lorsqu'on perd le réseau ou lorsqu'on ferme le navigateur, tout est perdu.

Les technologies RIA disponibles aujourd'hui sont :

- Ajax, basé sur le standard JavaScript ;
- Adobe Flash ;
- Microsoft Silverlight.

Ajax a l'avantage d'être entièrement basé sur des standards. Les deux autres technologies sont propriétaires mais elles offrent des effets de transparence et du multimédia (audio/vidéo).

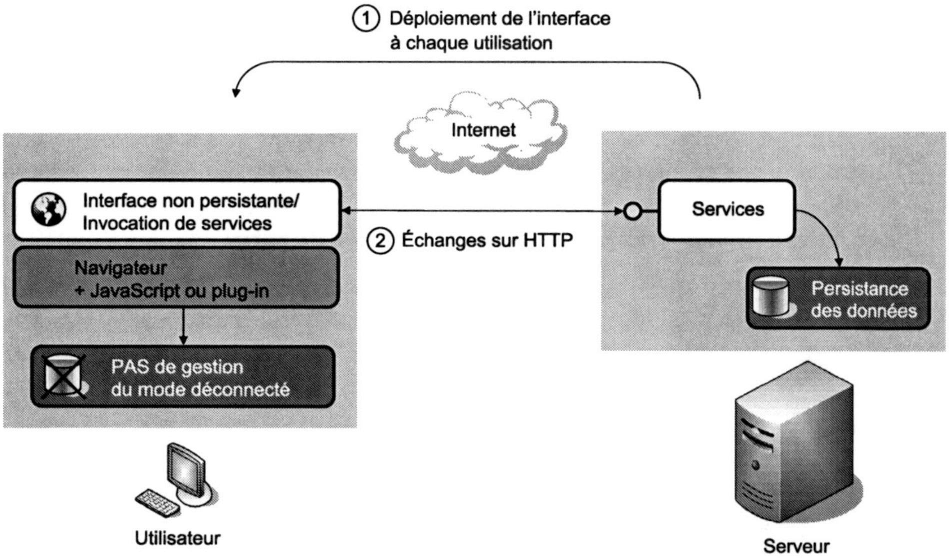

Figure 1.4 — Le fonctionnement des RIA.

> **À propos du RDA (*Rich Desktop Application*)**
>
> Schématiquement, le RDA désigne une application embarquée sur le poste de travail, mais déployée et mise à jour sur HTTP, à l'instar du système « Windows Update ». Elle sait gérer le mode déconnecté grâce à un stockage local. L'objectif de ce paragraphe n'est pas de rentrer dans le détail des technologies RDA, nous nous bornerons donc à cette définition rapide.

1.4.1 RIA Ajax

L'acronyme Ajax signifie *Asynchronous JavaScript and XML*. C'est une solution technique pour permettre aux pages web d'échanger des données avec un service distant en tâche de fond, sans nécessiter de rechargement. Par extension, le terme recouvre les solutions qui viennent enrichir les interfaces web classiques tout en se fondant sur les techniques existantes : HTML, feuilles de styles CSS, JavaScript.

Les solutions à base d'Ajax permettent de créer des pages dont l'ergonomie se rapproche grandement des interfaces graphiques des applications classiques – type client lourd – tout en gardant la légèreté de déploiement des applications web, en étant utilisable immédiatement, sans installation, sur plus de 99 % des ordinateurs[1], et en respectant les standards.

Ajax permet la création d'interfaces métiers ou d'interfaces grand public très dynamiques. Par contre, Ajax n'a pas de capacités multimédias.

1. Certaines entreprises désactivent encore le JavaScript sur leur parc utilisateur.

1.4.2 RIA Flash

Crée en 1996, la technologie Flash a initialement été conçue pour permettre la création d'animations vectorielles au sein de pages web. Son objectif était de créer des animations à partir de primitives graphiques simples (cercles, carrés, etc.) ce qui permettait de produire des films extrêmement légers, adaptés aux accès bas débit de l'époque des modems 56 Kb/s. Flash fonctionne avec un plug-in, une extension gratuite à installer en complément d'un navigateur web.

La première évolution de Flash a été la possibilité d'intégration d'images et de sons. La seconde évolution a porté sur l'intégration de la vidéo et la possibilité de la servir en streaming. Cette fonction est aujourd'hui largement utilisée pour la vidéo en ligne. La vidéo est aussi exploitée pour la web Conférence.

Flash aujourd'hui permet :

- La création d'interfaces métiers événementielles, en remplacement des interfaces client/serveur.
- La création d'interfaces multimédia permettant de proposer des animations, de la musique, et de la vidéo.

1.4.3 RIA Silverlight

Silverlight a été créé par Microsoft en 2007 afin de compléter son offre de technologies d'interface et d'offrir une alternative maison à Adobe Flash. En effet, Microsoft ne disposait jusqu'alors d'aucune véritable technologie RIA. Silverlight se présente comme un plug-in multi-navigateur concurrent frontal de Flash. Cet aspect multiplate-forme est une petite révolution chez Microsoft qui propose habituellement des produits destinés à Windows.

Microsoft a l'ambition de concurrencer Adobe dans les trois domaines suivants :

- créer des animations vectorielles très fluides (spécificité qui a fait le succès de Flash à partir de 1997),
- servir des contenus multimédias (musique, vidéos),
- créer des interfaces métiers, orientées manipulation : dans ce domaine, Flash a rarement convaincu les directions informatiques qui le considèrent comme une technologie pour graphistes.

1.4.4 Le RIA au service du cloud computing

Le RIA met fin au choix cornélien entre application web et application client/serveur. Il offre en en effet une solution purement web, sans problématique de déploiement, tout en bénéficiant d'une architecture client/serveur décentralisée : une interface ergonomique, véloce, permettant une bonne productivité. Le RIA offre donc une solution très pertinente aux problématiques d'interface des ASP. C'est une de briques fondamentales à l'émergence du *cloud computing*.

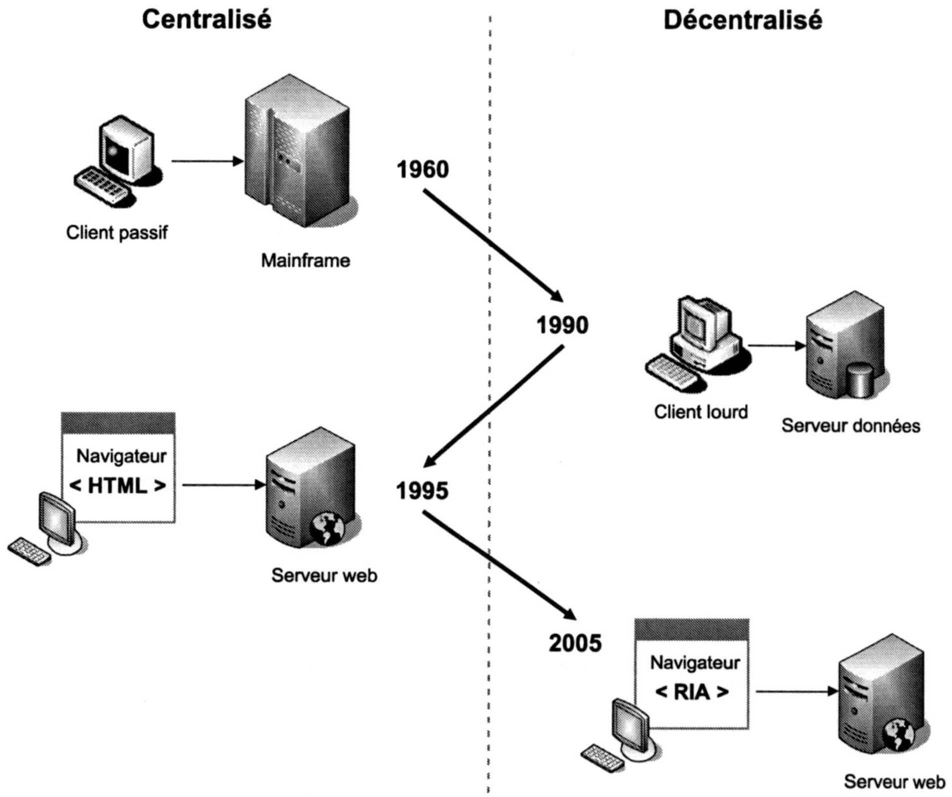

Figure 1.5 — Le RIA, le meilleur des mondes web et client/serveur.

La seule limite du RIA est la non-gestion du mode déconnecté, mais cette limite est en passe de disparaître. Quatre pistes de résolution sont aujourd'hui (fin 2008) avancées :

- **Être toujours connecté** : c'est de plus en plus envisageable avec la généralisation de la 3G+[1] chez les opérateurs télécom, la généralisation du Wifi résidentiel chez les particuliers, l'apparition prochaine du Wifi dans les trains et les avions, et le déploiement du WiMax. La commercialisation d'abonnements illimités par les opérateurs fixes (en France, Orange, Free, Neuf, etc.) et mobiles (en France, Orange, SFR, Bouygues Télécom) favorise l'usage du « toujours connecté ».
- **Utiliser une extension de navigateur gérant le mode déconnecté** : c'est aujourd'hui possible avec le composant gratuit et ouvert Google Gears. Concrètement, Gears ajoute une petite base de données au navigateur afin de

1. La 3G+ est basé sur le standard HSDPA (*High-Speed Downlink Packet Access*), une extension de l'UMTS (*Universal Mobile Telecommunications System*), qui permet de disposer d'un débit théorique maximum de l'ordre de 2 Mb/s depuis un téléphone ou un ordinateur portable.

stocker applications et données. Il devient ainsi possible d'exécuter en local une application Ajax et de stocker les résultats de ses traitements. Gears permet aussi de synchroniser les données avec le serveur, lorsque le réseau se trouve à nouveau disponible. Ce composant est exploité par les outils de Google, mais aussi par des services concurrents comme les outils bureautiques de Zoho.

- **Utiliser une nouvelle génération de navigateur gérant le mode déconnecté** : Un groupe de travail intitulé WATWG travaille sur un standard équivalent à Gears. Le navigateur Firefox doit prochainement intégrer ce standard pour gérer le mode déconnecté. Il est probable que les autres navigateurs l'intègrent aussi.
- **Utiliser un logiciel de synchronisation :** c'est la proposition de Microsoft avec Live Mesh. Live Mesh est une extension de système d'exploitation disponible sous Windows, Windows Mobile et Mac OS. Elle permet de synchroniser des données avec un serveur, mais aussi directement entre deux appareils, en Peer 2 Peer. Live Mesh adresse donc de multiples scenarios de gestion du mode déconnecté.

1.5 LE WEB 2.0 OFFRE UNE NOUVELLE PERTINENCE AUX APPLICATIONS HÉBERGÉES

Apparu en 2005, le terme web 2.0 est difficile à définir. Il recouvre une nébuleuse de nouveaux usages et de nouveaux outils, que nous allons essayer de décrire dans ce paragraphe. Il comporte une part d'effet de mode et de marketing qui peut exaspérer certains. Nous essaierons de ne pas nous appesantir sur cet aspect.

Dans le cadre de cet ouvrage, nous allons essayer de donner une définition pragmatique du web 2.0. Nous verrons ensuite en quoi il a eu un impact sur l'émergence des SaaS.

1.5.1 Présentation du web 2.0

L'intelligence collective et les digital natives

Le web 2.0 repose avant tout sur le concept d'« intelligence collective » ou « sagesse des foules ». Ces termes un peu pompeux désignent les synergies qui peuvent avoir lieu entre des individus qui rédigent des textes sur le web afin de bâtir une somme de connaissances. Le meilleur exemple d'intelligence collective est l'encyclopédie en ligne Wikipedia, mais on peut aussi citer le système de critique de livres d'Amazon, ou la base de données musicale CDDB. La blogosphère (le monde des blogs) est aussi un des piliers de l'intelligence collective : à tel point qu'elle commence à représenter une alternative à la presse traditionnelle.

Dans son ouvrage « Comment le web change le monde »[1], Francis Pisani préfère le terme d'« alchimie des multitudes » afin de souligner que les synergies entre les contributions ne sont pas nécessairement constructives. Nous partageons cette vision, mais nous avons cependant conservé le terme d'intelligence collective car il est consensuel et compris du plus grand nombre.

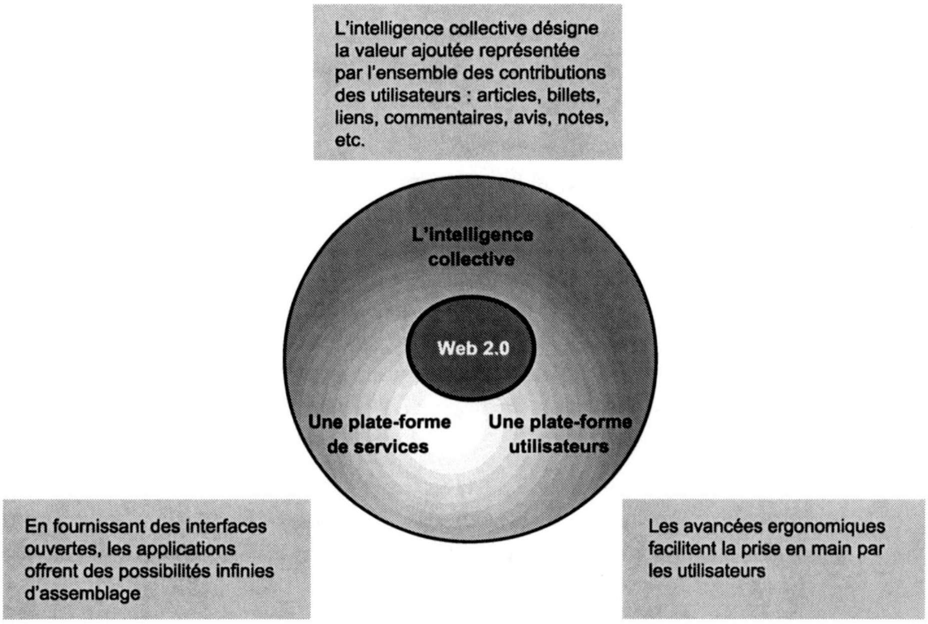

Figure 1.6 – Les concepts du web 2.0.

Les plus grands contributeurs à cette intelligence sont issus de la jeune génération, les fameux « **digital natives** » ou « **génération Y** » pour qui l'usage de l'Internet est complètement naturel. Selon les définitions, ces utilisateurs « élevés dans le numérique » sont nés après la chute du mur de Berlin ou bien sont des moins de 30 ans. Toujours est-il qu'ils introduisent une rupture dans les entreprises par rapport aux employés plus âgés, parfois appelés « **analogists** ». Les « analogists », réfractaires au numérique, ont conservé la culture du papier. On les caricature en disant qu'ils font imprimer leurs e-mails entrants par leur secrétaire, et dictent leurs e-mails sortants.

Les outils associés à l'intelligence collective sont les blogs, les wiki, et plus largement les sites web qui incitent à la participation. Ils ont largement contribué à l'usage, par les « digital natives », d'applications web hébergées. Ces utilisateurs ont une telle habitude des espaces collaboratifs en ligne qu'ils vont naturellement pousser leur entreprise à utiliser des outils similaires, disponibles sous forme SaaS. Ils

1. *« Comment le Web change le monde »*, Pisani, Village mondial, 2008.

seront donc les promoteurs des SaaS, que les « analogists » verront d'un mauvais œil (cf. chapitre 6 sur les craintes des utilisateurs).

Quelques exemples d'applications web 2.0 :
Blogs : blogger, skyblog
Wikis : wikipedia, jurispedia, ekopedia
Messagerie : Hotmail, Yahoo Mail, Gmail
Réseaux sociaux : facebook, myspace, linkedin, viadeo
Partage de photos : Flickr, Picasa
Partage de vidéo : Youtube, dailymotion
Fonds cartographiques : Microsoft Live Maps, Google Maps, Yahoo Maps,
Etc.

Une plate-forme utilisateurs

Le mouvement du web 2.0 s'est bâti sur les applications web plus ergonomiques, plus faciles à utiliser que les applications des générations précédentes. Cette ergonomie a été rendue possible par les technologies RIA introduites dans les paragraphes précédents.

La facilité de prise en main de la galaxie web 2.0 a permis une adoption massive par des utilisateurs non-informaticiens. Ainsi, ces sites ont vu leur fréquentation croître de manière très rapide, atteignant pour certains la centaine de millions d'utilisateurs.

Un des meilleurs exemples de cette amélioration ergonomique est la vidéo en ligne. Dans le passé, diffuser une vidéo sur Internet nécessitait des compétences pointues et un temps certain pour numériser, encoder et diffuser son contenu. Aujourd'hui, des plates-formes comme Youtube rendent cette mise en ligne extrêmement simple.

Un autre exemple plutôt impressionnant est Google Spreadsheet : ce service offre des fonctions de tableur assez proches de celle de Microsoft Excel.

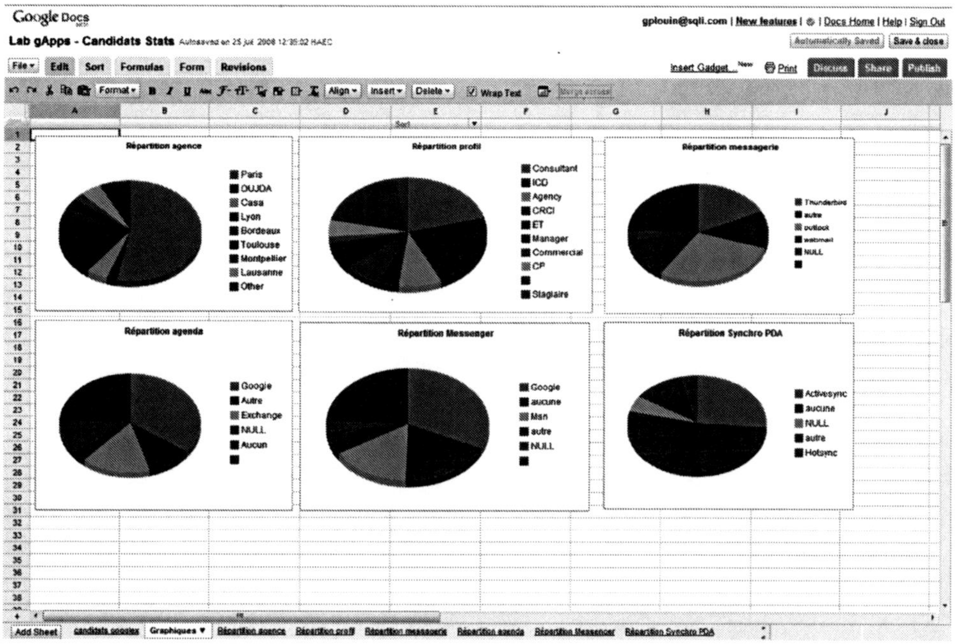

Figure 1.7 — Le tableur Google Spreadsheet.

Ces applications orientées grand public, et souvent gratuites, ont développé une ergonomie telle que leur usage est devenu quotidien pour leurs utilisateurs, les « digital natives ». Et quand leurs entreprises leur proposent des applications moins ergonomiques, ils ont tendance à les délaisser pour celles qu'ils jugent meilleures. Ainsi, il est fréquent de voir de jeunes collaborateurs renvoyer leurs e-mails professionnels vers des messageries web (comme Yahoo Mail, Gmail, Hotmail), ou de les voir stocker leurs documents sur des espaces en ligne (comme Box.net, Windows Live SkyDrive). Les entreprises ont bien du mal à empêcher ces pratiques parfois dommageables pour la sécurité de leurs données. On verra dans le chapitre 6, que les « digital natives » sont souvent des sponsors pour le *cloud computing*.

Certaines applications web 2.0 ont évolué d'un modèle grand public vers un modèle entreprise sous forme SaaS : on peut citer l'exemple de Writely, un petit traitement de texte grand public, qui a été racheté puis intégré à Google Apps, une offre SaaS aujourd'hui orientée vers les entreprises.

Certaines applications web 2.0 ont pris une telle importance dans le quotidien de leurs utilisateurs, qu'elles sont devenues pour eux des applications critiques, à la manière des applications métiers pour les utilisateurs en entreprise. Elles ont donc dû assurer une qualité de service irréprochable, et les plates-formes techniques des grands acteurs du web, comme Amazon, Yahoo ou Google, sont devenues des modèles de performance et de robustesse.

Les centres de données bâtis par ces acteurs sont à l'origine des architectures des PaaS (*Platform as a Service*) sous-jacentes aux SaaS, comme nous le verrons dans le chapitre 18.

Une plate-forme de services

La plupart des applications du monde web 2.0 mettent à disposition des **API** (*Application Programming Interface*), sortes d'interfaces qui permettent l'invocation de leurs services depuis d'autres applications. Ces API sont ouvertes, publiques et utilisables par tous. Il est donc possible de créer des applications qui recourent à ces services.

Lorsque des applications sont bâties uniquement sur la base de ces API, on les appelle applications composites, ou, en anglais, **mashups**. Elles sont construites par assemblage libre, à la manière des « legos ».

Le site housingmaps.com est un des exemples les plus connu de **mashup** : il fait appel à l'API de Craiglist, un site de petites annonces, et à l'API de Google Maps, une solution de cartographie en ligne. La résultante de cette application composite est une carte des petites annonces immobilière que l'on peut parcourir et agrandir selon ses besoins.

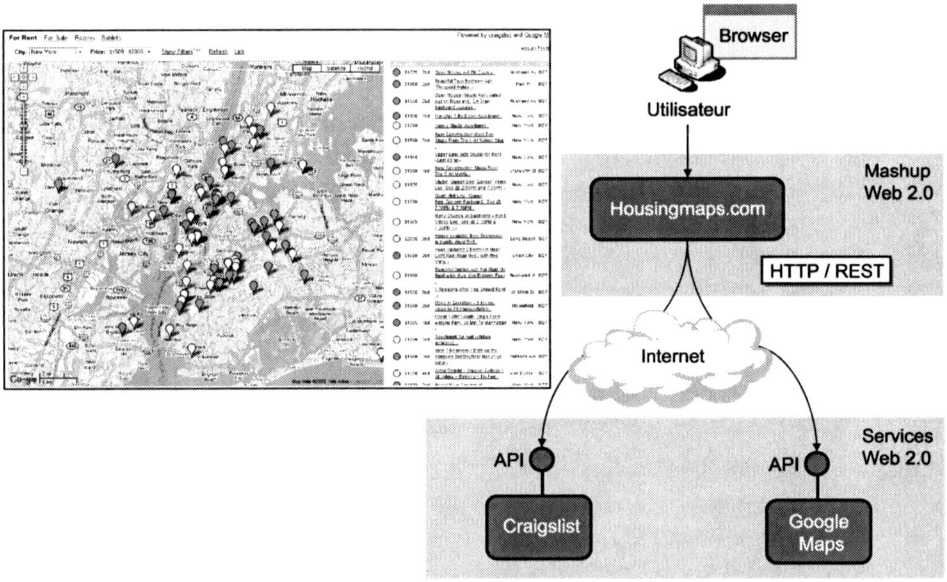

Figure 1.8 — Le principe des mashups avec l'exemple d'housingmaps.

Ce principe d'API offre un grand potentiel créatif aux acteurs du web 2.0. En effet, ils peuvent construire une myriade d'applications par combinaison d'interfaces. Le site programmableweb.com référence d'ailleurs plus de 3 300 *mashups* à ce jour (fin 2008).

Il faut préciser que ces API utilisent le style **REST**, une architecture simplifiée essentiellement basée sur HTTP et donc très simple à prendre en main (voir chapitre 18). Ainsi, n'importe qui peut facilement créer un *mashup*. Pour les entreprises utilisatrices, le développement d'applications suivant la philosophie web 2.0 se révèle rapide : il est ainsi possible de mettre rapidement des applications web sur le marché sans passer par un cycle projet long. On parle alors de **développement agile**.

À propos du développement agile

On distingue deux grandes familles de méthodes de gestion de projet : les méthodes très structurées et les méthodes agiles.

Les premières, comme celle du cycle en V, sont adaptées à de gros projets impliquant des équipes et des délais importants. Elles permettent de déléguer le développement à des SSII. Elles nécessitent des spécifications très précises.

Les secondes comme XP ou SCRUM, proposent d'utiliser des cycles courts et itératifs avec une grande implication des utilisateurs finaux. Le périmètre peut évoluer en cours de développement. Elles permettent une réalisation d'applications peu complexes.

On verra dans la suite que ce principe a largement inspiré les opérateurs SaaS. Les API de leurs plates-formes fournissent une solution simple pour les entreprises qui souhaitent intégrer leurs applications existantes avec des SaaS (voir chapitre 19).

Un principe d'évolution continue

On ne peut pas terminer la présentation des principes du web 2.0 sans présenter le principe de la « **bêta perpétuelle** ».

Les applications web 2.0 évoluent suivant un cycle différent de celui des logiciels classiques avec des versions bien identifiées (*cf.* Windows XP, Windows Vista). Elles sont mises à jour en continu par leurs hébergeurs sans que les utilisateurs soient informés de l'existence d'une nouvelle version. Les nouvelles fonctionnalités apparaissent au fil de l'eau, et elles sont découvertes par hasard par les usagers. Ce mode de fonctionnement est satisfaisant pour les utilisateurs qui aiment la nouveauté et ne sont pas récalcitrants à s'adapter à des interfaces en changement perpétuel.

Le terme « bêta perpétuelle » désigne le fait que l'application n'est jamais finalisée, mais toujours en évolution : il n'y a pas de livraison de nouvelle version à proprement parler. L'enjeu de ce mode de fonctionnement est bien entendu de maintenir la stabilité de l'application tout au long de ses évolutions incrémentales.

On verra dans les chapitres suivants que ce modèle est repris par les SaaS.

1.6 LES NOUVEAUX TERMINAUX RENFORÇENT LA PERTINENCE DES APPLICATIONS HÉBERGÉES

À ce jour, l'accès au monde informatique se fait principalement par l'intermédiaire d'un poste de travail prenant la forme d'un PC sous Windows, Mac OS ou plus rarement sous Linux. Ce PC fixe ou portable dispose d'un écran confortable mais est peu adapté à un usage mobile, du fait de sa taille et de son poids. De plus il dispose de périphériques d'interface inchangés depuis 20 ans : le fameux couple clavier/souris.

Le propos de ce paragraphe est de montrer que des interfaces alternatives émergent, et qu'elles renforcent la pertinence des applications hébergées.

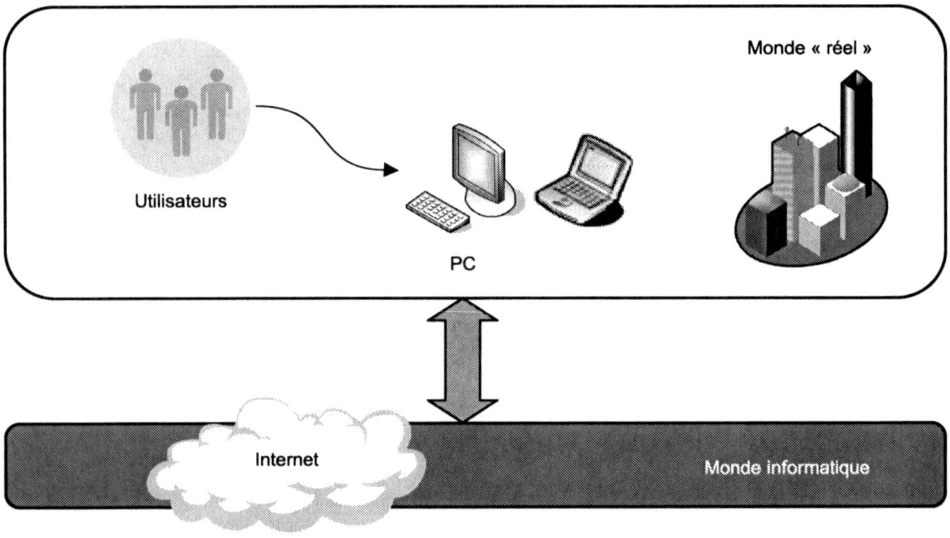

Figure 1.9 — L'accès à l'informatique aujourd'hui.

1.6.1 Les appareils mobiles

Depuis l'apparition du Palm Pilot en 1996, les appareils mobiles ont beaucoup évolué. Ils ont connu diverses appellations comme PDA (*Personal Digital Assistant*), Smartphones, PDAphones, etc. Ils se sont dotés de capacités de communication de plus en plus sophistiquées.

En 2008, on peut classer ces produits dans les catégories suivantes :

- **Les Tablet PC** : ce sont des concentrés de technologies, légers et très coûteux. Ils sont dotés d'un écran tactile, et leur clavier peut disparaître pour les transformer en « ardoise ». Ils sont adaptés à un usage mobile[1] en station debout.

1. "Mobile" désigne un usage en train de marcher ou de rouler, tandis que "nomade" signifie que l'on est hors de son lieu de travail habituel, mais en position assise (cf. gare, aéroport).

- **Les « netbooks »** : ce sont des appareils portables à grand écran, mais très légers et peu coûteux. Le plus connu d'entre eux est l'eeePC d'ASUS. Le credo de leurs constructeurs est le suivant : pour des usages grand public (Internet et bureautique), un PC puissant est inutile ; autant recourir à un appareil simple mais efficace. Ils sont adaptés à un usage nomade et connaissent un fort engouement.
- **Les livres électroniques** : ce sont des appareils doté d'un écran de très grande finesse, destinés à la lecture en situation nomade. Le plus connu d'entre eux est le Kindle d'Amazon.
- **Les Smartphones** : ce sont des téléphones intelligents. Leur prix et leur équipement sont très variables. Ils sont capables de se connecter à Internet. Parmi leurs périphériques, on peut trouver des appareils photo numériques, des caméras, des écrans tactiles, des accéléromètres, des systèmes de localisation GPS[1], etc. Le plus connu d'entre eux est l'iPhone d'Apple.

Tous ces types d'appareils mobiles savent se connecter à Internet. Par contre, ils disposent :

- **d'ergonomie très variable** : tailles d'écran, modes de saisie, robustesse des batteries, etc. ;
- **de socles techniques très divers** : Windows, Windows mobile, Symbian, Linux, etc. ;
- **de capacités de stockage très variables ;**
- **de rapidités d'accès à Internet très variables** : EDGE[2] (200 Kb/s), 3G+ (2 Mb/s), Wifi (54 Mb/s), etc.

Par conséquent, il est très difficile d'utiliser des applications client lourd sur ces appareils : elles sont non seulement complexes à créer, mais en plus il faudrait en développer des centaines de variantes pour adresser tous les appareils mobiles du marché. C'est l'une des raisons pour lesquelles on privilégie les applications hébergées pour les appareils mobiles.

Le mode hébergé assure aussi l'intégrité des données, mal protégées par les petits appareils, sujets à des vols, à de la casse, ou à des pannes de batteries entraînant la perte de données.

Par ailleurs, les utilisateurs d'appareils mobiles utilisent généralement en parallèle un PC classique, et ces deux appareils doivent accéder aux mêmes informations. Cet accès concurrent est grandement facilité lorsque les applications et données sont sur le web.

---

1. Le GPS (*Global Positioning System*) est une technologie de géolocalisation basée sur des satellites en orbite autour de la terre.
2. L'EDGE (*Enhanced Data Rates for GSM Evolution*) est une extension du protocole GSM, permettant des débits de transfert plus élevés.

Nous vous proposons un exemple pour illustrer cette affirmation : lorsqu'un document est en ligne, disponible à tout moment, on a la certitude d'avoir accès à la bonne version. Tandis qu'une version d'un document stockée sur un PC éteint peut être indisponible et remplacée accidentellement par une version moins récente.

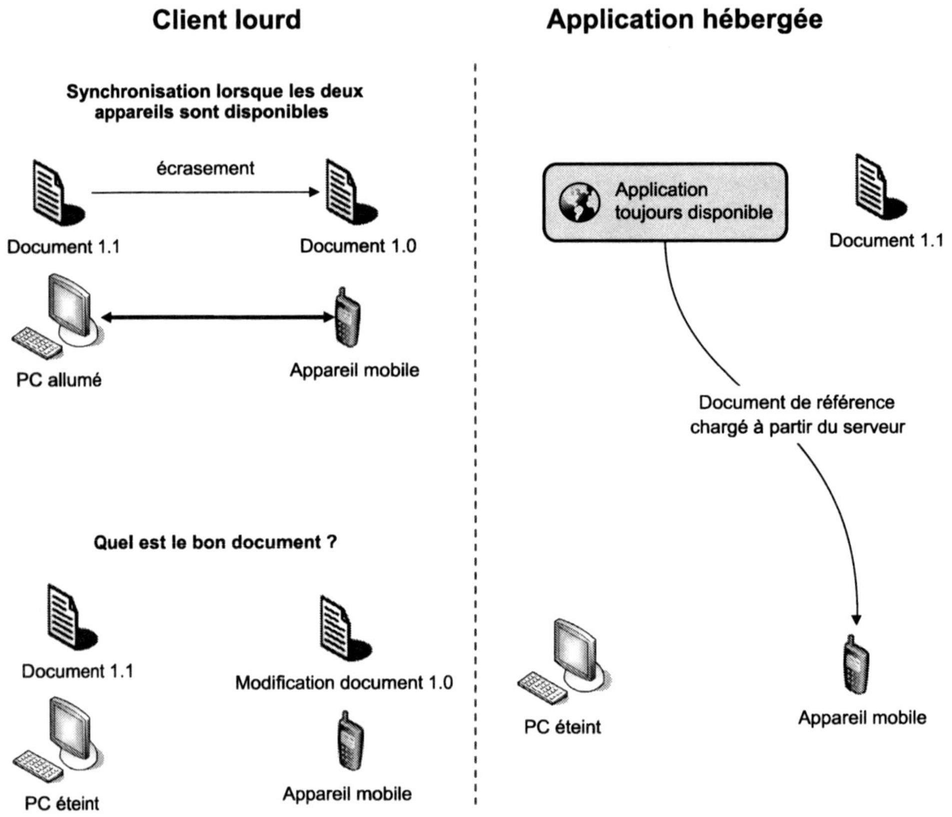

Figure 1.10 — Illustration de la pertinence d'une application hébergée en cas d'accès par plusieurs appareils.

La montée en puissance des appareils mobiles renforce donc la pertinence des applications hébergées, ou SaaS.

1.6.2 L'ubimedia

L'ubimedia est un néologisme inventé par Adam Greenfield[1] : il désigne l'« informatique des objets », ou « informatique ambiante », c'est-à-dire une informatique qui envahit notre quotidien pour nous simplifier la vie, nous faire gagner du

1. *Everyware : La révolution de l'ubimédia*, Adam Greenfield, Fyp éditions, 2007

temps, décharger notre cerveau de la mémorisation de données logistiques (itinéraires, agenda, etc.).

À l'heure de l'ubimedia, tous les objets de la vie courante deviennent intelligents et communicants. Les passerelles sont multiples entre les mondes réels et informatiques et les variétés d'interfaces hommes machines très diverses. On voit apparaître par exemple :

- des interfaces sonores/lumineuses (*cf.* le lapin Wifi Nabaztag) ;
- des interfaces gestuelles (*cf.* la console Wii de Nintendo) ;
- des interfaces multi-tactiles[1] (*cf.* l'iPhone et Microsoft Surface) ;
- des interfaces invisibles (*cf.* les GPS ou les RFID[2]).

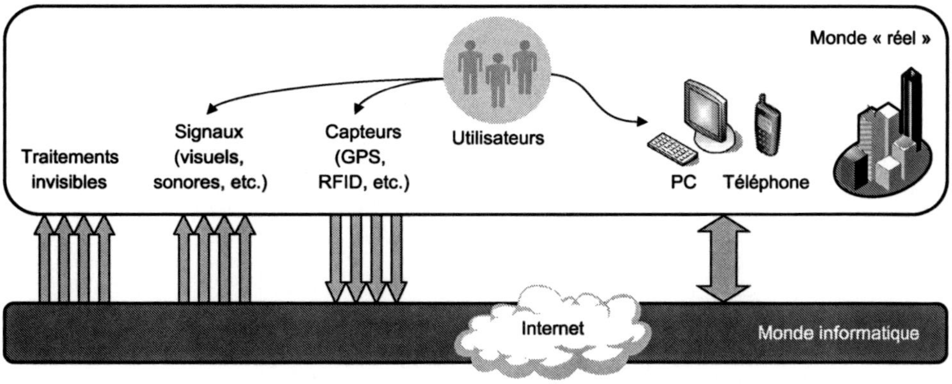

Figure 1.11 — L'informatique à l'heure de l'ubimedia.

Les interfaces de type invisible sont capables de mener des traitements sans validation humaine, comme par exemple, la détection d'une rupture de stock et la commande automatique depuis une armoire pharmaceutique, un réfrigérateur, une machine à café, etc.

L'ubimedia peut être utilisé pour :

- la surveillance des enfants ;
- l'assistance aux personnes âgées ;
- le contrôle des efforts des sportifs ;
- la gestion de l'allumage de lampes et radiateurs pour économiser de l'énergie ;

1. Il s'agit d'écrans tactiles sensibles à plusieurs actions simultanées (plusieurs doigts d'une même personne, ou de plusieurs personnes)
2. Les RFID (*Radio Frequency IDentification*) sont des étiquettes intelligentes qui permettent à des capteurs de connaître les caractéristiques des produits sur lesquels elles sont fixées. Elles peuvent être utilisées avec des bagages en aéroport, des produits de grande distribution, des automobiles, etc.

- le pilotage de son électroménager avec une télécommande universelle ;
- etc.

Tous les observateurs s'accordent pour dire que l'ubimedia constitue une évolution majeure et irréversible de l'informatique. Or ces objets communicants disposeront de peu de mémoire et de peu de capacité de stockage. Ils reposeront donc entièrement sur le *cloud computing*.

1.7 LE *CLOUD COMPUTING* : UNE CAPITALISATION SUR TOUTES LES ÉVOLUTIONS PRÉCÉDENTES

En proposant l'hébergement des applications sur des plates-formes accessibles depuis le web, le *cloud computing* est l'aboutissement de l'ensemble des mouvements évoqués dans ce chapitre.

Le *cloud computing* va bien au-delà de la synthèse des mouvements précédents : nous allons présenter ses autres bénéfices dans les chapitres suivants.

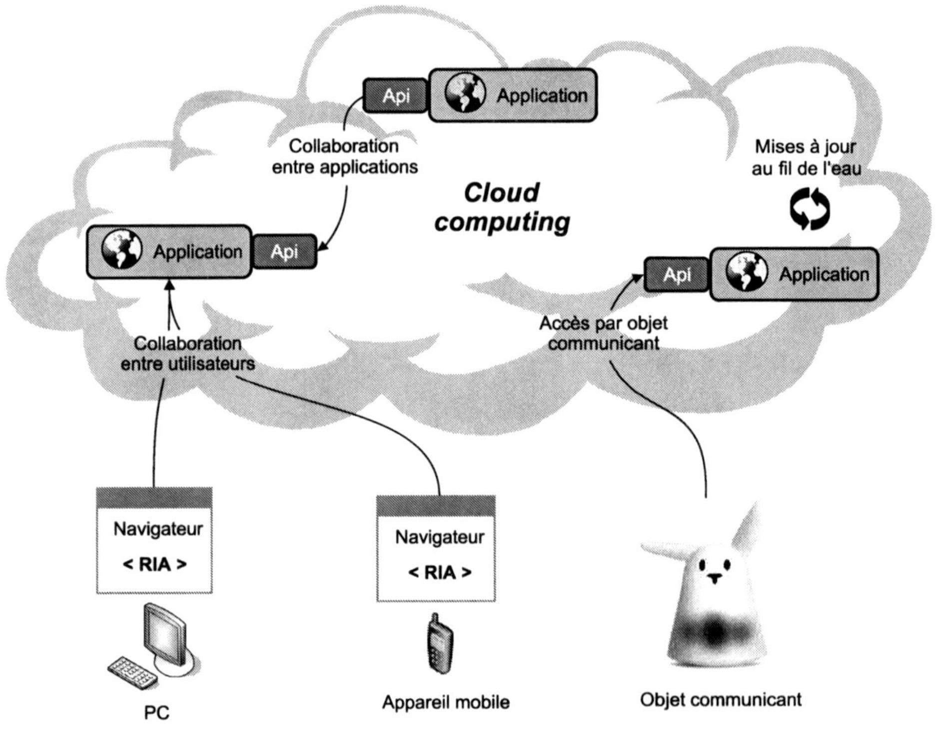

Figure 1.12 — Le *cloud computing* comme synthèse des évolutions précédentes.

En résumé

Le cycle d'évolution des interfaces informatiques semble être arrivé à un terme avec le RIA.

Les RIA résolvent la problématique d'interface qu'avaient rencontrée les ASP, ancêtres des *Software as a Service*.

Le *cloud computing* a tiré les leçons de l'échec de l'ASP en proposant des architectures plus adaptées à la consommation d'applications depuis le web.

Il a intégré les pratiques issues du web 2.0 comme la collaboration et la construction d'applications par assemblage d'API. On peut aussi noter que le web 2.0 a préparé les utilisateurs « *early adopters* » à utiliser des applications hébergées.

Enfin la montée en puissance des appareils communicants de toutes sortes rend le modèle des applications hébergées incontournable.

2

Concepts et définitions du *cloud computing*

Objectif

Nous avons mentionné à plusieurs reprises les terminologies *cloud computing*, *Software as a Service*, *Platform as a Service* dans le chapitre précédent.

Il est temps de définir précisément ce que désignent ces concepts : c'est l'objectif de ce chapitre.

2.1 QUE SIGNIFIE CLOUD COMPUTING ?

Le terme *cloud computing* se traduit littéralement par « informatique dans les nuages », ces nuages faisant référence à Internet et au web.

Pour bien comprendre cette terminologie, il faut rappeler qu'Internet est un réseau très complexe et difficile à appréhender car constitué de millions de connexions utilisant des technologies très disparates (fibre optique, câble, ADSL, etc.). Le réseau repose sur un maillage mondial sophistiqué, avec de nombreuses redondances qui permettent à une requête de changer de chemin si une partie du réseau est inopérante ou congestionnée. Enfin, Internet est géré par des milliers d'organisations publiques et privées différentes.

Ainsi, lorsqu'on accède à une application web comme Amazon, on n'a pas la moindre idée de son emplacement physique (peut-être en Californie, mais où précisément, difficile à dire...). On n'a pas non plus la moindre idée du chemin qu'emprunte une requête pour parvenir jusqu'à l'application (la demande a pu passer par des câbles transatlantiques ou par la Russie et le Japon...) Ainsi, le monde de l'Internet est complètement abstrait pour la plupart des utilisateurs : il n'a pas de réalité géographique tangible. L'application de *cloud computing* que nous utilisons peut se trouver à San Francisco, dans un satellite ou même sur la Lune : cela fait finalement peu de différence pour nous. Les nuages du *cloud computing* font référence à cette abstraction. Ils font aussi référence au fait que l'on représente souvent Internet sous la forme d'un nuage dans les schémas informatiques.

Le *cloud computing* signifie donc que les applications en ligne sont utilisées comme si elles étaient situées dans l'éther, dans un espace sans réalité physique.

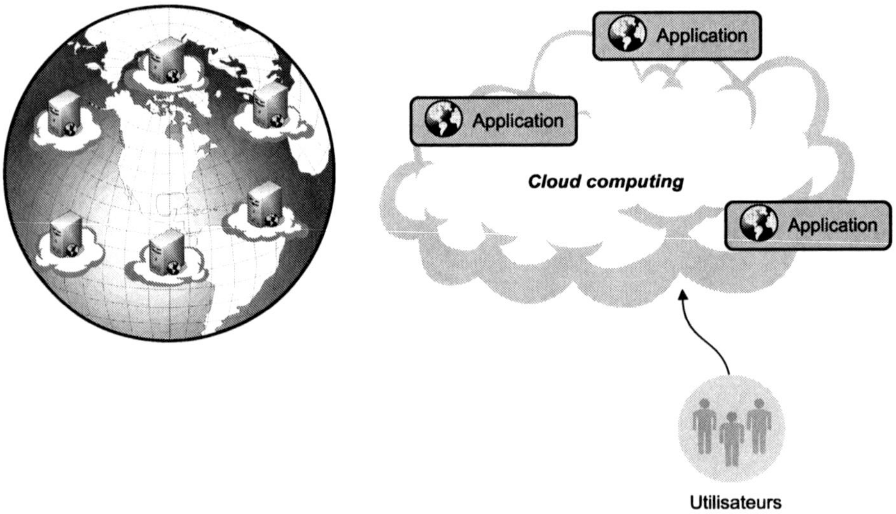

Figure 2.1 — Illustration du *cloud computing.*

Certains acteurs du monde du *cloud computing* jouent d'ailleurs sur cette immatérialité : ainsi Google entretient un certain mystère autour de l'emplacement de ses centres de données ou *datacenters*.

Le concept de *cloud computing* englobe les concepts de *Software as a Service* (SaaS) et de *Platform as a Service* (PaaS).

2.2 QUE SIGNIFIE SaaS ?

SaaS signifie *Software as a Service*, c'est-à-dire un logiciel fourni sous la forme de service et non sous la forme de programme informatique (code binaire à à installer sur une machine. Les utilisateurs des applications SaaS accèdent à ce service via Internet.

La différence entre SaaS et logiciel est essentielle. En effet, les SaaS proposent des logiciels opérationnels, prêts à l'emploi, sans passer par une étape d'installation, et sans aucune tâche de maintenance.

Les SaaS sont exécutés sur des plates-formes conçues pour une utilisation simultanée par un grand nombre de collaborateurs qui travaillent dans de nombreuses entreprises différentes. Ces plates-formes sont mises à disposition par des acteurs (comme Google ou Salesforce) que nous appellerons *opérateurs SaaS*, car leur métier est plus proche de ceux des opérateurs télécoms que de celui des éditeurs de logiciel. C'est la raison pour laquelle **dans le modèle SaaS, on ne parle plus d'éditeur, mais d'opérateur de service.**

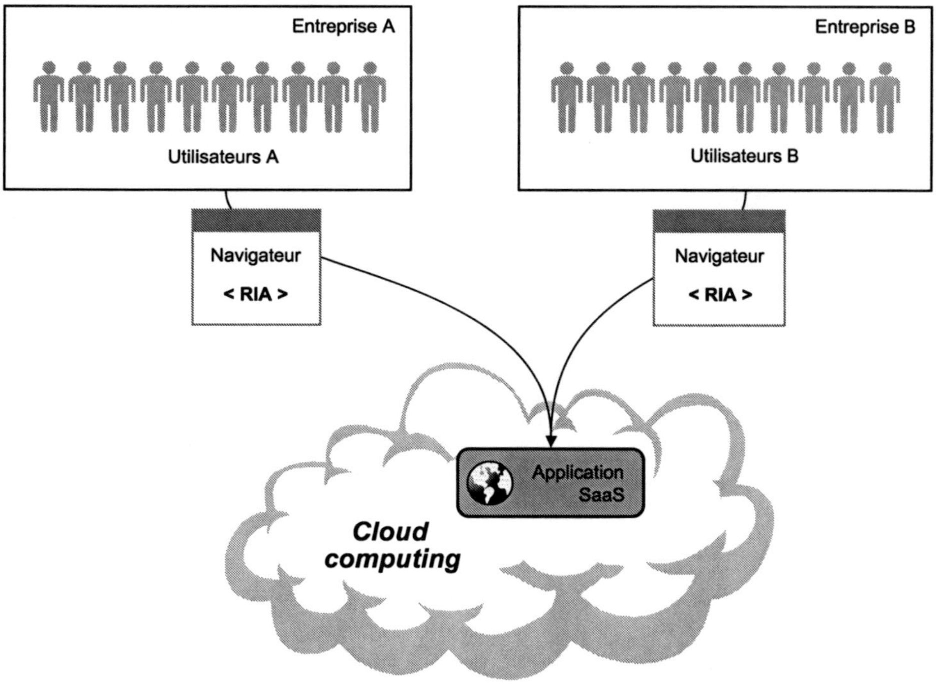

Figure 2.2 — Vision générale des SaaS.

Le terme *Software as a Service* évoque bien un service, dans le sens où le fournisseur vend une fonction opérationnelle, et non des composants techniques nécessitant une compétence informatique. Pour utiliser une métaphore, il est évident pour tout le monde que le service attendu d'un restaurant est un repas et non la mise à disposition de légumes et de viande crus...

Par ailleurs, le terme *service* évoque les architectures orientées *services* (SOA). Nous reviendrons dans le chapitre 18 sur les liens entre SaaS et SOA.

Le canal d'accès aux applications SaaS étant le réseau Internet, on les appelle aussi « **applications en ligne** ». Dans cet ouvrage, nous utilisons indifféremment les terminologies *SaaS* et *applications en ligne*. Nous les considérons comme des synonymes.

Comme on l'a vu dans les chapitres précédents, les SaaS sont les successeurs des ASP. Ils se distinguent de ces dernières par :

- L'usage d'interfaces RIA (voir chapitre 1) : leurs interfaces sont exécutées dans un navigateur web ; elles n'ont aucune adhérence avec le poste de travail ; la problématique de déploiement de client lourd est donc contournée.
- Des architectures dites « multi-tenants » **(voir chapitre 18) dédiées et optimisées pour un usage en ligne :** les applications SaaS bénéficient d'un environnement d'exécution conçu pour un usage en ligne avec une forte charge utilisateur ; elles sont liées à cet environnement et ne peuvent pas être « déménagées » simplement sur un serveur Windows ou Linux en entreprise.
- **La mise en avant de fonctions collaboratives :** les SaaS mettent l'accent sur les pratiques collaboratives héritées du web 2.0 ; comme on le verra dans la suite, on retrouve ces pratiques entre utilisateurs, mais aussi entre développeurs de SaaS.
- **La fourniture d'API ouvertes** : les SaaS ont fortement intégré le principe des *mashups* du web 2.0 ; ils fournissent des API permettant de faire appel à leurs fonctionnalités ; l'intégration entre Salesforce et Google Apps en est un exemple remarquable ; l'utilisateur retrouve ses documents ou sa messagerie instantanée Google au sein des écrans de CRM de Salesforce ; on verra dans le chapitre 17 que cette intégration entre SaaS peut aller jusqu'à reproduire un système d'exploitation muni de ses applications.

Les SaaS reprennent donc le modèle ASP dans les grandes lignes, mais ils le rendent plus viable : ils font disparaître les freins techniques qui avaient limité la portée du modèle précédent.

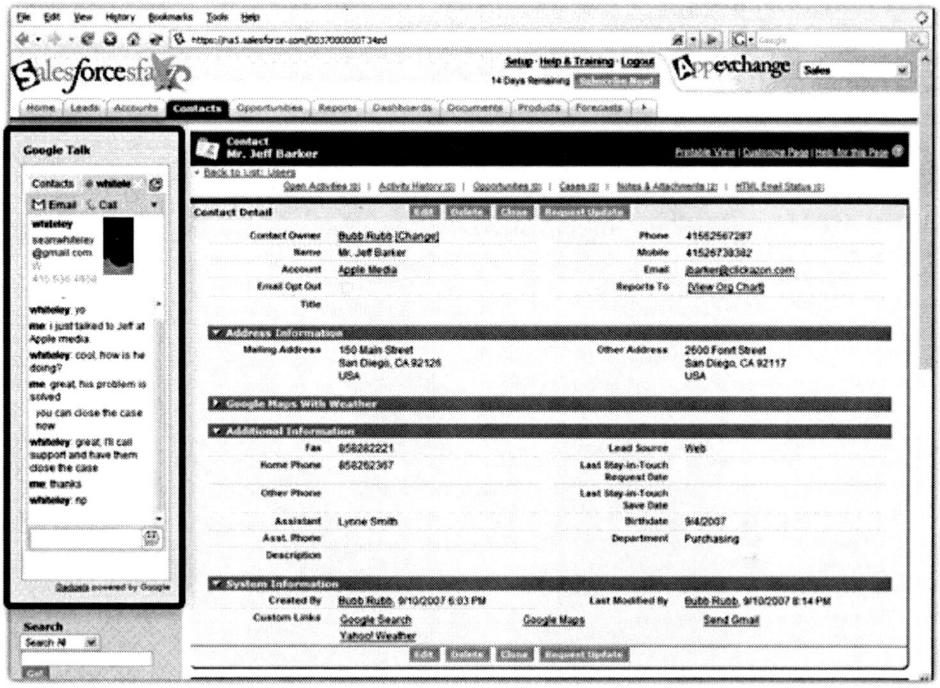

Figure 2.3 — L'intégration de Salesforce et Google Talk.

2.3 QUE SIGNIFIE PAAS ?

PaaS signifie *Platform as a Service* ou plate-forme de *cloud computing*.

Ce terme désigne une plate-forme d'exécution hébergée par un opérateur et accédée depuis Internet. Cette plate-forme peut être utilisée pour exécuter des SaaS, et peut aussi être mise à la disposition des entreprises qui souhaitent faire héberger leurs applications issues de développements spécifiques.

Amazon a été précurseur dans ce domaine avec Amazon web Services (AWS). Le commerçant en ligne loue depuis quelques années une partie de ses capacités à des entreprises intéressées. AWS est ainsi devenu la première plate-forme de *cloud computing*, permettant de déporter des traitements dans les nuages. Nous présenterons cette plate-forme en détail dans le chapitre 20.

Dans l'approche PaaS, on ne fournit pas seulement un environnement d'exécution déporté, mais aussi un ensemble de services d'infrastructure. La plate-forme PaaS propose ainsi :

- Un **service de persistance de données** qui permet de faire persister des données structurées ou des documents dans les nuages.
- Un **service d'hébergement d'application** qui permet d'exécuter des applications écrites dans divers langages.
- Un **service d'intégration technique** qui permet d'intégrer l'application hébergée sur la plate-forme PaaS avec d'autres applications.
- Un **service de surveillance** ou monitoring qui permet d'assurer le suivi de la disponibilité des applications hébergée sur la plate-forme PaaS.

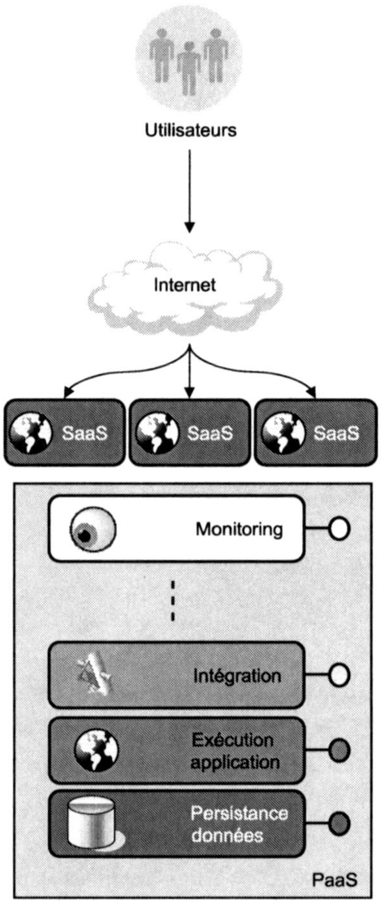

Figure 2.4 — Les plates-formes PaaS.

Nous reviendrons dans le chapitre 19 sur une description précise de l'ensemble de ces services. Dans cette partie introductive, il est important de retenir que ces services d'infrastructure sont complémentaires des SaaS. En effet, les SaaS sont des applications « clefs en mains » utilisables en l'état par les collaborateurs d'une entreprise. Si un éditeur souhaite créer une nouvelle application SaaS, il pourra se servir d'une plate-forme PaaS, qui lui donnera l'outillage nécessaire pour la construire.

La plate-forme multi-tenant PaaS offre une grande souplesse : chaque service est proposé de manière unitaire, et chacun d'entre eux peut être accédé via une API, selon les principes du web 2.0 évoqués plus haut.

2.4 *CLOUD COMPUTING* VERSUS PLATES-FORMES D'ENTREPRISE

Les entreprises exploitent depuis toujours deux types d'applications sur leur plate-forme d'exploitation :

- Des progiciels pour des services assez standardisés, parfois appelés *services de commodité*. par exemple les progiciels intégrés (SAP), la messagerie (IBM Lotus, Microsoft Exchange), etc.
- Des développements adressant des besoins spécifiques, le plus souvent des *applications métiers*. Les environnements les plus utilisés dans ce contexte sont aujourd'hui JEE (*Java Enterprise Edition*) et Microsoft .NET.

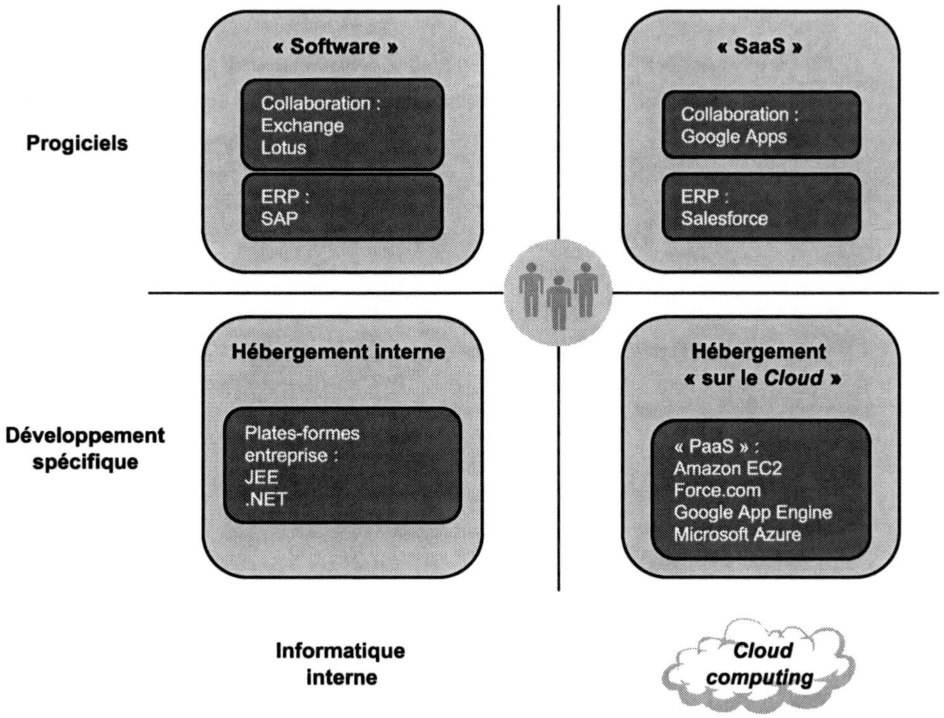

Figure 2.5 — Informatique interne versus *cloud computing*.

On peut faire un parallèle entre ces plates-formes d'entreprise et le *cloud computing*. En effet, les SaaS sont des progiciels assez standardisés, hébergés « sur le cloud ». Parmi les exemples les plus aboutis de SaaS à ce jour, on peut citer Salesforce, pour les progiciels intégrés, et Google Apps, pour la collaboration.

Les PaaS sont des plates-formes de développement hébergées « sur le cloud ». Nous présenterons dans cet ouvrage celles d'Amazon, Salesforce, Google et Microsoft.

2.5 LE SaaS, UNE ÉVOLUTION LOGIQUE DE L'INFORMATIQUE

2.5.1 Vers l'externalisation des ressources

Le SaaS s'inscrit dans une **tendance générale de « virtualisation des ressources »**. En effet, les entreprises possèdent de moins en moins de biens matériels (locaux, flottes de véhicules, matériels informatique, etc.) et capitalisent plutôt sur leurs données et leurs connaissances métiers.

Si l'on porte la métaphore au-delà du monde des entreprises, dans la sphère personnelle, on constate qu'il est souvent plus intéressant aujourd'hui de :

- louer une voiture à l'heure ou à la semaine, plutôt que de la posséder ;
- emprunter des livres en bibliothèque, plutôt que de les posséder ;
- louer des films sur des plates-formes de vidéos à la demande, plutôt que de les posséder ;
- etc.

Les SaaS s'inscrivent donc dans une tendance générale de mutation des modes de consommation.

2.5.2 Vers l'ouverture des entreprises sur le web

Le modèle SaaS s'inscrit par ailleurs dans la **continuité de l'évolution des technologies du** web :

- Il capitalise sur les technologies du web (HTTP/HTML).
- Il capitalise sur les pratiques de paiement et de sécurité issues du commerce électronique.
- Il capitalise sur les nouvelles technologies d'interface appelées RIA.
- Il capitalise sur les pratiques collaboratives issues du web 2.0, au niveau des fonctions destinées aux utilisateurs et au niveau des interfaces techniques destinées aux développeurs.

Le modèle SaaS est donc l'aboutissement de l'évolution du web depuis 15 ans.

Le modèle SaaS s'inscrit dans la **continuité de l'adoption du** web **par les entreprises.** En effet, les entreprises ont commencé par utiliser Internet à des fins de communication. Puis le réseau a intégré leur processus métiers et leur a permis d'échanger avec leurs clients et partenaires, en ouvrant de nouveaux canaux de vente et en réduisant leurs coûts. Enfin, Internet va leur permettre de déporter leur informatique, en ouvrant à nouveau des perspectives de réduction de coûts et en gagnant en performance et robustesse.

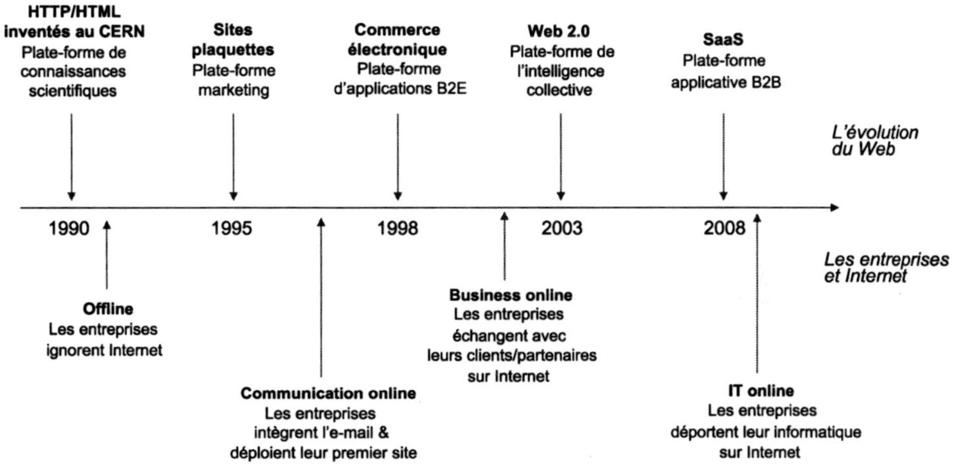

Figure 2.6 — Les SaaS s'inscrivent sans l'évolution du web.

En résumé

Le *cloud computing* désigne une informatique externalisée vers des lieux de traitement des données inconnus de ses utilisateurs. Il englobe les concepts de SaaS et PaaS.

On définit le SaaS comme le successeur de l'ASP, en y intégrant les bonnes pratiques issues du web : interface RIA, architecture multi-tenant, API ouvertes, orientation collaboration.

Les PaaS sont des plates-formes en ligne exploitables pour héberger des SaaS développés par des fournisseurs de services ou par les entreprises clientes elles-mêmes.

3

Le SaaS, un nouveau modèle logiciel

Objectif

Ce chapitre présente l'historique des modèles économiques pour les logiciels d'entreprises : « grand système », « software », « Open Source », « outsourcing », « outsourcing par l'éditeur », « web ».

Il introduit le modèle SaaS, en le comparant aux modèles précédents et il présente les bénéfices de ce modèle pour les entreprises.

3.1 L'ÉVOLUTION DES MODÈLES ÉCONOMIQUES LOGICIELS

3.1.1 Le modèle « grand système » des années 1970

Aux débuts de l'informatique, lorsqu'IBM était le seul acteur de la commercialisation de serveurs, les logiciels n'avaient pas beaucoup de valeur. En effet, IBM vendait ses machines et considérait la partie logicielle comme de la cosmétique, un peu comme une couche de peinture. Le matériel était alors le principal sujet de l'informatique : il était très encombrant, coûteux, et son accès était réservé à quelques spécialistes.

Le logiciel étant déconsidéré, il n'avait pas de modèle économique. C'est seulement avec l'arrivée des PC et la naissance de Microsoft qu'a commencé à se développer le principe de vente des licences logicielles.

3.1.2 Le modèle traditionnel « software »

Le modèle logiciel dominant que nous connaissons aujourd'hui est apparu des années 1980 avec Microsoft MS-DOS, Office, puis Windows. Nous l'intitulerons modèle « software » dans cet ouvrage.

Ce modèle est basé sur la commercialisation par un **éditeur** de licences, dites **perpétuelles**, que l'utilisateur achète à un prix fixe et qui lui permet d'utiliser son logiciel sans limite dans le temps.

Le modèle « software » comprend souvent une option de **support** qui, en échange d'un abonnement mensuel ou annuel donne accès aux équipes de l'éditeur afin de résoudre des problèmes d'installation et de maintenance du logiciel, et de mieux comprendre son fonctionnement. Il propose aussi souvent une souscription annuelle qui permet de bénéficier des **mises à jour du logiciel**.

Le cas de Microsoft

Microsoft propose depuis quelques années le paiement d'une licence perpétuelle accompagné d'une « software assurance », une assurance logicielle qui couvrent ses clients contre les problématiques d'obsolescence en leur garantissant de disposer de la dernière version du logiciel. Pour bénéficier de la nouvelle version il faudra migrer le logiciel, ce qui est une tâche assez conséquente.

Dans le modèle « software », les prestations de type installation, paramétrage, maintenance ne sont pas assurées par l'éditeur. L'entreprise utilisatrice doit gérer ces tâches elle-même ou les déléguer à un prestataire de service. L'hébergement du logiciel est généralement assuré dans les locaux de l'entreprise utilisatrice.

Enfin, le logiciel est souvent customisable pour permettre son adaptation à des spécificités de l'entreprise utilisatrice au travers d'API fournies par l'éditeur.

On constate, dans la pratique, que l'exploitation d'un logiciel « software » multiplie environ son prix par 4. Ainsi le coût total de possession du logiciel (TCO[1] en anglais) est très supérieur à son coût d'acquisition.

Les principales problématiques auxquelles doit faire face l'entreprise utilisatrice sont :

- Garantir **la disponibilité[2] du logiciel** vis-à-vis des utilisateurs (on parle de disponibilité 24 heures sur 24, 7 jours sur 7, etc.) en déployant et en exploitant une architecture adaptée.

1. *Total Cost of Ownership*
2. Voir *Performance des architectures IT*, G. Grojean et al, Dunod, 2007.

- Assurer **la sécurité du logiciel** (sa capacité à protéger les données vis-à-vis d'un accès illicite, ou d'une altération accidentelle ou malveillante) en déployant et en exploitant une architecture adaptée.
- Prendre en charge les **montées de version du logiciel** (le passage de la version 1.0 à la version 1.2, par exemple) en assurant la migration des données, la continuité du service, et la formation des utilisateurs.

Ces problématiques sont extrêmement coûteuses en termes de ressources humaines et nécessitent de bons niveaux d'expertise sur le logiciel utilisé.

Tableau 3.1 — Le modèle « software » en synthèse.

Licence	Support	Mises à jour	Production	Hébergement	Customisation
Perpétuelle : paiement en une seule fois à l'éditeur	Paiement annuel à l'éditeur	Paiement annuel à l'éditeur	Interne	Interne	Possible

3.1.3 Le modèle Open Source

Le modèle Open Source s'est développé à la fin des années 1990. Open Source signifie que le code du logiciel est ouvert, que sa relecture par des tiers est possible ; il ne signifie pas nécessairement que le logiciel est gratuit.

Les logiciels Open Source les plus utilisés sont ceux qui constituent les socles applicatifs, comme les systèmes de gestion de base de données (MySQL, PostGreSQL), les serveurs HTTP (Apache), les serveurs d'application (Tomcat, Jboss, JonAS, Glassfish etc.), les systèmes d'exploitation (Linux). L'Open Source aborde peu à peu la partie applicative, visible de l'utilisateur final, avec des logiciels de gestion de site web (exemple : eZpublish), gestion documentaire (exemple : Alfresco), de portail (exemple : Liferay), de CRM (exemple : SugarCRM), etc.

Il existe des sous-modèles dans l'Open Source : le logiciel peut être gratuit ou non, accompagné d'un support payant ou non. Les licences d'utilisation (GPL[1], BSD[2], etc.) sont plus ou moins contraignantes pour l'entreprise utilisatrice. Néanmoins, les modèles dominants sont :

- un logiciel gratuit, dont les mises à jour sont gratuites, dont le support peut être assuré par les équipes de l'entreprise utilisatrice ou acheté à des tiers comme les SSLL[3] : c'est le modèle d'Apache, OW2, Eclipse, etc. ;

1. GNU *General Public License*
2. *Berkeley Software Distribution*
3. Sociétés de Services en Logiciels Libres

- un logiciel gratuit, dont les mises à jour sont gratuites, avec un support payant : c'est le modèle de RedHat, Sun, Alfresco, etc.

Le cas de Red Hat

Red Hat commercialise notamment des distributions de Linux, un système d'exploitation par ailleurs totalement gratuit. Red Hat vend un support annuel qui permet aux entreprises habituées au modèle « software » de pouvoir se retourner vers un fournisseur en cas de problème. Red Hat est une des plus belles réussites financières du monde Open Source.

Un des avantages du modèle Open Source est que l'on peut tester le logiciel pour se faire une idée précise de ses fonctionnalités et de sa performance technique, sans frais de licence. Une expérimentation ou un test réel donne toujours beaucoup plus d'information que la lecture d'une documentation éditeur, laquelle n'est pas toujours objective. Cette possibilité est particulièrement intéressante pour les PME qui disposent de compétences techniques, mais n'ont pas la possibilité de se faire prêter les logiciels de type « software » par leurs éditeurs.

Dans le modèle Open Source, les prestations de service de type installation, paramétrage, maintenance ne sont assurées par aucun éditeur. L'entreprise utilisatrice doit s'en charger elle-même ou déléguer ces tâches à un prestataire de service. L'hébergement du logiciel est généralement assuré dans les locaux de l'entreprise utilisatrice.

Les logiciels Open Source sont facilement customisables car l'ouverture du code permet de connaître l'architecture du logiciel et d'en développer des extensions dès lors qu'on a les compétences ad hoc. Certaines entreprises utilisatrices prennent d'ailleurs la décision de faire évoluer un logiciel Open Source dans une direction qui les intéresse. Dans ce cas, elles s'écartent de la communauté qui édite le logiciel et peuvent perdre le bénéfice des évolutions menées par cette communauté. Cette prise de direction autonome est appelée « *fork* », une bifurcation en anglais.

Le coût des logiciels Open Source est essentiellement lié à leur exploitation. Leur TCO se calcule donc par rapport au prix des machines et au coût salarial des équipes d'exploitation. Le TCO n'est pas nécessairement plus bas que celui du modèle « software » pour les grandes entreprises qui ont un existant conséquent et des équipes performantes dans le modèle « software ».

Tableau 3.2 — le modèle « Open Source » en synthèse

Licence	Support	Mises à jour	Production	Hébergement	Customisation
Gratuit	Interne ou paiement annuel à l'éditeur	Gratuit	Interne	Interne	Simple

En revanche, les start-up high-tech s'orientent souvent vers l'Open Source, car elles ont la possibilité de s'organiser pour optimiser leur TCO en embauchant des administrateurs spécialisés dans l'Open Source. Ainsi, avec la baisse du coût des machines, les logiciels Open Source permettent à ces entreprises de se lancer sans investissement initial conséquent. Elles gagnent ainsi en indépendance vis-à-vis des capital-risqueurs.

3.1.4 Le modèle « outsourcing »

Le modèle « outsourcing », ou « externalisation » en français, consiste à confier à un prestataire de service les tâches d'exploitation des logiciels. IBM Global Services (IGS) ou HP-EDS sont des prestataires classiques d'« outsourcing ».

Dans ce modèle :

- le logiciel est souvent de type « software » (il peut aussi être Open Source) ;
- l'hébergement du logiciel peut être assuré dans les locaux de l'entreprise utilisatrice (c'est le cas pour les postes de travail) ou dans les locaux du prestataire de service (c'est souvent le cas pour les serveurs).

L'avantage du modèle « outsourcing » par rapport au modèle « software » est que les tâches d'exploitation sont fortement rationalisées. En effet, le prestataire de service exploite de nombreux logiciels pour ses différents clients : il va donc naturellement mettre en place des procédures et des outils pour faciliter et accélérer ces tâches, ce qui lui permettra de réduire ses coûts. Ces coûts seront d'autant plus réduits que l'on fera appel à une main-d'œuvre en offshore où les salaires sont plus bas.

Le cas d'IBM

IBM dispose dans son offre de matériel, de logiciel et de services. La société a donc une très bonne maîtrise de tous les métiers de l'informatique. Elle est capable de concevoir, déployer et exploiter des applications très performantes basées sur son portefeuille de produits. Le métier de fournisseur de service d'IBM est le plus rentable aujourd'hui : il intègre l'« outsourcing ».

On retrouvera ce principe avec le modèle SaaS : la concentration facilite la réduction des coûts.

Tableau 3.3 — Le modèle « outsourcing » en synthèse.

Licence	Support	Mises à jour	Production	Hébergement	Customisation
Perpétuelle : paiement en une seule fois à l'éditeur	Paiement annuel à l'éditeur	Paiement annuel à l'éditeur	Prestataire	Interne ou chez prestataire	Possible

3.1.5 Le modèle « outsourcing par l'éditeur »

Dans ce modèle, l'éditeur « software » choisit de se positionner lui-même comme prestataire d'infogérance. Oracle est un exemple de cette approche.

L'entreprise continue à acheter la licence perpétuelle. Le logiciel est le même que pour le modèle « software » : il n'y a pas de re-engineering du logiciel lié à l'hébergement par l'éditeur. En effet, si l'éditeur produisait un logiciel optimisé pour une exploitation en « outsourcing », il courrait le risque d'une cannibalisation entre les modèles. Les entreprises utilisatrices pourraient préférer la version hébergée à la version « software » classique ce qui mettrait à mal le métier historique de l'éditeur.

Le cas d'Oracle

Oracle propose depuis 1999 des versions hébergées de ses progiciels « Oracle Applications » (gestion financière, gestion des ressources humaines, gestion de la relation client, etc.) Le logiciel hébergé est le même que celui que les entreprises exploitent en interne. Pour l'intégration des applications hébergées avec les applications qui résident dans l'intranet de l'entreprise, Oracle propose un framework intitulé CEMLI (Configurations/Customization, Extension, Modification, Localization).

Il n'y a donc pas de valeur ajoutée à ce que l'infogérance soit effectuée par l'éditeur : l'hébergement se fait selon les mêmes méthodes que chez un prestataire d'infogérance extérieure. Et l'éditeur peut difficilement casser les prix de l'hébergement s'il ne souhaite pas se mettre en porte-à-faux vis-à-vis de ses partenaires.

Même si le logiciel est hébergé par l'éditeur, les montées de versions sont effectuées en fonction des desiderata du client. Le logiciel reste customisable au même titre que la version « software »

Dans ce modèle, l'éditeur a la possibilité de proposer une vente par abonnement pour la licence, à la manière du modèle de « leasing » des constructeurs automobiles.

Tableau 3.4 — Le modèle « outsourcing éditeur » en synthèse.

Licence	Support	Mises à jour	Production	Hébergement	Customisation
Perpétuelle : paiement en une seule fois à l'éditeur	Paiement annuel à l'éditeur	Paiement annuel à l'éditeur	Éditeur	Interne ou chez éditeur	Possible

3.1.6 Le modèle « web »

Le modèle web est principalement destiné au grand public. Il est présenté ici en introduction au modèle SaaS.

Le modèle web propose un logiciel disponible uniquement sur les serveurs de son éditeur, spécialisé sur une fonction donnée (exemple : la recherche, la vente de livres). Dans ce modèle, il n'y a pas de customisation possible pour l'utilisateur. Et le logiciel évolue progressivement sans consultation, ni avertissement à ses utilisateurs. Le modèle web connaît plusieurs modèles économiques :

- Le **commerce électronique** : le site vend des produits physiques ou numériques (exemples : Amazon, iTunes Store).
- Le **modèle publicitaire** : une utilisation gratuite rentabilisée par la vente d'espaces publicitaires (exemple : moteurs de recherche).
- Le « **Freemium** » (deux versions : gratuite (free) & payante (premium)) : l'offre gratuite incite les utilisateurs à tester l'application, à s'y habituer, puis les pousse vers la version payante qui offre des fonctions supplémentaires (exemple : Flickr).
- La **place de marché** : l'application met en contact des acheteurs et vendeurs et prélève une commission (exemple : eBay).
- Le **don/bénévolat** : le site publie un logiciel gratuit et propose aux utilisateurs de faire un don (exemple : Mozilla).

On verra que certains SaaS reprennent en partie ces modèles.

Le modèle web a permis de concevoir et d'expérimenter des nouvelles architectures à très haute disponibilité. En effet, certains sites reçoivent plusieurs millions de visites par jour. Le web a ainsi fait progresser les architectures permettant de hautes performances : ces technologies ont été réutilisées dans les entreprises, mais aussi dans les SaaS.

Tableau 3.5 — Le modèle « web » en synthèse.

Licence	Support	Mises à jour	Production	Hébergement	Customisation
Gratuit, sur abonnement, à l'usage, etc.	Gratuit	Gratuit	Fournisseur	Fournisseur	Impossible

3.1.7 Le modèle SaaS

Avec le modèle SaaS, le logiciel est hébergé par son concepteur qui commercialise un service intégré. Il emprunte beaucoup aux pratiques du web 2.0 et au modèle web présenté ci-dessus, et constitue la déclinaison de ces modèles dans le cadre de l'entreprise.

Le logiciel est standardisé pour faciliter sa maintenance par l'opérateur : une seule version du logiciel s'exécute pour toutes les entreprises utilisatrices. Il s'appuie sur une architecture « multi-tenant » qui ressemble plus à celle des sites web, qu'à celle d'un logiciel de type « software » (voir chapitre 18). Cette architecture, complètement spécialisée pour le logiciel, facilite les tâches liées à l'exploitation :

- gestion de la haute disponibilité ;
- gestion des montées de version ;
- gestion des sauvegardes ; etc.

Son objectif est d'automatiser au maximum ces tâches jusqu'alors confiées à des opérateurs humains afin de réduire les coûts d'exploitation. Elle permet aussi une plus forte maintenabilité du logiciel, géré comme une instance unique et globale. Malgré tout, le logiciel est customisable dans une certaine mesure : il est possible de désactiver certaines fonctionnalités, d'adapter les modèles de données, etc. (voir chapitre 18)

Les logiciels SaaS sont totalement liés à leur plate-forme : il est difficile de les proposer sous une forme « software » internalisable par l'entreprise.

Le cas de Google

Le modèle économique de Google est à la croisée des chemins entre le modèle web et le modèle SaaS. Le géant de la recherche dispose sur ses datacenters de trois environnements distincts pour ses applications :
– **google.com** : c'est l'environnement utilisé par les employés de Google. Il intègre tous les services collaboratifs (messagerie, calendrier, portail, partage de fichiers, bureautique en ligne, etc.).
– **gmail.com** : c'est l'environnement utilisé par le grand public. Il intègre les services collaboratifs cités ci-dessus, et d'autres (agrégateur de flux RSS, recherche dans l'historique de recherche, etc.).
– **Google Apps** : c'est l'environnement utilisé par les entreprises clientes de Google. Il intègre les services collaboratifs cités ci-dessus, en utilisant le nom de domaine de l'entreprise à la place de gmail.com.

Lors du développement de nouvelles fonctions, Google suit les étapes suivantes :
– **alpha-test** des fonctions par les collaborateurs Google sur le SaaS google.com.
– **bêta-test** par le grand public sur le site web gmail.com.
– **Mise en production** pour les entreprises sur le SaaS Google Apps.

Gmail et Google Apps sont donc des mondes bien séparés : web et SaaS. Mais ils reposent chez Google sur les mêmes plates-formes.

Tableau 3.6 — Le modèle « web » en synthèse.

Licence	Support	Mises à jour	Production	Hébergement	Customisation
Sur abonnement	Gratuit	Gratuit	Fournisseur	Fournisseur	Possible

3.1.8 En synthèse

Le tableau présenté ici tente de faire une première synthèse sur les forces et faiblesses des différents modèles logiciels. Nous reviendrons plus en détail dans la suite de ce chapitre sur une comparaison détaillée entre les modèles « software » et SaaS.

Tableau 3.7 — Synthèse comparative sur les modèles logiciels.

Modèle	Licence	Support	Mise à jour	Production	Hébergement	Customisation
Software	Perpétuelle : paiement en une seule fois à l'éditeur.	Paiement annuel à l'éditeur.	Paiement annuel à l'éditeur.	Interne	Interne	Possible
Open Source	Gratuit	Interne ou paiement annuel à l'éditeur	Gratuit	Interne	Interne	Simple
Outsourcing	Perpétuelle : paiement en une seule fois à l'éditeur	Paiement annuel à l'éditeur.	Paiement annuel à l'éditeur.	Prestataire	Interne ou chez prestataire	Possible
Outsourcing par éditeur	Interne	Paiement annuel à l'éditeur.	Paiement annuel à l'éditeur.	Éditeur	Interne ou chez éditeur.	Possible
Web	Interne	Gratuit	Gratuit	Fournisseur	Fournisseur	Impossible
SaaS	Possible	Gratuit	Gratuit	Fournisseur	Fournisseur	Possible

3.2 DE LA PERTINENCE DU MODÈLE SAAS VIS-À-VIS DU MODÈLE « SOFTWARE »

Nous avons passé en revue, dans les paragraphes précédents, les différents modèles logiciels. Nous allons maintenant nous arrêter plus longuement sur la comparaison entre le modèle dominant, le modèle « software », et le modèle SaaS.

3.2.1 Le prix du logiciel

L'avantage principal du modèle « software » est la notion de licence perpétuelle : on paye une fois pour toutes, et on est propriétaire de son logiciel. Cependant, comme on l'a vu précédemment, ce modèle cache des coûts récurrents : le support annuel et le renouvellement des licences tous les deux ou trois ans.

Il est clair que le terme « perpétuel » est totalement déplacé dans le monde informatique où les cycles de renouvellement du matériel et du logiciel sont extrêmement courts. L'obsolescence rapide est d'ailleurs une des principales sources de coût de la filière. Les montées en version de certains logiciels sont parfois une course en avant dont l'objectif est de vendre plus de licences, plutôt que d'apporter de véritables nouvelles fonctions aux utilisateurs. Certains éditeurs n'hésitent pas à proposer des mises à jour cosmétiques pour maintenir leur carnet de commandes.

L'exemple de Microsoft Office

Office est un logiciel formidable de par sa puissance et sa productivité. Il est d'ailleurs totalement incontournable dans le monde des entreprises aujourd'hui. Office a connu de grandes périodes d'innovation : entre sa naissance et sa version 2000, des fonctionnalités très pertinentes sont apparues (comme par exemple la correction de grammaire et d'orthographe).

Cependant les versions XP, 2003 et 2007 ont connu un ralentissement du rythme des innovations car le monde de la bureautique est arrivé peu à peu à maturité. Ainsi les dernières versions du logiciel misent sur l'évolution de l'interface plutôt que sur les fonctionnalités. Et le bénéfice d'une montée de version pour une entreprise est de plus en plus discutable. Ce d'autant plus que toute montée de version a un coût.

Le modèle SaaS fonctionne quant à lui, à la manière de celui des opérateurs télécom : un opérateur de téléphonie mobile facture mensuellement un forfait et fait payer les SMS à l'usage ; de la même manière un opérateur ADSL facture un abonnement mensuel et fait payer à l'usage les communications vers les mobiles et les locations de films à la demande. On peut d'ailleurs noter que les opérateurs télécom font leur marge principalement sur les services facturés à l'usage.

Les opérateurs SaaS suivront probablement ce modèle en offrant un abonnement avec une large gamme d'options et des services facturés à l'usage.

Dans le modèle SaaS, les mises à jour sont incluses dans le service : il n'est pas nécessaire de racheter un droit d'usage tous les trois ans ; cela peut être une source de réduction des coûts[1]. C'est en tout cas, une source de lissage des coûts.

Cette différence avec le modèle « software » est fondamentale. **Les opérateurs SaaS n'ont pas besoin d'alourdir inutilement leurs applications pour continuer à percevoir des revenus.**

Par ailleurs, le modèle SaaS est basé sur la mutualisation des ressources, qu'elles soient matérielles ou logicielles. Ce principe de mutualisation est dans la droite ligne de la mondialisation de l'économie : en effet, les industriels ont aujourd'hui tendance à se spécialiser pour être compétitifs. Par exemple, les constructeurs automobiles sont aujourd'hui devenus, par souci d'optimisation des coûts, des assembleurs de composants (siège, moteur, etc.) produits par des tiers. De la même manière, **les SaaS arrivent à faire baisser leurs coûts grâce à la mutualisation de leur** plateforme **entre de nombreuses entreprises**.

Enfin, avec les SaaS, le paiement s'effectue seulement suivant le nombre d'utilisateurs, sans coût fixe forfaitaire. A contrario, il existe de nombreuses grandes entre-

1. Le calcul de retour sur investissement doit être fait au cas par cas.

prises qui achètent des licences en masse sans véritablement les utiliser. **Encore un facteur de coût qui disparaît avec le modèle SaaS.**

La métaphore de l'électricité, proposée par Nicolas Carr

Nicolas Carr est un influenceur dans le monde des technologies de l'information. Il a écrit plusieurs ouvrages qui ont fait beaucoup de bruit dans la profession[1]. Son dernier ouvrage, intitulé « *The Big Switch*[2] » se penche sur le monde des SaaS.

Nicolas Car explique que de nombreuses entreprises américaines produisaient elles-mêmes leur électricité au début du XXe siècle. Puis elles ont pris conscience du fait que cette production leur revenait cher et qu'il était économiquement plus intéressant de faire appel à un opérateur spécialisé dans la production d'énergie. Ainsi, ces entreprises se sont peu à peu mises à acheter leur électricité et à se recentrer sur leur cœur de métier (production d'automobiles, de biens de consommation, etc.)

Selon, Nicolas Carr, la même histoire va se reproduire prochainement dans le monde informatique. Les entreprises vont constater que la gestion courante de leurs logiciels de messagerie, de ressources humaines, ou de gestion de la relation client, etc. leur coûteraient moins cher en l'externalisant chez des opérateurs spécialisés. Ainsi, elles vont externaliser ces services et se recentrer sur leur informatique cœur de métier.

La métaphore est parlante et efficace. Si nous ne partageons pas tous les éléments du discours de Nicolas Carr, nous pensons aussi que la montée en puissance des SaaS est inévitable pour des raisons de coûts. Nous verrons dans le chapitre 5 les autres arguments pour basculer vers les SaaS.

3.2.2 Le prix de la maintenance logicielle du parc utilisateur

Les évolutions régulières des logiciels « software » sont à l'origine de coûts importants liés aux changements de configuration des serveurs et des postes utilisateurs. Le déploiement de mises à jour sur un parc de postes de travail passe par la télédistribution au travers d'un logiciel de type « Windows Update » ou par l'installation poste à poste. Dans le premier cas, le déploiement et la maintenance de la télédistribution ont un coût important en termes de licence (le logiciel de télédistribution n'est pas gratuit) et de main-d'œuvre. Dans le second cas, l'installation a un coût exorbitant en termes de main-d'œuvre pour un parc excédant la centaine de postes.

Ces problématiques n'existent pas dans le modèle SaaS, où aucun déploiement n'est nécessaire sur le parc utilisateurs.

3.2.3 Le prix de la maintenance logicielle du parc serveur

L'exploitation des logiciels serveurs par l'entreprise nécessite des équipes de production aux compétences coûteuses, et qui sortent souvent du métier de l'entreprise.

Les mises à jour de logiciels sur les serveurs comportent des risques importants en termes de sécurité : une mise à jour peut être à l'origine de corruption ou de perte de

1. En particulier : *Does IT Matter ? Information Technology and the Corrosion of CompetitiveAdvantage*, N. Carr Harward Business Scool Press, 2004.
2. *The Big Switch*, Rewriting the World, from Edison to Google, N. Carr, Norton, 2008.

données ; elle peut aussi provoquer des pertes de performance ou des régressions fonctionnelles au niveau des applications. Pour bien gérer ces risques, il est important de disposer d'une plate-forme de test sur laquelle on va éprouver, éventuellement plusieurs fois, le protocole de mise à jour afin de le maîtriser avant de le mettre en œuvre sur la plate-forme de production. La plate-forme de test servira aussi à éprouver la nouvelle version du logiciel et à valider sa performance et son absence de régression fonctionnelle. Ces bonnes pratiques de mise à jour des applications serveurs ont un coût important en termes de machines et de main-d'œuvre. **Ces problématiques n'existent pas dans le modèle SaaS, où la maintenance est prise en charge par le fournisseur de service.**

3.2.4 Le prix du parc de postes de travail

L'obsolescence rapide du matériel est une des principales sources de coûts dans le domaine informatique. On peut la gérer en utilisant un parc loué plutôt qu'acheté : c'est la stratégie qu'utilisent de nombreuses entreprises.

Certaines entreprises se penchent aujourd'hui sur le remplacement des postes de travail classiques sous Microsoft Windows/Office par des alternatives moins coûteuses. Deux pistes intéressantes vont dans le sens de cette démarche (*cf.* chapitre 1) :

- **Les clients légers** : il s'agit d'une nouvelle génération de terminaux passifs qui constituent des interfaces vers des environnements de travail déportés sur des serveurs ; ils utilisent donc des protocoles de déport d'écran[1] ; ils sont durcis, c'est-à-dire qu'ils sont monoblocs et ne comportent aucune pièce mécanique. Parmi les avantages de ces appareils, on peut citer le moindre coût la moindre consommation en énergie (environ le dixième de celle d'un PC normal), les moindres nuisances sonores, et une pérennité de travail de cinq à sept ans. Par contre, ces appareils ne peuvent pas fonctionner en cas de perte de contact avec le serveur.
- **Les netbooks** : ce sont des ordinateurs portables à moindre coût, souvent équipés de Linux et dépourvus de disques durs. Ils ne peuvent exécuter les clients lourds développés pour Windows et sont donc plutôt destinés à exécuter des applications RIA.

Les SaaS autorisent le déploiement massif de tels postes de travail à moindre coût. En effet, les applications SaaS ont des interfaces RIA qui fonctionnent avec ces deux types d'appareils. Par ailleurs, elles nécessitent peu de puissance sur le poste de travail et permettent d'envisager l'usage de clients légers sans avoir à déployer d'énormes fermes de serveurs pour gérer les déports d'exécution. **Les SaaS permettent donc de réduire les coûts matériels liés aux postes de travail.**

1. Comme Citrix ou Microsoft RDP, *Remote Desktop Protocol*

3.2.5 Le prix du parc de serveurs

Même si le prix du matériel informatique a beaucoup chuté ces dernières années, le coût d'un parc serveur reste assez élevé. Un hébergement de qualité nécessite en effet :

- au moins deux centres de données ;
- des « salles blanches » équipées de climatisation et de planchers techniques ;
- des armoires de serveurs intégrant des « racks », des systèmes mutualisés de clavier et d'écran, des dispositifs de redémarrage à distance ;
- un système de badges de sécurité pour réglementer l'accès aux serveurs hébergés ;
- un lien redondant pour l'accès à Internet ;
- une alimentation en électricité redondante ;
- un groupe électrogène et/ou des batteries de secours en cas de coupure d'électricité ;
- un système d'injection de gaz inerte (souvent de l'azote) pour étouffer les flammes en cas d'incendie ;
- etc.

La nécessité d'avoir au moins deux centres de données s'explique par le besoin de prévenir les désastres (incendies, tremblements de terre, etc.). Pour optimiser cette sécurité, il est conseillé que ces centres soient séparés par une distance de quelques dizaines de kilomètres. Et par conséquent, il faut deux équipes d'exploitation, car une seule équipe ne pourrait pas intervenir assez rapidement sur les deux sites. **Ces arguments plaident pour le déport vers des spécialistes de l'exploitation, comme les SaaS.**

Le coût des « salles blanches » est lié à la taille et à l'emplacement du *datacenter*. Des acteurs comme Google font le choix de créer de grands centres dans des zones isolées où le prix du mètre carré est dérisoire. Cette approche leur permet de réduire leurs coûts. **Cet argument plaide pour le déport vers des spécialistes de l'exploitation, comme les SaaS.**

Il faut noter que le coût électrique d'un centre de données est très conséquent. Ainsi, le matériel informatique représente aujourd'hui 1,2 % de la consommation électrique des États-Unis. On estime même que la consommation de l'informatique égalera celle des hommes en 2035[1]. Les acteurs du *cloud computing* utilisent des machines peu gourmandes, ce qui leur permet de réduire ce coût. **Cet argument plaide pour le déport vers des spécialistes de l'exploitation, comme les SaaS.**

Par ailleurs, beaucoup d'entreprises constatent aujourd'hui que leurs serveurs sont sous-employés et qu'elles ont des charges d'achat, de maintenance et de consommation électrique inutiles. Une étude d'IBM a montré que de nombreux serveurs sont utilisés à 20 % de leur charge, ce qui signifie que 80 % de leur facture part

1. Source : Gerhard Fettweis de l'université de Dresde. La consommation des hommes intègre l'éclairage, le chauffage, les transports, etc.

en pure perte. Les entreprises se tournent aujourd'hui vers les technologies de virtualisation pour réduire ces pertes. Mais ces technologies sont complexes à maîtriser. **Là encore le déport des serveurs vers un opérateur SaaS est plus efficace**.

On a parfois tendance, dans le modèle « software », à chiffrer le coût matériel d'une plate-forme serveur en se basant sur la production. Il est essentiel de bien noter qu'une plate-forme « software » comprend des machines de production, mais aussi de développement, test, et recette. Le coût en termes de serveurs d'une plate-forme « software » est ainsi souvent le triple du coût de la plate-forme de production. **Ces problématiques n'existent pas dans le modèle SaaS, où le matériel est géré par le fournisseur de service**.

3.2.6 En synthèse

On a vu dans ce paragraphe que le modèle SaaS est très intéressant à deux titres :

- **Il permet généralement la réduction du coût total de possession (TCO)** : la consommation par abonnement est souvent moins coûteuse que la somme de l'achat de licences dites « perpétuelles », de l'achat de support, de l'achat de mises à jour et des frais d'exploitation. Par ailleurs, les SaaS permettent des modèles de commercialisation variés. On a évoqué précédemment le « freemium », l'abonnement mensuel/annuel, le paiement à l'usage…

> Le calcul de ce TCO doit néanmoins être fait au cas par cas par les entreprises utilisatrices.

- **Il permet de déporter vers des sociétés spécialisées les problématiques d'exploitation**. Ainsi, les entreprises peuvent se recentrer sur leur cœur de métier plutôt que de disperser leurs compétences, en embauchant des spécialistes de l'exploitation informatique.

3.3 SaaS ET OPEN SOURCE

3.3.1 SaaS et socles Open Source

La fourniture de service SaaS passe par la création de datacenters de plusieurs milliers de serveurs. Dans ce cadre, l'usage de logiciels Open Source est source d'économies très substantielles. **Si l'on prend l'exemple de Google, cet acteur est réputé posséder plus de 600 000 machines serveurs sous Linux. Si ces machines fonctionnaient sous un Unix propriétaire, la facture à payer serait très conséquente…**

Le monde SaaS s'appuie donc fréquemment sur des socles d'exécution Open Source (système Linux, base de données MySQL, serveur HTTP Apache, langages PHP/Python/Ruby, etc.) afin de réduire ses coûts d'infrastructures.

Le recours à des logiciels Open Source est donc devenu une évidence pour la plupart des opérateurs SaaS. Ils ont par conséquent acquis de fortes compétences Open Source, ainsi qu'une grande inclinaison pour ce modèle, qui les a amenés naturellement à ouvrir le code de leurs applications.

3.3.2 Ouverture du code des applications SaaS

On a vu précédemment que les SaaS reprenaient le principe de partage de connaissance issu du web 2.0. En particulier, dans le domaine technique, les SaaS exposent des API ouvertes afin de permettre une intégration simple de leurs fonctionnalités par des applications tierces.

Certains services SaaS vont encore plus loin dans l'ouverture, en mettant à disposition tout ou partie de leur code source, adoptant ainsi le modèle Open Source. Certains observateurs vont jusqu'à parler d'un modèle « Open SaaS » pour ces typologies d'outils disponibles en mode hébergés et téléchargeables.

Une licence Open Source spécifique a d'ailleurs émergé pour gérer les logiciels libres distribués en mode SaaS : la licence AGPL (Affero General Public License).

Les SaaS ont donc une forte appétence avec le modèle Open Source.

3.3.3 SaaS et Open Source : un modèle pour les entreprises ?

Les entreprises qui souhaitent réduire au maximum leurs coûts d'achat de licence « software » ont aujourd'hui l'opportunité de mêler les deux modèles SaaS et Open Source :

- Le modèle SaaS pourra être utilisé pour l'informatique de commodité, suffisamment générique pour être externalisée.
- Le modèle Open Source pourra être utilisé comme socle à l'informatique métier, voué à rester au sein de l'entreprise.

Cette approche commence à intéresser de nombreuses entreprises qui y voient une opportunité intéressante de réduction de leur TCO. Par ailleurs, les deux modèles Open Source et SaaS sont ouverts : ils permettent de bénéficier d'un maximum d'interopérabilité, et d'éviter un enfermement technologique chez un éditeur.

En résumé

Ce chapitre a démontré les avantages du modèle SaaS vis-à-vis du modèle « software » traditionnel : il permet de nombreux axes de réduction des coûts. Il est cohérent avec la tendance actuelle au recours à des services tiers. Il est aussi en phase avec l'ouverture progressive des entreprises sur Internet.

Enfin le modèle SaaS connaît beaucoup de synergies avec le modèle Open Source.

DEUXIÈME PARTIE

Aller ou ne pas aller vers le *cloud computing* ?

L'objectif de cette partie est de présenter de manière détaillée les opportunités et les risques du *cloud computing* pour l'entreprise.

Après une rapide introduction sur les usages du *cloud computing*, les chapitres de cette partie abordent successivement les points de vue de la direction, des utilisateurs, puis des informaticiens, avant de dresser une synthèse en vue d'une aide à la décision.

Un cas d'usage est introduit : celui de la société INDUS, dans le secteur industriel.

Cette partie met l'accent sur l'usage des SaaS, applications progicielles en ligne, car nous considérons que les entreprises utiliseront des SaaS avant de déporter leurs développements spécifiques vers les PaaS. Ainsi, on rencontrera plus souvent le terme SaaS que le terme *cloud computing* dans cette partie.

4

L'entreprise face au *cloud computing*

Objectif

L'objectif de ce chapitre est de situer les usages possibles du *cloud computing* pour les entreprises : il s'agit d'aborder les bénéfices et risques en ayant un premier niveau de connaissance des usages possibles.

4.1 PAR QUELLES APPLICATIONS SaaS COMMENCER ?

Pour une entreprise, l'externalisation d'application commencera forcément par des applications non-métiers et peu stratégiques. En effet, les applications métiers représentent le savoir-faire de l'entreprise, elles sont critiques pour sa survie, elles manipulent des informations particulièrement confidentielles et sont difficiles à externaliser. Par ailleurs, les applications métiers sont souvent développées en spécifique et il peut être difficile de les faire s'exécuter sur une plate-forme tierce qui ne saurait pas parfaitement reproduire le socle d'exécution de l'entreprise. Enfin, les applications métiers échangent souvent des flux d'informations avec des partenaires : leur externalisation nécessiterait donc de déplacer ou recréer ces flux.

A contrario, il existe une autre catégorie d'applications que nous appellerons ici « informatique de commodité ». Cette terminologie recouvre les applications transverses, que l'on trouve dans toutes les entreprises, indépendamment de leur métier. On peut citer par exemple :

- **Les applications collaboratives**, comme la messagerie, les outils d'échange synchrone (visioconférence, messagerie instantanée, partage d'écran, etc.), les calendriers partagés, les espaces de partage documentaire, etc.
- **Les applications de gestion des ressources humaines :** édition de feuilles de paye, suivi d'activité, demande de congés, etc.
- **Les applications de gestion de la relation client :** suivi des affaires, organigramme des sociétés clientes, calendrier de relance, etc.
- **Les applications de gestion financière** : suivi du chiffre d'affaires, des centres de coûts, des immobilisations, etc.

Les applications de commodité permettent à une entreprise de faire ses armes sur le modèle SaaS, d'autant plus que ces applications échangent moins de flux d'informations que les applications métiers.

4.2 QUEL MODE D'UTILISATION DES SaaS ?

Une entreprise peut tirer parti des applications en ligne suivant plusieurs approches, correspondant à divers degrés d'investissement dans le modèle SaaS.

4.2.1 Approche 1 : recours à un service « accessoire »

Dans cette approche, l'entreprise va utiliser un service en ligne pour une fonctionnalité dont elle pourrait se passer, mais qui apporte un petit plus. C'est typiquement le cas d'un service cartographique comme Mappy ou Yahoo Maps. Ce type de service lui permet de présenter ses points de vente sur une carte : c'est pratique et séduisant pour les utilisateurs, mais ce n'est pas indispensable. La criticité du service pour l'entreprise est assez modérée. Le risque en cas d'indisponibilité du service porte uniquement sur son image de marque, et aucune donnée confidentielle n'est transmise au service. De plus, si l'acteur qui fournit le service disparaissait, l'impact serait peu stratégique pour l'entreprise.

Tableau 4.1 — Risques liés à l'usage d'un service SaaS « accessoire ».

Risque sur la confidentialité des données	Risque si indisponibilité plate-forme SaaS	Risque en cas de disparition de la plate-forme SaaS
Nul	Minime	Minime

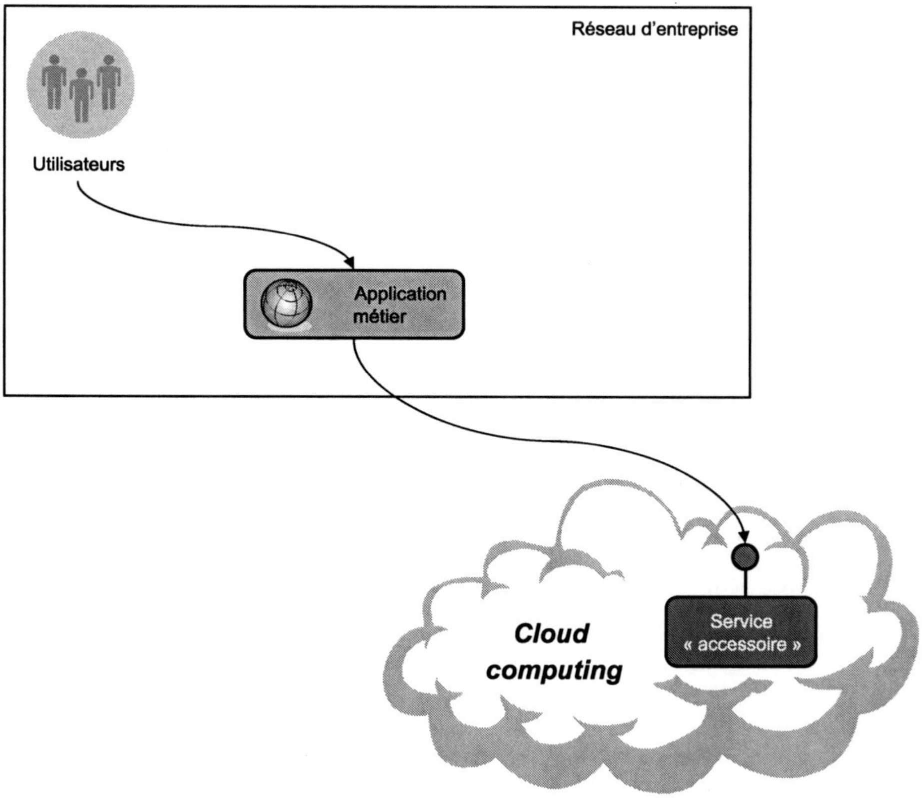

Figure 4.1 — Usage d'un service SaaS « accessoire ».

Un panorama des services accessoires disponibles aujourd'hui sera proposé au chapitre 13.

4.2.2 Approche 2 : usage d'une application SaaS

Dans cette approche, l'entreprise se lance dans le modèle SaaS et externalise une partie de son informatique de commodité, par exemple son logiciel de gestion de la relation client.

Dans ce scénario, des données confidentielles de l'entreprise sont stockées chez un tiers, l'opérateur SaaS. Il sera donc nécessaire de s'assurer de la non-divulgation de ces données. Par ailleurs, si l'application se révèle indisponible, l'impact peut être assez significatif : l'équipe commerciale peut en effet se retrouver au chômage technique.

Enfin, si le fournisseur du service venait à disparaître, il serait possible de le remplacer par un autre. Bien sûr ce changement ne serait pas trivial car il faudrait reprendre toutes les données pour les réimporter chez le nouveau fournisseur, mais il serait surmontable.

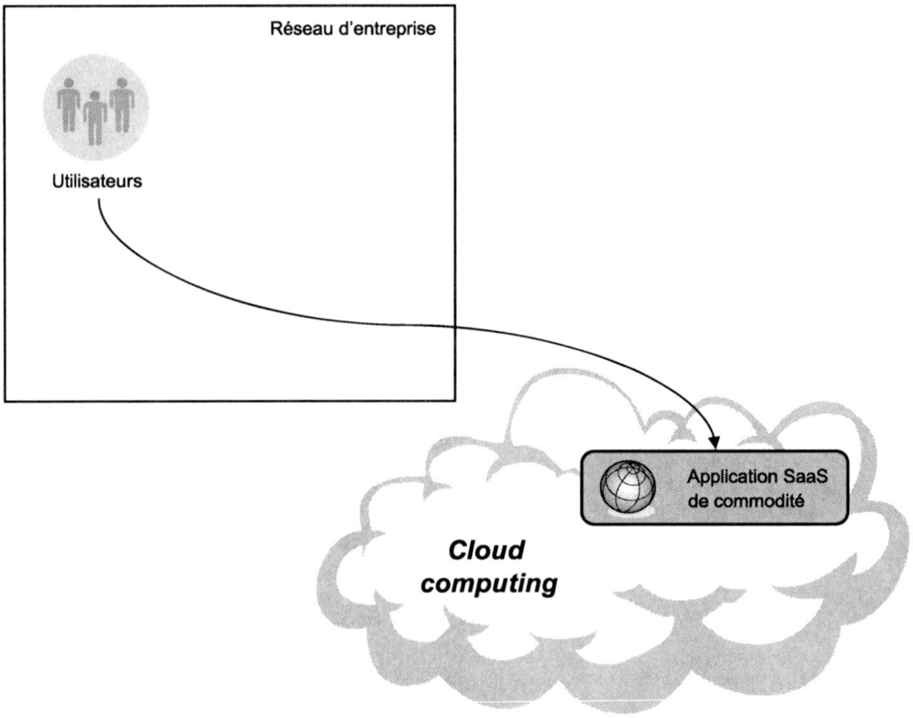

Figure 4.2 – Usage d'une application SaaS « de commodité ».

Tableau 4.2 – Risques liés à l'usage d'une application SaaS « de commodité ».

Risque sur la confidentialité des données	Risque si indisponibilité plate-forme SaaS	Risque en cas de disparition de la plate-forme SaaS
Existant, à traiter	Critique	Minime

Un panorama des SaaS non métiers disponibles aujourd'hui sera proposé aux chapitres 14, 15 et 16.

4.2.3 Approche 3 : développement d'applications SaaS

Dans cette dernière approche, l'entreprise utilise une plate-forme PaaS, pour développer une application métier sans en assurer la production.

Comme on le verra dans le chapitre 20, ces plates-formes sont aujourd'hui non standardisées et une application développée sur une plate-forme PaaS A pourra difficilement être migrée vers une plate-forme PaaS B. La disparition de l'opérateur de la plate-forme PaaS A serait donc critique pour l'entreprise utilisatrice. Il va sans dire qu'une indisponibilité de la plate-forme ou un vol de données serait très dommageable.

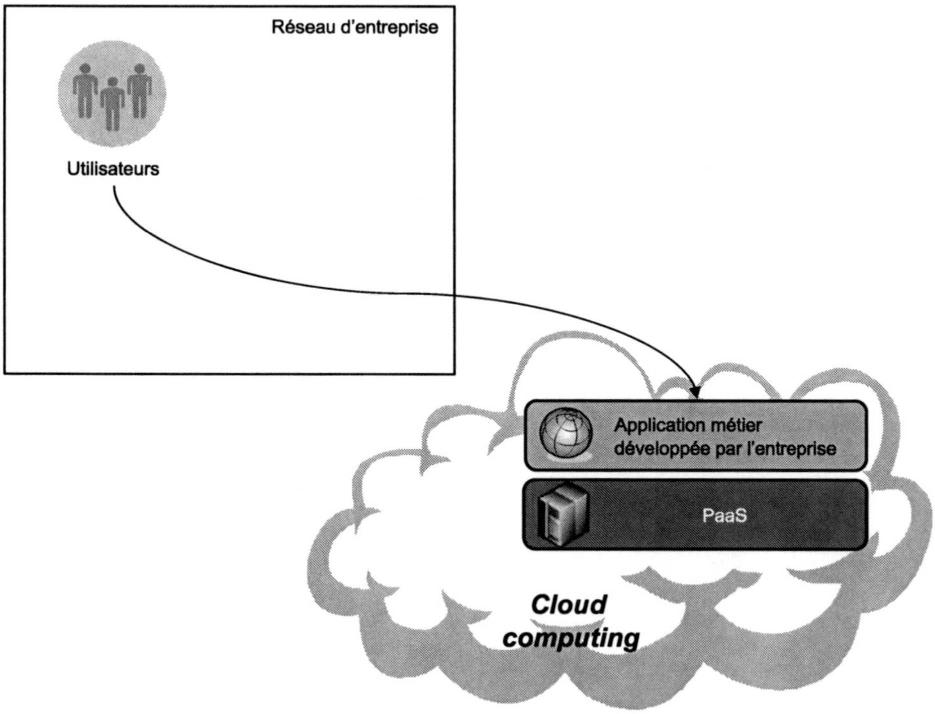

Figure 4.3 — Usage d'une plate-forme PaaS pour le développement d'une application métier.

Tableau 4.3 — Risques liés à l'usage d'une plate-forme PaaS pour le développement d'une application métier.

Risque sur la confidentialité des données	Risque si indisponibilité plate-forme SaaS	Risque en cas de disparition de la plate-forme SaaS
Existant, à traiter	Critique	Critique

Un panorama des plates-formes PaaS disponibles aujourd'hui sera proposé au chapitre 20.

Il apparaît donc que le degré d'implication d'une entreprise dans le modèle SaaS s'accompagne d'un retour sur investissement croissant, mais aussi d'un degré de risque croissant.

En résumé

Ce chapitre a présenté brièvement les trois cas d'usages du *cloud computing* :
– le recours à un service accessoire ;

– le recours à une application SaaS ;

– le recours au développement sur une plate-forme PaaS.

Les offres disponibles pour ces trois cas d'usages seront présentées dans les quatrième et cinquième parties.

5

Le point de vue des décideurs

Objectif

Comme son nom l'indique, l'objectif de ce chapitre est d'introduire le point de vue des décideurs vis-à-vis du *cloud computing*.

On abordera ici des aspects qui touchent à la stratégie et aux coûts, et à la relation client.

Un cas d'usage : la société INDUS

Pour illustrer les différents éléments de cette partie, nous proposons d'introduire un cas d'usage : l'expérience d'une entreprise fictive, basée sur des retours d'expérience réels. Cette entreprise appartient au monde de l'industrie européenne. Nous l'appellerons INDUS. Elle commercialise des composants électroniques destinés à une intégration dans des produits électroménagers. INDUS compte 10 000 employés.

Monsieur Vincent, le directeur général d'INDUS est un homme pragmatique. Sa préoccupation principale est de maintenir sa société face à la concurrence des pays émergents qui pratiquent des tarifs plus bas. Sa stratégie consiste à produire des composants innovants, de haute qualité. Il investit beaucoup dans la recherche et développement. Pour Monsieur Vincent, l'informatique est un outil nécessaire, qui rend ses collaborateurs plus performants. Mais il ne veut pas faire de l'informatique pour l'informatique. L'innovation qui l'intéresse est avant tout celle qui concerne son métier. Il s'intéresse un peu à la mouvance web 2.0.

Monsieur François est directeur informatique d'INDUS. Il a travaillé dur pour mettre en place des solutions de CAO[1] afin de concevoir rapidement les nouveaux produits ; il a aussi déployé des outils pour gérer les échanges avec les fournisseurs et les clients : flux d'informations B2B, intégration avec des places de marché, etc. Il se méfie des belles plaquettes des éditeurs de logiciels et préfère le développement spécifique par ses équipes. Monsieur François dispose d'une petite équipe qui gère les postes de travail et les outils de travail collabora-

1. Conception assistée par ordinateur

tifs (messagerie, calendriers partagés, etc.) de ses collaborateurs. Ces outils ne sont pas les plus intéressants pour lui : il préfère travailler sur l'outillage CAO. De fait, l'équipe « poste de travail » dispose de peu de moyens et elle est mal payée. Son turnover est important, et les outils collaboratifs sont souvent indisponibles.

Monsieur Paul est directeur commercial d'INDUS. Il rêve depuis longtemps d'une application de CRM pour pouvoir mieux encadrer le travail de ses commerciaux. Ces derniers sont en permanence sur le terrain. Ils sont très autonomes et difficiles à suivre. Monsieur Paul s'est vu répondre plusieurs fois par Monsieur François que les logiciels de CRM sont chers et inefficaces. Il aimerait bien trouver une solution pour pouvoir travailler sans l'aval de ce dernier.

5.1 BÉNÉFICES POUR L'ENTREPRISE UTILISATRICE

La réduction des coûts liés aux infrastructures

Le premier bénéfice du *cloud computing* pour les entreprises est avant tout la réduction des coûts. Comme on l'a vu précédemment, le modèle SaaS permet de réduire de manière très importante le coût total de possession.

La **réduction des coûts liés aux équipes d'exploitation** est possible grâce à la mutualisation ; avec le *cloud computing*, une équipe unique gère les applications de plusieurs centaines d'entreprises. Les coûts salariaux sont donc moindres que ceux correspondant à une centaine d'équipes dans laquelle les ressources sont potentiellement sous-employées. Dans une équipe mutualisée, il est aussi possible de spécialiser les collaborateurs et donc de les employer au mieux de leurs compétences. Par ailleurs, la gestion d'infrastructures importantes incite à la mise en place d'outils spécialisés. Ainsi, les équipes d'exploitation des SaaS déploient des outils de surveillance des infrastructures, de reprise sur incident en cas de défaillance de serveur, ou de déploiement qui sont complètement adaptés à leurs besoins ; ce qui n'est pas le cas des équipes d'exploitations plus petites qui doivent utiliser des outils génériques et coûteux du marché.

Par ailleurs, pour assurer un haut niveau de sécurité sur ses applications informatiques, en particulier en cas de sinistre grave, comme un incendie ou une inondation, il est nécessaire de disposer d'un « **plan de reprise d'activité** ». Ce plan consiste généralement à mettre en œuvre un système de basculement vers un autre centre serveur sur un lieu distant. La pratique du « plan de reprise d'activité » nécessite de disposer de plusieurs *datacenters* distants, et donc de plusieurs équipes d'exploitation. Là encore, ce coût est plus facile à lisser pour les opérateurs SaaS grâce à la mutualisation.

La **réduction des coûts d'exploitation** est aussi favorisée par l'automatisation. On verra, dans la cinquième partie que les acteurs du *cloud computing* déploient des systèmes automatisés à un degré avancé. Ainsi, chez Google, l'achat d'espace publicitaire par des annonceurs ne nécessite pratiquement aucune intervention humaine chez Google. De la même manière, en cas de défaillance d'une machine, la reprise de traitements par un autre serveur est automatisée. Un luxe que peu d'entreprises peuvent se permettre à l'heure actuelle.

Les opérateurs SaaS déploient d'importants centres serveurs, souvent plus importants que ceux des entreprises. De fait, ils **achètent des machines en gros** et peuvent négocier les prix à la baisse. De plus, ils ont les moyens d'optimiser l'usage des ressources de leur parc serveur, tandis que les entreprises exploitent souvent des serveurs utilisés à 50 % de leurs capacités, ce qui induit des surcoûts. Par ailleurs, les plates-formes de test, recette et préproduction SaaS représentent un investissement négligeable sur l'ensemble de leurs parcs de machines : a contrario, pour de nombreuses entreprises, ces plates-formes multiplient par deux la facture matérielle.

Les opérateurs SaaS **achètent leur énergie en gros** et peuvent donc négocier le prix de l'électricité. Pour citer encore l'exemple de Google, il semble que le leader des moteurs de recherche ait placé certains de ses datacenters près de centrales électriques pour réduire sa facture d'énergie. Le déport des problématiques d'achat d'énergie est d'autant plus intéressant que les coûts énergétiques des datacenters sont en pleine explosion (voir figure 5.1).

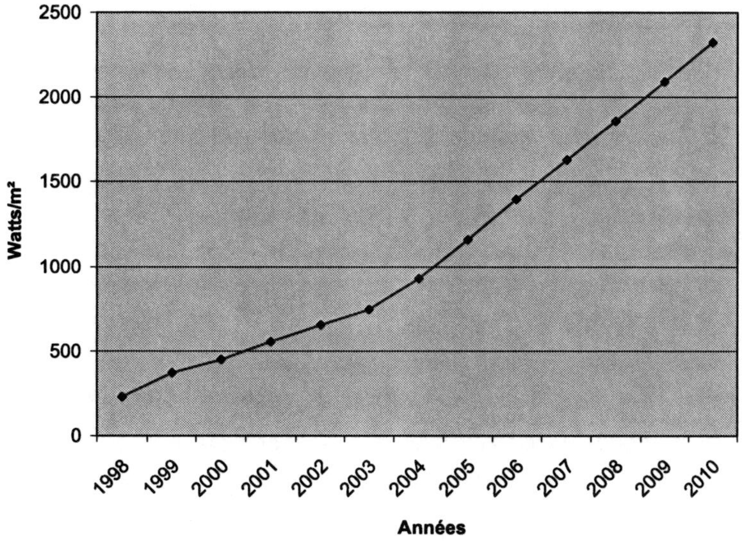

Figure 5.1 — L'augmentation des coûts énergétiques des datacenters.

Enfin, comme on l'a vu dans le chapitre 3, les opérateurs SaaS utilisent fréquemment des logiciels serveurs Open Source pour minimiser leurs frais d'achats en logiciel : une pratique rare dans les entreprises qui préfèrent souvent utiliser des logiciels simples à prendre en main comme ceux de Microsoft.

L'ensemble des facteurs évoqués ci-dessus concourent au moindre coût de possession d'une application SaaS par rapport à une application internalisée.

5.2 LE « GREEN IT »

De plus en plus d'entreprises sont sensibles à l'impact environnemental de l'informatique et ont lancé une démarche « green IT », ou informatique verte, pour limiter cet impact.

Une grande partie de cet impact est liée à la consommation énergétique des postes de travail. Or, on a vu, dans le chapitre 1, que le SaaS permettait de déployer des postes de travail allégés, moins gourmands en ressources.

Une autre grande partie de l'impact environnemental de l'informatique est liée à au gaspillage énergétique des datacenters. Les acteurs du *cloud computing* sont assez avancés dans la réduction de ces impacts : ils ont des dispositifs de ventilation mieux optimisés et ils commencent à utiliser des énergies renouvelables dans leurs datacenters.

Le recours au *cloud computing* peut donc s'inscrire dans une démarche « green IT » de développement durable.

5.2.1 La réduction des coûts d'usage

Les éléments présentés dans le paragraphe précédent montrent que les opérateurs SaaS parviennent à réduire leurs coûts et donc à proposer des tarifs qui permettent un TCO inférieur à celui d'une solution logicielle internalisée.

De plus, comme on l'a vu au chapitre 3, les applications SaaS sont proposées sur abonnement ou par paiement à la consommation. L'abonnement revient presque toujours moins cher que l'internalisation (voir encadré). De plus, le paiement d'un abonnement est très intéressant pour les entreprises qui souhaitent lisser leurs coûts dans le temps.

Le mode SaaS permet aussi de disposer d'outils en permanence à l'état de l'art sans avoir à se soucier du reclassement des matériels obsolètes.

De nombreuses entreprises se tournent vers la location ou le leasing pour leurs locaux, les flottes de véhicules, leurs parcs de PC, etc. en suivant cette logique, il est naturel d'aller vers le modèle SaaS.

Le cas d'INDUS

Monsieur Vincent, directeur général d'INDUS, ne s'intéresse pas beaucoup à l'exploitation informatique et aux machines disposées dans les armoires serveurs. Ce qui l'intéresse c'est que le service rendu aux utilisateurs soit de qualité avec un coût optimisé.

Un de ses employés du département R&D lui a montré un petit calcul de TCO pour des outils collaboratifs (pour une société comme la sienne, employant 10 000 collaborateurs et une équipe de support de cinq personnes).

Calcul de TCO

Coût des outils collaboratifs avec la solution Microsoft[1], leader du modèle « software » :

1. Microsoft est présenté ici comme un acteur du modèle « software ». L'éditeur de Redmond est néanmoins en train d'adopter le modèle SaaS avec sa nouvelle suite de collaboration en ligne Online Services.

– Licences Microsoft Exchange : 475 K (soit environ 160 K /an si amortissement sur 3 ans).
– Licences Microsoft Office : 1 120 K (soit environ 375 K /an si amortissement sur 3 ans).
– 4 machines serveur milieu de gamme : 4 K (soit 1,3 K si amortissement sur 3 ans).
– 5 salaires d'équipes d'exploitation : 150 K /an.
Le collaborateur d'INDUS est ainsi arrivé à un total de l'ordre de 685 K par an pour cette société de 10 000 employés, soit environ 70 par collaborateur et par an.

Coût des outils collaboratifs avec la solution Google, leader du modèle SaaS :
Coût par collaborateur et par an : 40 .

Ce calcul est très approximatif et il est un peu faussé par le fait que les fonctionnalités de Google Apps ne sont pas équivalentes à celles du couple Office/Exchange. En effet, les logiciels bureautiques Microsoft sont plus avancés que ceux de Google ; tandis que Google propose pour le prix indiqué des services de messagerie instantanée, de portail, de partage documentaire qui correspondent à des licences supplémentaires chez Microsoft.

Néanmoins, Monsieur Vincent a été interpellé et a demandé à son employé d'affiner son calcul de TCO.

5.2.2 Une meilleure sécurité

L'intégrité des données

Comme on l'a vu précédemment, les opérateurs de SaaS disposent généralement de plusieurs *datacenters* distants ce qui leur permet de mettre en place des plans de reprise d'activité de grande qualité.

Google, par exemple, disposerait, selon des rumeurs circulant sur Internet, de 36 *datacenters*.

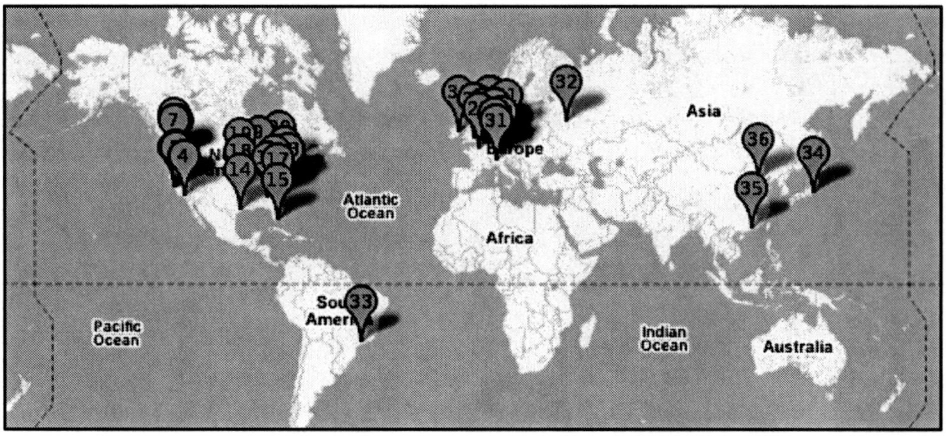

Figure 5.2 – Les *datacenters* de Google dans le monde.

Ces *datacenters* garantissent l'intégrité des données grâce à des processus que bien peu d'entreprises peuvent se permettre. En particulier, les PME bénéficient grâce aux SaaS d'un niveau de sécurité et d'un temps de remise en production impossibles à déployer avec une simple sauvegarde sur bande. Les grandes entreprises sont moins sensibles à cet argument : elles préfèrent gérer elles-mêmes leur plan de reprise d'activité.

Une sécurité indépendante du poste utilisateur

Il est assez fréquent que les populations nomades perdent leur PC portable ou le cassent. Les scénarios classiques sont les suivants :

- Le collaborateur renverse du café sur son clavier, ou son enfant fait tomber la machine par terre : dans les deux cas, l'ordinateur est hors d'usage.
- Le collaborateur se fait voler son PC portable dans sa voiture, un train, un aéroport, etc.

Dans ces scénarios hélas courants, l'entreprise fait face à deux risques : celui d'un accès par des tiers non habilités à des données confidentielles et celui de la perte de données critiques.

Avec les SaaS, les données ne sont pas stockées sur le poste de travail mais sur la plate-forme de l'opérateur. Les deux risques ci-dessus sont donc écartés. **Le poste de travail change de statut : il n'est plus un espace de stockage mal maîtrisé par la DSI, mais une simple interface interchangeable.**

La rationalisation de la sécurité des accès

Dans le cas d'une entreprise qui gère ses serveurs sur son réseau informatique, il est fréquent d'avoir à gérer plusieurs scénarios d'accès :

- Des utilisateurs qui accèdent aux applications depuis le siège.
- Des utilisateurs qui accèdent aux applications depuis un site secondaire.
- Des utilisateurs qui accèdent aux applications en situation de nomadisme.

Les responsables du réseau sont alors amenés à gérer plusieurs scénarios de sécurité, incluant authentification et chiffrement, en fonction de ces populations :

- Accès direct pour les utilisateurs du siège.
- VPN (*Virtual Private Network*) pour les utilisateurs du site distant.
- Reverse Proxy pour les nomades.

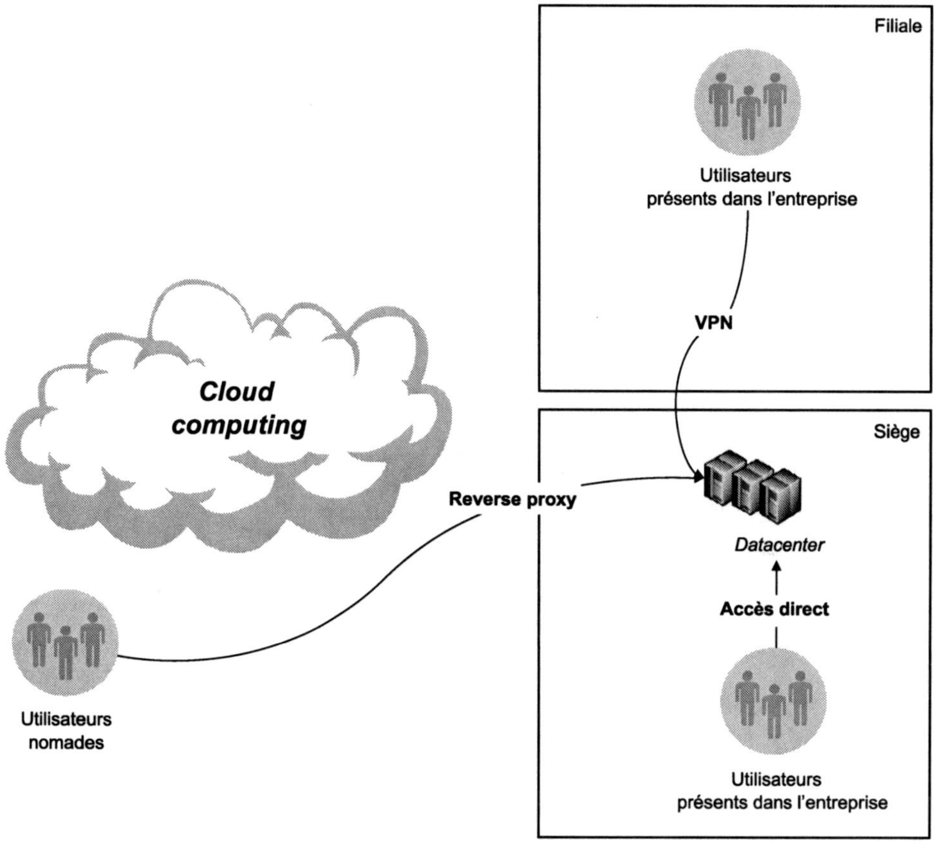

Figure 5.3 — Variétés des accès en entreprise et problématiques de sécurité.

Le but de ce paragraphe n'est pas de détailler ces mesures de sécurité, mais de souligner qu'elles sont complexes à mettre en œuvre, comme à maintenir. Cette complexité entraîne des coûts, mais parfois aussi des failles de sécurité : il peut en effet arriver qu'une des mesures de sécurité soit moins forte que les autres, ou bien qu'une erreur se soit glissée dans la complexité du paramétrage.

Avec les SaaS, il existe un unique scénario de sécurité. En effet, que l'accès soit effectué depuis le siège, depuis une filiale ou depuis Internet, le système de sécurité est le même. Ainsi, les mesures de sécurité sont plus simples à déployer et à administrer.

Les grandes entreprises commencent aujourd'hui à adopter un nouveau modèle de sécurité qui considère que tous les utilisateurs représentent un danger pour les serveurs à cause de leur infection potentielle par des virus ou chevaux de Troie. Il recommande donc de traiter les utilisateurs du siège et les nomades avec le même niveau de méfiance, et d'isoler les centres serveurs des réseaux d'utilisateurs. **Le modèle SaaS s'intègre parfaitement avec ces pratiques.**

Par ailleurs, le modèle SaaS permet aux populations nomades d'accéder au parc applicatif sans complexité additionnelle ce qui est généralement une source de satisfaction pour elles.

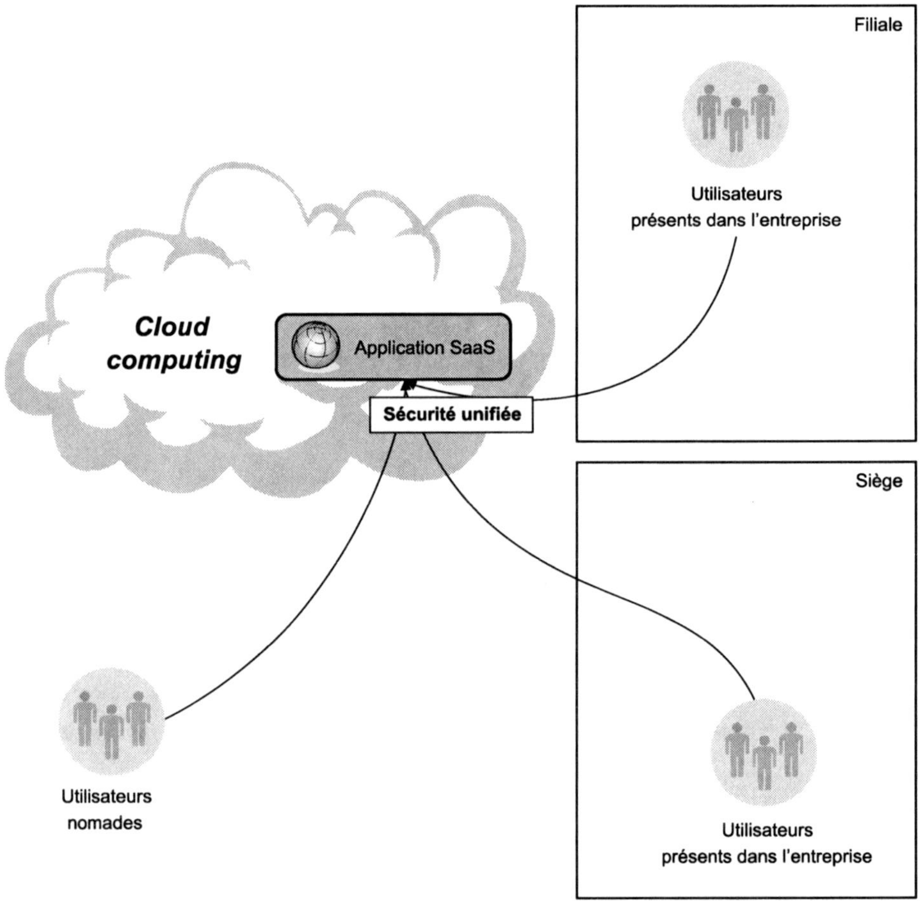

Figure 5.4 — SaaS & simplification des problématiques de sécurité.

Le cas d'INDUS

L'équipe commerciale de Monsieur Paul est en permanence sur le terrain. Et Monsieur Paul est en négociation perpétuelle avec la direction informatique pour leur donner accès au parc applicatif. La direction informatique lui rétorque quotidiennement que la sécurité est un problème complexe.

Monsieur Paul a entendu parler de Salesforce, une solution de gestion de la relation client accessible de n'importe où, sans intervention de la DSI.

Il est plutôt intéressé...

5.2.3 Un recentrage sur le métier

Comme on l'a vu dans le chapitre 4, on aborde généralement le modèle SaaS par l'« informatique de commodité », et non par l'informatique métier.

Dans ces conditions, le modèle SaaS est intéressant pour l'entreprise car elle lui permet de se recentrer sur son métier. En effet, toutes les ressources et compétences de la DSI se consacrent alors à améliorer l'agilité du système d'information pour répondre au mieux et au plus vite aux besoins des maîtrises d'ouvrage. La démarche SOA[1] pourra fournir une méthodologie structurante pour arriver à cet objectif. Les gains pour l'entreprise seront :

- Une plus grande optimisation des processus métiers, et donc des gains de productivité.
- Des nouvelles fonctionnalités métiers déployées plus vite, éventuellement avant la concurrence, ce qui permettra de gagner des parts de marché.
- Un système d'information métier mieux structuré et donc plus pérenne.

Ce recentrage aura aussi un impact positif sur les collaborateurs de la DSI : ils travailleront sur des problématiques plus intéressantes que, par exemple, du dépannage de serveur de messagerie. Ils seront plus proches des interlocuteurs métiers de leur entreprise et auront l'impression d'être plus valorisés en participant à sa croissance. Le turnover de la DSI sera donc réduit, et ses collaborateurs auront une meilleure connaissance métier qui leur permettra d'évoluer vers un poste moins technique si tel est leur souhait.

Le modèle SaaS contribue à ces évolutions positives.

Le cas d'INDUS

Les équipes informatiques sont associées, dans l'esprit des collaborateurs d'INDUS, à des problèmes de plantage de Windows et de messagerie qui ne marche pas.

Monsieur François, directeur informatique, est exaspéré par cet état de fait : les collaborateurs ignorent totalement l'énorme travail de la DSI sur les applications métiers.

Il est parfois tenté par l'infogérance de la bureautique, mais il hésite car il ne veut pas mettre une partie de son équipe au chômage technique.

5.2.4 La fin du syndrome de l'« administrateur héroïque »

Il y a, dans de nombreuses entreprises, des équipes d'exploitation qui, faute de formation, de temps et de moyens, effectuent des paramétrages de type « boîte noire ». Nous entendons par là des configurations de logiciels serveurs customisées, non conformes à l'état de l'art et maîtrisées par une seule personne, parfois deux. Ces pratiques existent plus souvent dans le cadre de l'informatique de commodité que

1. Voir Fournier-Morel X., Grojean P., Plouin G., Rognon C. SOA. *Le guide de l'architecte du SI*, 2e édition, Dunod, 2008.

dans celui de l'informatique métier, plus stratégique donc mieux documentée et mieux maîtrisée. Il est clair que ces pratiques rendent l'entreprise dépendante d'un « administrateur héroïque » seul à pouvoir intervenir sur les serveurs. Les congés de cet administrateur sont souvent sources de blocages et il est généralement amené à faire du support téléphonique pendant cette période. Par ailleurs, un accident ou une démission touchant cette personne sont très ennuyeux pour l'entreprise.

Ces configurations risquées sont parfois aussi liées à une volonté de contrôle sur les infrastructures, pour se rendre indispensable afin de mieux négocier une augmentation.

Ce syndrome touche plutôt les entreprises de taille moyenne que les grandes. **Dans tous les cas, le syndrome de l'« administrateur héroïque » constitue un risque pour l'entreprise qui disparaît avec les applications SaaS.** En effet, ces dernières fournissent une console d'administration simple sous la forme d'une interface web. La console est standardisée et facile à appréhender : elle peut être prise en main par un informaticien non spécialisé. Il n'est, par exemple, pas nécessaire qu'il connaisse les arcanes de l'optimisation système. La compréhension des grands concepts de l'application est suffisante. De ce fait, il est assez aisé de faire un transfert de compétence vers un autre informaticien.

5.3 RISQUES POUR L'ENTREPRISE UTILISATRICE

5.3.1 La confidentialité des données

Un risque à relativiser

Lorsqu'on présente le modèle SaaS à un néophyte, sa première réaction tourne invariablement autour de la confidentialité des données. En effet, le monde de l'entreprise est **universellement et intimement persuadé que l'on doit conserver ses données informatiques dans ses locaux pour assurer leur sécurité.**

Cette intime conviction est un peu étrange quand on sait que **les entreprises utilisent depuis des années les services de prestataires d'hébergement pour leurs applications web et leurs extranets clients** ; des données parfois critiques concernant l'entreprise et ses clients transitent par ces tiers. La confiance accordée aux prestataires d'hébergement tient à leur réputation sur le marché, et à leurs engagements contractuels. En effet, ils s'engagent juridiquement au travers de « règles de confidentialité » à ne pas divulguer les données de leurs clients. Les opérateurs SaaS prennent les mêmes engagements, mais attirent moins la confiance que les prestataires d'hébergement. Selon nous, cette méfiance est essentiellement due aux origines des SaaS : **ces acteurs sont issus du monde du web, un monde connoté grand public ; tandis que les prestataires d'hébergement sont issus du monde des télécoms, un monde connoté entreprise.**

La différence de traitement entre documents papier et données numériques

Dans le cadre de la conservation des documents papiers, il est fréquent de recourir à un archivage externe. Les documents contractuels, réglementaires, administratifs sont en effet souvent conservés dans des banques, chez des notaires, des experts comptables, etc. En revanche, nous sommes naturellement plus méfiants lorsqu'il s'agit de données numériques.

On peut citer de nombreux exemples de cette méfiance :
– nous hésitons à communiquer nos données d'identité (âge, profession, etc.) sur Internet, alors que nous le faisons très facilement auprès d'une banque ou d'une assurance sur simple demande orale.
– Les entreprises ne transmettent jamais d'informations numériques sur les salaires de leurs collaborateurs ; en revanche, elles recourent souvent à des prestataires externes pour imprimer et acheminer leurs feuilles de paye.
– Nous hésitons à payer par carte bleue sur Internet, alors que nous le faisons facilement dans un restaurant, où le risque est parfois plus grand (*cf.* pratique de la copie de carte bleue en arrière-boutique chez les escrocs).
– Pour prendre un dernier exemple un peu provocateur : nous avons une totale confiance dans le restaurant de notre entreprise, tandis que nous nous méfions du stockage de documents chez Google. Et pourtant, ces deux prestataires sont encadrés par une législation stricte. Dans le premier cas, nous risquons notre vie, dans le second, un peu d'indiscrétion...

Il y a une grande partie de « théorie du complot »[1] et de « peur de l'inconnu » dans cette méfiance vis-à-vis de l'informatique. L'informatique est, pour beaucoup de gens, mystérieuse et effrayante. La presse informatique participe d'ailleurs à cette paranoïa en relatant sans cesse l'apparition de nouveaux virus. Pourtant bien peu d'entreprises ont souffert de virus ces cinq dernières années.

Le seul argument qui justifie la méfiance vis-à-vis de l'informatique est la possibilité d'analyse à grande échelle qu'elle permet et que ne permet pas la lecture de millions de documents papier.

Pour nous, la confiance que l'on accorde ou pas à ses partenaires ne doit pas conditionner par leur mode de stockage : papier ou numérique pour les notaires, numérique pour les hébergeurs et les opérateurs SaaS. La confiance doit s'établir sur des garanties contractuelles.

Analyse du risque pour une PME

Notre intention n'est pas de minimiser le risque sur la confidentialité des données, mais de l'analyser avant de bien circonscrire ses tenants et aboutissants.

Prenons tout d'abord le cas des PME. Leurs dirigeants sont souvent ouverts à l'usage des SaaS, car ils sont intéressés par les garanties sur l'intégrité des données (voir paragraphes ci-dessus) offertes par ce modèle. En ce qui concerne le risque sur la confidentialité, ils considèrent généralement que leurs données seront noyées dans la masse de celles hébergées chez l'opérateur SaaS, et qu'elles ne revêtent pas un caractère assez intéressant pour donner lieu à des tentatives de piratage. En effet, qui s'intéresse aux e-mails, aux documents d'une PME lambda ? Paradoxalement, il y a toujours quelques collaborateurs pour verser dans la « théorie du complot » dans une PME ; mais les dirigeants sont souvent moins méfiants et plus pragmatiques que leurs employés.

1. Les chercheurs en sciences sociales qualifient de « théorie du complot » les fantasmes de manipulation des masses par un groupe de pouvoir secret, minoritaire et élitiste. Il y a eu des théories du complot autour de l'assassinat de Marilyn Monroe, des attentats du 11 septembre, etc.

Analyse du risque pour une grande entreprise

Prenons maintenant le cas d'une grande entreprise. Une telle entreprise peut considérer plusieurs typologies de risques :

- **Risque de vol de secret industriel.** Ce risque existe dans les secteurs très concurrentiels, par exemple, ceux où le dépôt de brevet est critique pour s'assurer de nouveaux marchés.
- **Risque de vol de données confidentielles sur ses clients**. Ce risque existe dans des secteurs comme celui de la banque, où la protection des données est critique.
- **Risque de vol de données de fonctionnement interne**. Ce risque porte essentiellement sur l'image d'une entreprise connue. Si le public apprenait qu'on lui a volé des données, son image serait salie.

La plupart des grandes entreprises gèrent ces risques au travers d'une « **politique de sécurité** »[1] mise en œuvre par le « **responsable de la sûreté de l'entreprise** ». Parfois, l'entreprise choisit de segmenter sa politique de sécurité en nommant un responsable de la sécurité informatique, le RSSI (Responsable de la Sécurité du Système d'Information), et un responsable de la sécurité physique, en charge de la gestion des accès aux locaux. Nous avons choisi, dans cet ouvrage, de considérer un acteur unique : le « **responsable de la sûreté de l'entreprise** ».

La politique de sécurité est une pratique incontournable à laquelle les grandes entreprises consacrent généralement une équipe permanente. Cette équipe s'appuie sur des standards, comme la norme ISO 27001, pour produire une documentation sur les règles à respecter au sein de l'entreprise.

Parmi les documents issus de la politique de sécurité, on doit trouver une « **classification des données** » qui établit le degré de confidentialité des données manipulées dans l'entreprise. Cette classification permet de mener des « **analyses de risque** » sur les données lorsqu'on envisage leur externalisation, par exemple chez un opérateur SaaS. Ces analyses de risque intégreront bien entendu les possibilités d'écoutes sur Internet, comme par exemple le réseau de surveillance ECHELON, déployé par les États-Unis, le Canada, le Royaume-Uni et l'Australie. Le tableau 5.1 présente un exemple d'une telle « analyse de risque ».

La « classification des données » et l'« analyse de risque » sont des outils d'aide à la décision indispensables à tout arbitrage sur la sécurité des données.

Les grandes entreprises qui réfléchissent sur l'usage d'application SaaS ne doivent pas prendre une décision hâtive basée uniquement sur la méfiance de leurs équipes d'exploitation, comme c'est souvent le cas (voir le paragraphe sur les craintes au sein des DSI). **Elles doivent utiliser les outils fournis par la « politique de sécurité ».** Nous reviendrons plus en détail sur cette problématique de sécurité au chapitre 7.

1. Voir Plouin G., Soyer J., Trioullier M.-É. *Sécurité des Architectures Web*, Dunod, 2004.

Tableau 5.1 — Exemple d'analyse de risque pour l'externalisation de données chez un opérateur SaaS.

Type de donnée	Secret industriel	Données confidentielles clients	Données de fonctionnement interne
Classification	Stratégique	Critique	Confidentiel
Risque si externalisation	Très important	Important	Modéré
Externalisation SaaS	Impossible	Impossible	Possible

5.3.2 La conformité réglementaire

Dans certains secteurs d'activité, les entreprises doivent respecter des contraintes légales très fortes. Par exemple, les lois Sarbanes-Oxley mises en place à la suite du scandale Enron forment un cadre réglementaire assez strict. Le respect de contraintes légales peut être un frein très fort à l'adoption du modèle SaaS. Ce frein est aujourd'hui incontournable.

Par ailleurs, les entreprises sont méfiantes vis-à-vis des applications SaaS hébergées dans d'autres pays ou sur d'autres continents, où les réglementations peuvent être différentes. Par exemple, un *datacenter* hébergé en Chine subit la réglementation chinoise, pays dans lequel l'autorité centrale peut demander à consulter les données stockées sur les serveurs. Pour gérer ce problème, les opérateurs SaaS ne déploient pas de *datacenter* dans des pays critiques, comme la Chine. De plus, ils proposent depuis peu à leurs clients de s'engager à ce que leurs données soient hébergées dans leur région, l'Europe par exemple. Ceci afin de leur garantir que leurs données ne tomberont pas sous le coup d'une réglementation tierce.

5.3.3 Un rejet de la part des clients

De nombreuses entreprises détiennent, au sein de leur système d'information, des données qui concernent leurs clients. Il peut s'agir d'e-mails, de documents, de données de suivi de la relation client, etc. Lorsque ces entreprises se penchent sur le modèle SaaS pour des données concernant leurs clients, elles sont tenues de prendre en compte l'avis de ces derniers.

Par exemple, une société de service qui souhaite s'appuyer sur un espace collaboratif SaaS comme Basecamp (voir partie 4) devra au préalable demander l'avis de son client, afin de s'assurer que les données à partager ne sont pas classifiées comme critiques par ce dernier. En effet, l'externalisation des données concernées pourrait aller à l'encontre de la politique de sécurité de ce client.

Il est donc essentiel d'un point de vue déontologique d'informer ses clients et de leur faire valider le recours au modèle SaaS.

Les clients de l'entreprise qui souhaite recourir au modèle SaaS peuvent avoir plusieurs types de réaction :

- **Une réaction de rejet liée à une méconnaissance du modèle** (*cf.* la « théorie du complot »). Dans ce cas, on pourra essayer d'argumenter pour le convaincre. La réduction des coûts liée au modèle SaaS pourra peser dans la balance.
- **Une réaction de rejet justifiée par la politique de sécurité du client**. Dans ce cas, il faudra lui proposer une alternative.
- **Une réaction positive liée à une image innovante du modèle SaaS.** Ce cas est heureusement assez fréquent et devrait le devenir de plus en plus avec la montée en puissance du SaaS.

En résumé

Ce chapitre a présenté les principaux bénéfices du modèle SaaS du point de vue de la direction des entreprises :
– Réduction des coûts par industrialisation/rationalisation.
– Déport des problématiques d'exploitation & recentrage sur informatique métier.
– Garantie d'intégrité et de disponibilité des datacenters des opérateurs SaaS.
– Rationalisation de la sécurité d'accès.
– Fin du syndrome de l'« administrateur héroïque ».

Il a aussi présenté les principaux risques pour l'entreprise :
– La confidentialité des données.
– La conformité réglementaire.
– Un rejet de la part des clients.

Pour nous, la principale problématique est la confiance qu'on peut accorder à l'opérateur SaaS sur la confidentialité de données.

6

Le point de vue des utilisateurs

Objectif

L'objectif de ce chapitre est d'introduire le point de vue des utilisateurs vis-à-vis des bénéfices et risques du *cloud computing*.

On abordera ici des aspects qui touchent à l'ergonomie, à l'accessibilité des applications pour les utilisateurs, ainsi qu'aux bénéfices en termes de collaboration.

6.1 BÉNÉFICES POUR LES UTILISATEURS

6.1.1 Ergonomie et productivité des applications

On a vu dans le chapitre 1 que les interfaces du web 2.0 sont des modèles d'ergonomie grâce à l'usage des RIA. Ces interfaces sont simples, efficaces et les acteurs du web 2.0 tirent parti de cette ergonomie pour attirer de nouveaux utilisateurs.

Les SaaS utilisent ce même type d'interface et bénéficient de cette attractivité, à tel point que les interfaces SaaS sont imitées par les acteurs du monde « software ». Ainsi, l'interface de Netvibes a fortement influencé celles de Microsoft Office SharePoint comme celle de Websphere Portal d'IBM. L'ergonomie est un point essentiel pour augmenter la productivité des utilisateurs.

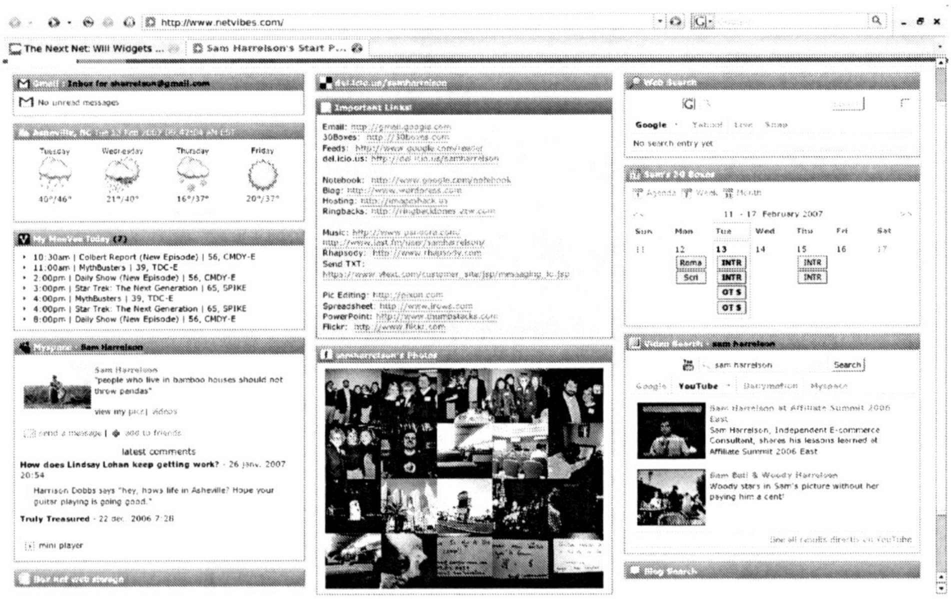

Figure 6.1 — Ergonomie de Netvibes.

Par ailleurs, les SaaS proposent des fonctionnalités souvent plus simples que celles des applications d'entreprise issues de développements spécifiques ou d'intégration de logiciel de type « software ». Cette simplicité permet une meilleure maîtrise des fonctions de l'application et améliore par conséquent la productivité.

> **L'exemple de la bureautique en ligne**
>
> Des offres comme Google Apps ou Zoho (*cf.* chapitre 14) fournissent des services bureautiques en ligne comparables à ceux de Microsoft Office. Cependant, ces services sont simplifiés : par exemple, les traitements de textes intégrés à ces offres proposent des fonctions d'édition, mais pas de tables d'index, de notes de bas de page. On dit souvent que ces offres proposent 20 % des fonctionnalités d'Office, mais que ces 20 % couvrent les besoins de 80 % des utilisateurs.

6.1.2 Accessibilité des applications

On a vu précédemment que les SaaS unifient les modes d'accès aux applications. Ainsi, les utilisateurs accèdent à leurs applications au travers d'un simple navigateur web qu'ils soient au bureau, en situation de nomadisme, en télétravail chez eux, dans un cybercafé, etc., cet accès pouvant se faire depuis un ordinateur ou depuis un terminal mobile.

Cette plus grande accessibilité permet aux utilisateurs en déplacement de consulter leurs e-mails sans repasser au bureau, de travailler depuis un aéroport, etc.

Elle offre un grand confort aux utilisateurs et plus de productivité à l'entreprise : des déplacements inutiles sont évités, des temps morts sont utilisés, permettant de consacrer du temps au travail plutôt qu'à des tâches rébarbatives.

De plus, les SaaS assurent aux utilisateurs un environnement de travail totalement identique quel que soit leur lieu d'accès.

Les SaaS permettent ainsi un retour sur investissement rapide grâce à une productivité améliorée et à une réduction de coûts de déplacement.

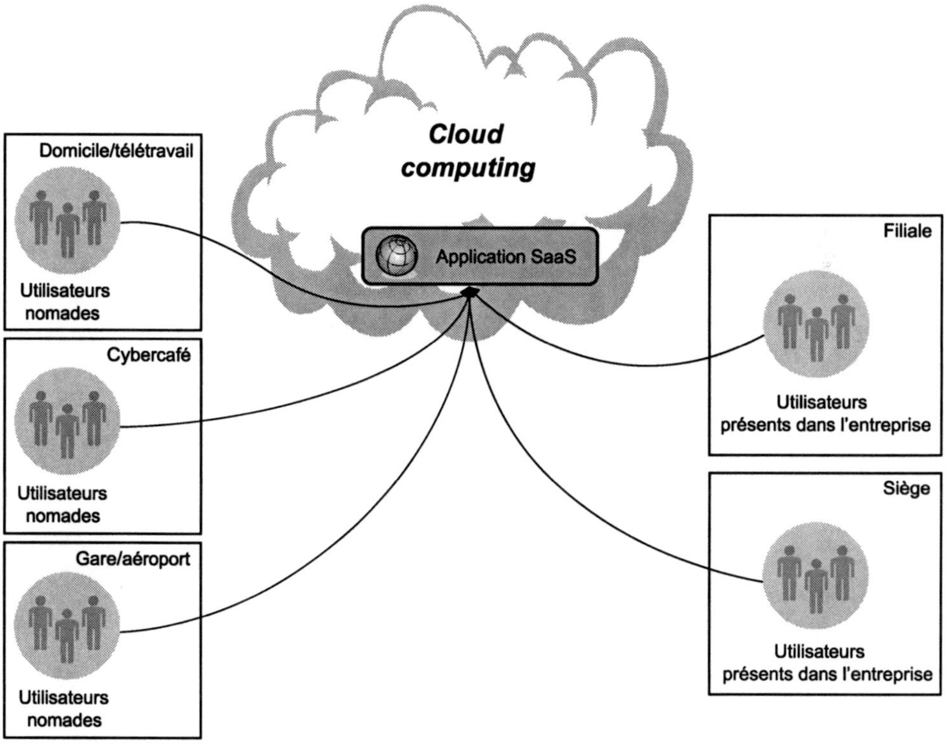

Figure 6.2 — Accessibilité des applications SaaS.

6.1.3 La collaboration

Les applications SaaS mettent l'accent sur la collaboration tant au niveau des utilisateurs qu'au niveau des logiciels (cf. les fameuses API du web 2.0 évoquées dans le chapitre 1).

Les SaaS stockent les documents sur leur plate-forme, permettant leur partage, en évitant ainsi le syndrome du collaborateur qui garde tous ses documents en local sur son PC. Ce syndrome est problématique dans la mesure où l'utilisateur construit ainsi un « silo de données » inaccessible par le reste de l'entreprise. Les informations stockées dans ce silo peuvent être détruites accidentellement. Or, on sait que la mise en commun d'une somme de connaissances permet de la faire fructifier grâce à des corrélations entre documents. L'entreprise a donc tout intérêt à mettre fin à ces silos. De plus, les SaaS proposent des fonctions de classement et de recherche avancées qui n'existent pas à l'échelle d'un PC isolé. Elles proposent aussi des fonctions de collaboration instantanée (messagerie instantanée, présentation de document, coédition de document, etc.). Les SaaS incitent ainsi les utilisateurs à fonctionner en réseau. Ils peuvent créer ces réseaux eux-mêmes en fonction de leurs affinités ou de leurs besoins : ils ne sont pas forcément issus de la hiérarchie de l'entreprise.

Les API fournies par les SaaS permettent aussi aux utilisateurs de les faire collaborer, sous la forme de mashups. Ils peuvent ainsi intégrer plusieurs interfaces entre elles en fonction de leurs besoins. Par exemple, il est possible d'utiliser une interface unifiée pour accéder aux fonctionnalités de Google Apps et de Salesforce. Il est aussi possible d'utiliser la messagerie instantanée dans le tableur de Google

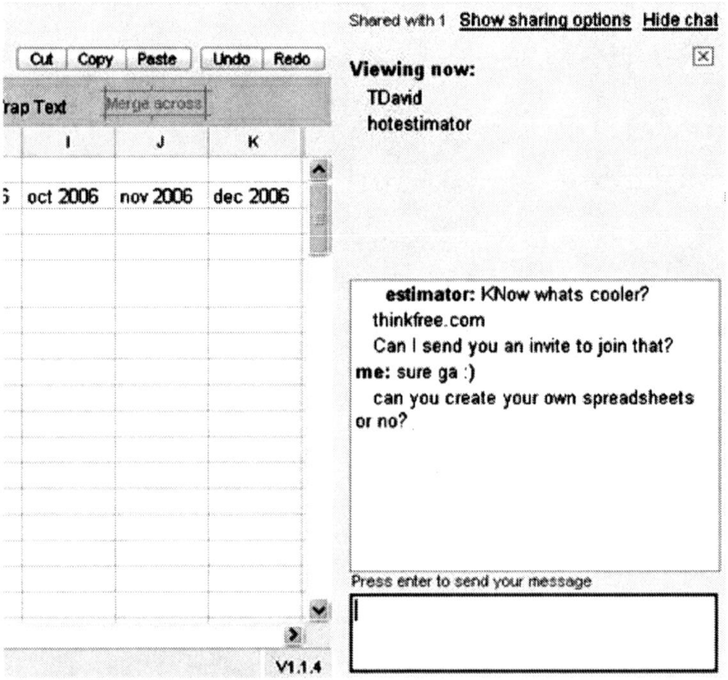

Figure 6.3 — Intégration de la messagerie instantanée dans le tableur de Google.

Le cas d'INDUS

La R&D d'INDUS fait régulièrement des réunions de projet faisant intervenir des collaborateurs de plusieurs sites distants par conférence téléphonique. Un des employés du département R&D d'INDUS a eu l'occasion de tester le tableur de Google. Comme il existe une version gratuite de ce service, il a proposé à ses collègues de le tester pour travailler sur un tableau de suivi des actions. Ce tableau est complété de manière simultanée par tous les intervenants du projet pendant la réunion. Les membres du projet ont ainsi gagné beaucoup de temps et ont totalement adopté l'outil...

6.1.4 L'agilité

L'usage du modèle SaaS permet aux utilisateurs de bénéficier de nouvelles applications sans passer par les étapes d'un cycle projet imposé par la DSI et souvent long. En effet, de nombreuses DSI imposent un « cycle projet en V » avec des étapes incontournables comme :

- Spécifications fonctionnelles.
- Conception de l'architecture.
- Spécifications détaillées.
- Implémentation.
- Tests techniques.
- Tests fonctionnels.
- Recette.

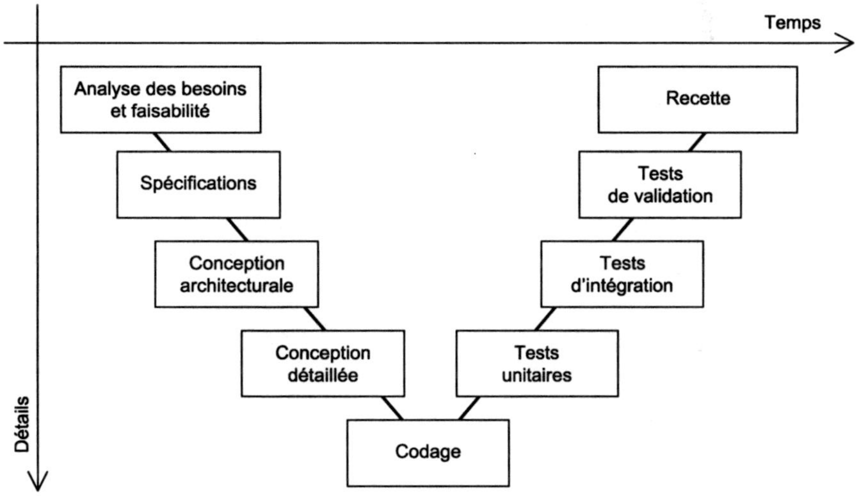

Figure 6.4 — Le cycle en V (source : Wikipedia).

Le cycle en V est très pertinent pour la construction d'applications métiers qui nécessitent une grande pérennité et une grande maintenabilité. Cependant, il est souvent vécu par les métiers comme un fardeau pour des projets non stratégiques, comme des applications web non pérennes ou comme des applications de commodité. Ainsi, les utilisateurs sont parfois contents de pouvoir contourner la DSI lorsqu'ils ont besoin d'agilité pour de petits projets. Pour ce faire, ils peuvent utiliser des sociétés de services ou des applications SaaS.

Les applications SaaS sont particulièrement pertinentes pour répondre à un besoin d'agilité. En effet, elles sont installées et exploitées par leurs fournisseurs et leur intégration se limite à du paramétrage au travers d'une console web, simple à prendre en main.

Le cycle projet d'une application SaaS se réduit, la plupart du temps, à des spécifications légères et à un paramétrage rapide.

Les choses se compliquent néanmoins lorsqu'une intégration forte avec le SI est nécessaire : nous en parlerons dans le chapitre 11.

Le cas d'INDUS

Monsieur Paul, directeur commercial d'INDUS a le projet de déployer une solution de gestion de la relation client (CRM). Il en a parlé à Monsieur François, le directeur informatique. Et ce dernier est revenu vers lui avec une proposition de logiciel de CRM maison « aux petits oignons ». Le projet de Monsieur François prévoit 1 an de développement et un coût de 700 000 euros. Monsieur Paul est un peu agacé car la CRM est un service très banal pour une force de vente et qu'il espérait disposer de cette application dans 2/3 mois.
Il a par hasard discuté avec un collaborateur de la R&D qui lui a parlé de la solution SaaS Salesforce. Salesforce, lui a-t-on dit, est proposé pour un coût mensuel raisonnable, et son paramétrage est assez rapide. Une fois les spécifications fonctionnelles terminées, l'implémentation est l'affaire de quelques semaines.
Il va sans dire que Monsieur Paul est très intéressé.

6.1.5 La qualité de service et la disponibilité

On a vu dans le chapitre 3 que les opérateurs SaaS ont les moyens de déployer des centres serveurs d'une grande robustesse sur plusieurs sites distants. Ils sont donc capables d'assurer un haut niveau de qualité de service, en particulier une très bonne disponibilité. Ils proposent en effet de manière quasi standard un niveau de disponibilité de 99,9 %.

Il n'est pas simple pour une entreprise d'assurer un tel niveau de disponibilité sans coûts exorbitants.

À propos de la disponibilité

Pour mémoire, la disponibilité d'une application désigne le ratio de temps pendant lequel elle est en état de fonctionner correctement sur une période de temps donnée. La disponibilité s'exprime en pourcentage.

Par exemple, une disponibilité de 99 % correspond à 4 jours d'inactivité par an, et une disponibilité de 99,9 % correspond à 9 heures d'inactivité par an.

Les utilisateurs sont les premiers bénéficiaires de cette qualité de service : en effet, les applications SaaS ont des temps de réponse très rapides et des périodes d'indisponibilité très rares. Ce n'est pas toujours le cas des applications internes lorsqu'elles ne sont pas jugées stratégiques. Dans le cadre de l'informatique de commodité, la DSI souhaite parfois limiter ses coûts, ce aux dépens de la qualité de service.

Le cas d'INDUS

La messagerie d'INDUS est basée sur une infrastructure serveur qui date de 10 ans. Monsieur Paul, le directeur informatique, a un budget réduit et il préfère le consacrer à l'évolution de l'informatique métier.

De fait, la messagerie d'entreprise donne des signes de fatigue. Lorsque certains collaborateurs partent trop longtemps en vacances, leur boite mail s'engorge, et toute la plate-forme subit des ralentissements.

Les utilisateurs ont coutume de se plaindre de leur messagerie à la pause-café : ils la comparent souvent à Gmail ou Yahoo Mail qui leur paraissent plus robustes. Certains d'entre eux transfèrent tous leurs messages professionnels vers Gmail : ils se demandent pourquoi la société ne migre tout simplement pas la messagerie vers la plate-forme de Google.

6.1.6 Un renouvellement rapide des postes de travail

Lorsqu'un poste de travail arrive en fin de vie, la DSI fournit à l'utilisateur une machine de remplacement et assure de manière plus ou moins complète la migration de l'environnement utilisateur vers le nouveau PC. Dans la pratique, les collaborateurs perdent généralement plus d'une journée de travail à transférer leurs données, reparamétrer leurs programmes et leur environnement afin de retrouver leur niveau de productivité optimal.

Avec les SaaS, ces problématiques de migration disparaissent totalement : en effet, l'environnement des utilisateurs est stocké sur la plate-forme de l'opérateur. Ainsi, un changement de poste de travail est une opération totalement anodine.

6.2 CRAINTES DES UTILISATEURS

6.2.1 La confidentialité des données

Les craintes des utilisateurs portent invariablement sur la confidentialité des données comme nous l'avons évoqué précédemment. Mais ils ne sont pas à même de mesurer réellement ce risque, cette tâche étant du ressort du « **responsable de la sûreté de l'entreprise** » comme on l'a vu au chapitre 4.

Ces craintes sont faciles à lever dès lors que la direction de l'entreprise a étudié la question et validé l'usage d'applications en mode SaaS. Il s'agit alors de donner les bonnes explications aux utilisateurs et d'accompagner le changement.

6.2.2 Dépossession du poste de travail

Certains utilisateurs attachent beaucoup d'importance à la puissance de leur poste de travail, dont ils annoncent fièrement le nombre de mégaoctets de mémoire et de disque dur. Leur PC est parfois, à l'image de leur voiture, un symbole de réussite. Ils adorent le customiser avec des applications qu'ils ont dénichées sur Internet.

On a vu que les SaaS utilisent des interfaces RIA et poussent les utilisateurs à sauvegarder leurs données « dans les nuages ». Dans ce contexte, le poste de travail tend à devenir une coquille vide de données, une machine interchangeable. Il n'y a plus d'intérêt à le customiser. De plus, l'absence de données en local sur le PC peut donner à l'utilisateur une impression de dépossession de ses données. Celui-ci utilisera l'argument du mode déconnecté pour justifier le maintien des données sur leurs PC. Cet argument ne restera plus valable très longtemps : on a vu dans le chapitre 1 que la gestion du mode déconnecté commence à être prise en charge par les navigateurs.

Cette impression de dépossession touchera les « analogists » et non les « digital natives ». Un accompagnement au changement sera nécessaire pour leur faire accepter ce nouveau mode de travail. Il faudra prendre le temps de leur expliquer les bénéfices des SaaS et de répondre à leurs interrogations.

Pour certaines typologies d'utilisateurs comme les directeurs ou les managers, il pourra être nécessaire de faire des exceptions, en leur permettant de disposer d'une copie locale de leurs données.

En résumé

Ce chapitre a présenté les principaux bénéfices du modèle SaaS du point de vue des utilisateurs :
– Ergonomie & productivité.
– Accessibilité.
– Collaboration.
– Agilité.
– Qualité de service & disponibilité.

Les risques généralement évoqués par les utilisateurs sont la sécurité et la dépossession du poste de travail. Le premier n'est pas leur ressort, et le second est un faux risque.

7

Le point de vue des informaticiens

Objectif

L'objectif de ce chapitre est d'introduire le point de vue des informaticiens vis-à-vis des bénéfices et risques du *cloud computing*.

On abordera ici des aspects qui touchent à l'exploitation.

7.1 BÉNÉFICES POUR LES DSI

7.1.1 Le recentrage sur l'informatique métier

Comme on l'a vu au chapitre 4, le bénéfice des SaaS pour les DSI est un recentrage sur l'informatique métier au détriment de l'informatique de commodité.

La DSI va pouvoir se débarrasser de nombreuses tâches ingrates d'exploitation et de mises à jour sur les serveurs et sur le parc utilisateur. Le bénéfice sera d'autant plus grand que le support (helpdesk) dans le cadre de l'informatique de commodité est source de nombreuses frictions avec les utilisateurs et offre peu de satisfactions pour les équipes d'exploitation.

7.1.2 Plus de temps pour penser le SI

Débarrassée d'un certain nombre de tâches d'exploitation, la DSI va pouvoir se consacrer à deux projets essentiels pour son entreprise :

- **Les études**, c'est-à-dire concevoir de nouvelles applications métiers au plus près des attentes des utilisateurs. En effet, une DSI moderne doit se positionner comme un prestataire de service vis-à-vis des métiers : être à l'écoute de leurs nouveaux besoins, faciliter la mise en œuvre de nouvelles applications correspondant à la stratégie de l'entreprise et, enfin, assurer une qualité de service irréprochable. La disparition des tâches d'exploitation concernant l'informatique de commodité sera un accélérateur pour la mise en œuvre de cette approche.
- **L'urbanisation de son système d'information, c'est-à-dire** de travailler à la rationalisation du système d'information, pour le pérenniser, améliorer sa maintenabilité, et son agilité. Le travail d'urbanisation est complexe et difficile à mettre en œuvre tout en maintenant en parallèle les tâches de production. En effet, peu d'entreprises arrivent à le mener à bien et à fournir à leur métier toute l'agilité qu'ils attendent. La réussite des projets d'urbanisation est néanmoins une source importante de gains de productivité et de compétitivité. Il est donc important d'y consacrer le maximum de temps et de ressources

Dans le cadre de sa mission d'urbanisation, la DSI va devoir élargir sa réflexion à la bonne cohabitation des applications internes à l'entreprise avec celles déportées chez des opérateurs SaaS.

7.2 CRAINTES DES DSI

7.2.1 La perte de pouvoir et de ressources

La première réaction négative des DSI vis-à-vis du modèle SaaS est une réaction très humaine de protection. En effet, ce nouveau modèle est perçu comme la menace de suppression d'une partie de leurs attributions.

Le cas d'INDUS

Lorsque Monsieur Vincent, directeur général d'INDUS, a parlé pour la première fois à son DSI, Monsieur François, de l'offre de messagerie d'entreprise hébergée de Google, celui-ci a eu une réaction de repli.

Il a rétorqué à son patron qu'INDUS gère quotidiennement plus de 20 000 e-mails et qu'il n'est pas sûr que Google puisse en faire autant. L'argument est un peu court : les infrastructures de Google gèrent des millions d'e-mails par jour. Elle montre bien que Monsieur Vincent était sur la défensive, à cours d'arguments véritables.

Pour la DSI, la perte d'une partie de son périmètre peut être synonyme d'une réduction de budget et d'une réduction des effectifs. Cette perspective est très anxiogène pour les équipes d'exploitation qui craignent pour leurs emplois.

Le spectre de l'offshore

Lorsque le concept de développement offshore est apparu il y a quelques années, les équipes informatiques occidentales ont cru leur emploi en danger. Les développeurs se sont sentis menacés par un remplacement par des ressources moins coûteuses en Inde. L'expérience a cependant montré que le marché de l'emploi informatique en Europe ne s'est pas écroulé avec l'offshore. Certains informaticiens européens ont vu leur poste évoluer, mais personne ne s'est retrouvé au chômage.

Le modèle SaaS représente une menace similaire mais, cette fois, pour les équipes d'exploitation. Il y a fort à parier que ces équipes ne se retrouveront pas au chômage, mais verront simplement leur métier évoluer.

Enfin, comme on l'a vu au chapitre 6, les SaaS permettent aux métiers de se passer des services de la DSI. Ils peuvent contourner cette dernière pour gagner en agilité. Cette perspective est frustrante pour la DSI. Cependant, cette pratique de contournement était déjà là pour les projets web, confiés à une *web agency*.

7.2.2 La sécurité des applications

Un des principaux arguments de la DSI pour refuser les SaaS est la sécurité. La sécurité entre souvent dans les attributions des équipes d'exploitation et elles connaissent cette problématique plus en profondeur que les utilisateurs (voir le « mythe du complot » pour ces derniers).

Les équipes d'exploitation sont capables de décomposer les problématiques de sécurité suivant les critères classiques : authentification, confidentialité, intégrité, traçabilité, disponibilité.

Les paragraphes suivants décrivent point par point les risques afférents.

SaaS et authentification

Les applications SaaS proposent, dans la grande majorité des cas, une classique authentification par identifiant et mot de passe. Elles ont souvent deux talons d'Achille dans leurs pratiques :

- Elles ne déploient pas de « politique de mot de passe », et n'obligent donc pas à modifier les mots de passe régulièrement, pour ne pas compliquer la vie des utilisateurs.
- Elles envoient souvent les mots de passe oubliés par e-mail.

À propos des politiques de mot de passe

Une « politique de mot de passe » sert à limiter les risques de vol de mot de passe et d'usurpation d'identité. Les pratiques courantes d'une telle politique sont les suivantes :
– Changement du mot de passe tous les 3 mois.
– Interdiction de réutiliser un mot de passe précédemment utilisé.
– Mot de passe devant contenir au minimum huit caractères, et intégrant des lettres et des chiffres.
– Verrouillage du compte après cinq tentatives d'authentification avec un mot de passe erroné.

Ces mauvaises pratiques sont issues du monde du web grand public. Elles se révèlent particulièrement dangereuses pour les comptes d'administrateurs. En effet, si une personne malintentionnée arrive depuis le web à percer un mot de passe administrateur, elle peut à sa guise supprimer tous les comptes utilisateurs. Dans le cas d'une messagerie externalisée comme Google Apps, le pirate qui a capturé le mot de passe administrateur peut tout simplement détruire les boîtes de messagerie de toute l'entreprise. Ce risque est généralement mieux maîtrisé pour une application interne à l'entreprise.

Heureusement, de plus en plus d'opérateurs SaaS proposent une option de délégation de l'authentification auprès de l'annuaire de l'entreprise. Avec cette option, l'utilisateur est redirigé vers le système d'information d'entreprise lors de la phase d'authentification. Lorsque celle-ci est terminée, il retourne en toute transparence vers l'application SaaS. Cette opération utilise le principe du Single Sign On (SSO).

Google, Microsoft et Salesforce proposent en particulier un tel service. Cette option permet de régler le risque de sécurité lié à l'absence de politique de mot de passe.

SaaS et confidentialité

La confidentialité porte sur la certitude qu'une donnée n'a pas été lue par une personne non habilitée ou malintentionnée. Elle doit être traitée pour des données persistantes et lors d'échanges avec des tiers.

Comme on l'a vu au chapitre 5, les SaaS permettent de rationaliser l'accès aux applications selon un mode opératoire unique. C'est presque toujours SSL qui est utilisé pour assurer la confidentialité des données échangées. Son niveau de sécurité est tout à fait suffisant.

Pour ce qui concerne la confidentialité des données stockées sur la plate-forme SaaS, on a vu au chapitre 5 que c'est au « responsable de la sûreté » de trancher.

Le cas d'INDUS

Monsieur Paul, directeur informatique d'INDUS, considère que la sécurité est mieux maîtrisée lorsqu'elle est internalisée. Ses collaborateurs ont mis en place de multiples passerelles de sécurité correspondant à plusieurs scénarios d'usage des applications.

Cependant, à force de multiplier les systèmes « maison », ils ont rendu le niveau de sécurité global difficile à mesurer. D'ailleurs, un audit commandé par le responsable de la sûreté de l'entreprise a montré des failles dans le système.

Il est ainsi apparu qu'une sécurité pensée de manière unifiée et centralisée par des experts était plus souhaitable que les pratiques hétérogènes de la DSI. Certains opérateurs SaaS remplissent ces critères, selon le responsable de la sûreté.

SaaS et intégrité

L'intégrité porte sur la certitude qu'une donnée n'a pas été altérée de manière accidentelle ou malintentionnée. Elle doit être considérée pour des données persistantes et lors d'échanges avec des tiers.

La problématique de l'intégrité est similaire à celle de la confidentialité :

- Lors des échanges, elle est garantie par SSL.
- Pour la persistance sur la plate-forme SaaS, c'est au « responsable de la sûreté de trancher ».

SaaS et traçabilité

La traçabilité porte sur la génération de traces (souvent des « logs ») permettant de suivre le comportement des applications en production. Ces traces permettent de comprendre les comportements des utilisateurs et ceux d'éventuels pirates. Elles permettent aussi d'optimiser le fonctionnement des applications.

Les plates-formes SaaS offrent aujourd'hui des possibilités en termes de traçabilité des actions utilisateurs : elles proposent des API pour collecter les traces et les traiter au sein de l'entreprise. Certaines offrent même des tableaux de bords pour analyser ces données depuis leurs interfaces.

Cependant, on considère que les SaaS fournissent un service intégré, qui débarrasse les DSI des problématiques de monitoring des applications : la gestion de la traçabilité est donc du ressort de leurs équipes internes.

SaaS et disponibilité

La qualité de service offerte par les SaaS est souvent supérieure à celles que peuvent s'offrir les entreprises. Ainsi, les SaaS garantissent généralement une disponibilité de 99,9 %.

Récapitulatif des réponses des SaaS aux problématiques de sécurité

Tableau 7.1 — Réponses des SaaS aux problématiques de sécurité.

Problématiques de sécurité	Réponses des SaaS
Authentification	Souvent pas de politique de mot de passe mais possibilité de déléguer l'authentification.
Confidentialité	Pas de risque technique. Décision à prendre par le « responsable de la sûreté ».
Intégrité	Pas de risque technique. Décision à prendre par le « responsable de la sûreté ».
Traçabilité	Logs récupérables par l'entreprise cliente. Prise en charge par l'opérateur SaaS.
Disponibilité	Bon niveau.

Le tableau 7.1 montre que l'argument sécuritaire pour contester le modèle SaaS n'est pas valable sur le plan technique. Reste la problématique de confiance vis-à-vis de l'opérateur SaaS sur la confidentialité de données. Rappelons qu'elle est du ressort du responsable de la sûreté de l'entreprise.

7.2.3 La « réversibilité » des applications

On appelle réversibilité la capacité à quitter une solution informatique pour une autre. Cette réversibilité implique que l'on puisse récupérer ses données et éventuellement ses composants métiers chez son prestataire d'hébergement pour les migrer chez un autre acteur ou éventuellement les rapatrier en interne.

Les SaaS fournissent de nombreux assistants d'import pour permettre la migration des données vers leurs plates-formes. Par contre, elles ne fournissent pas d'outils pour récupérer ses données.

Prenons l'exemple de Flickr, un service de stockage et de partage de photos ; cet opérateur SaaS dispose d'une offre premium payante destinée aux professionnels. Il fournit gratuitement un logiciel d'envoi de photos vers sa plate-forme : le « Flickr uploadr », mais il ne fournit pas de logiciel de « Flickr downloadr » pour les récupérer en masse. Il est donc nécessaire de les récupérer une à une, ce qui est très fastidieux.

Heureusement, on a vu que les SaaS fournissent des API permettant de se connecter à leurs plates-formes. Il est donc possible pour la DSI de développer des composants sur la base de ces API pour permettre la réversibilité. Ces composants sont souvent fournis par des éditeurs tiers (c'est le cas de du Flickr downloader).

L'argument de la réversibilité des SaaS pour contester le modèle n'est donc pas un vrai argument.

7.2.4 La dépendance au réseau

Faire appel aux SaaS suppose que la connexion de l'entreprise au réseau Internet est de qualité irréprochable. En effet, si, par exemple, le logiciel de CRM est externalisé et que le lien à Internet est rompu, l'équipe commerciale se retrouve plus ou moins au chômage technique.

De fait, les équipes de la DSI avancent parfois les arguments suivants : « *Le modèle SaaS constitue un risque grave de perte d'accès aux applications* ». « *Pour sécuriser le réseau, il va falloir redonder toutes les infrastructures et ça va coûter cher. La facture télécom va supprimer le bénéfice des SaaS en termes de réduction des coûts.* »

La problématique de dépendance des SaaS au réseau est très réelle. Il convient cependant de la relativiser. En effet, sans le modèle SaaS, une rupture de réseau est déjà très critique pour de nombreuses entreprises. Elle implique :

- Une rupture dans l'envoi et la réception de messages avec les clients ou partenaires.
- Une rupture des flux de données avec les partenaires.
- Une rupture de l'accès au site web ou/et à l'extranet pour les clients.
- La perte de l'accès au web pour les collaborateurs.

Il est donc indispensable pour les entreprises d'aujourd'hui de se doter d'un lien réseau de haute qualité avec la redondance adéquate pour pallier à des pannes.

L'argument de la dépendance au réseau avec les SaaS est donc un faux argument : aujourd'hui quasiment aucune entreprise ne peut travailler sans accès à Internet, avec ou sans SaaS.

7.2.5 L'augmentation du trafic réseau

Un autre argument souvent avancé par les informaticiens pour contester le modèle SaaS est l'augmentation du trafic réseau. En effet, des échanges qui avaient lieu sur le réseau interne de l'entreprise vont passer par le lien Internet avec le modèle SaaS.

Par exemple, pour envoyer un message à un collègue via Google Apps, on le fait transiter deux fois par Internet : une fois pour le transmettre à la plate-forme Google, et une fois pour le collecter à partir de la plate-forme Google.

La problématique d'augmentation du trafic réseau est à considérer. Il convient néanmoins de la modérer. En effet, les SaaS proposent des interfaces web et les pages web ont un poids très modeste.

Précisons les choses sur un angle un peu plus technique dans le cas de la messagerie :

- Lorsqu'on utilise une messagerie interne, les messages transitent le plus souvent suivant les protocoles SMTP[1] et POP[2] ; ces protocoles font transiter tout le contenu du message ainsi que les pièces jointes sur le réseau.
- Lorsqu'on utilise une messagerie SaaS, les messages sont lus au travers d'une page web et éventuellement via le protocole IMAP[3] ; dans ces deux cas, on accède d'abord aux en-têtes des messages ; puis seulement si c'est nécessaire au contenu du message ; et enfin dans un troisième temps on peut choisir de télécharger les pièces jointes. Dans bien des cas, on supprime les messages avant d'avoir téléchargé leur contenu.

Le trafic réseau généré par les applications SaaS est optimisé pour un transit par Internet. Cette optimisation est indispensable pour que les utilisateurs situés loin des serveurs aient des temps de réponse rapide. Le trafic généré par les SaaS est dans bien des cas très inférieur à celui des applications internes de l'entreprise.

L'argument de l'augmentation du trafic réseau est donc un faux argument.

En résumé

Ce chapitre a présenté les principaux bénéfices du modèle SaaS du point de vue des informaticiens :
– Se débarrasser de tâches ingrates d'exploitation.
– Se recentrer sur l'informatique métier.

Les risques généralement évoqués par les informaticiens portent sur :
– La sécurité.
– La réversibilité.
– La dépendance au réseau.
– L'augmentation du trafic réseau.

On a vu que ces risques étaient à relativiser.

1. *Simple Mail Transfer Protocol*
2. *Post Office Protocol*
3. *Internet Message Access Protocol*

8

La prise de décision

Objectif

L'objectif de ce chapitre est de proposer une méthodologie d'aide au choix, et ainsi de répondre à la question : « devons-nous aller ou non vers le *cloud computing* ? »

8.1 L'ANALYSE PAR GRILLE DE CRITÈRES

Nous avons balayé dans les chapitres précédents les risques et les bénéfices du modèle SaaS pour les divers acteurs de l'entreprise. Nous proposons maintenant une **méthodologie d'aide au choix** sous la forme d'une analyse par grille de critères.

Cette démarche passe par les étapes suivantes :

- **Définition des critères de décision sur la base de l'existant, des besoins utilisateurs, de la politique de sécurité de l'entreprise.**
- **Pondération de la grille de critères.** Il s'agit d'attribuer à chaque critère un poids sur une échelle généralement de 1 à 4 (importance critique, haute, moyenne, ou basse). Ainsi, on pourra quantifier de manière extrêmement précise les critères les plus importants du point de vue de l'entreprise (par exemple la réduction des coûts ou la sécurité).
- **Analyse de la solution.** Il est ensuite temps de confronter la solution à la grille. Cette étape peut s'effectuer au travers de sa documentation (disponible sur Internet), ou bien en rencontrant l'opérateur SaaS pour lui soumettre les questions de la grille. On donnera alors une note pour chacun des critères (par

exemple 1 point si telle exigence est partiellement remplie, 2 points si une autre exigence est complètement remplie).

- **Agrégation des résultats.** Cette étape consiste à analyser les notes et les pondérations afin d'en sortir des indicateurs. Ces indicateurs, graphiques si possible, seront les outils d'aide à la décision.

La figure 8.1 propose un exemple d'extrait de grille de critères et un exemple de graphe d'aide à la décision.

N°	Intitulé du critère	Coefficient de pondération	Note	Commentaires
1.	Pérennité de l'opérateur SaaS	Haut	1	
2.	Engagement de confidentialité	Critique	2	
3.	Haute disponibilité de la solution	Critique	0	
4.	Nb clients, principales références	Critique	2	
5.	Coût de l'abonnement	Moyen	2	
6.	Sécurité des accès	Critique	1	

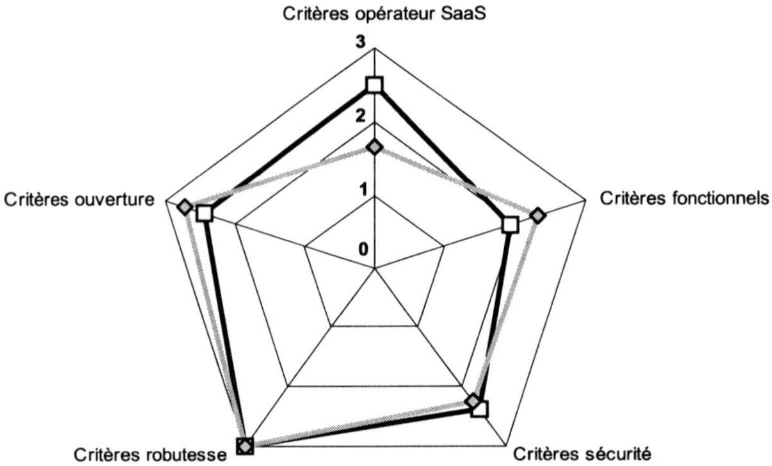

Figure 8.1 — Outils d'analyse par grille de critères.

8.2 GRILLE DES CRITÈRES SaaS

Le tableau 8.1 présente quelques critères d'aide à la décision. Ces critères pourront être beaucoup plus détaillés selon le contexte et les exigences de l'entreprise utilisatrice.

Tableau 8.1 – Grille de critères SaaS.

	Famille de critère	Critère	Commentaire
1	Coûts	Analyse des coûts	L'outil SaaS apporte-t-il un ROI intéressant ? Par exemple, le calcul de réduction des coûts de licences logicielles, machines, charge des équipes d'exploitation offre-t-il des bénéfices substantiels ? Ce critère est fondamental : il doit disposer d'un poids important.
2	Organisationnel	Rationalisation de la DSI autour du métier	L'outil SaaS permet-il d'externaliser des tâches fastidieuses et hors du cœur de métier ? Par exemple : la messagerie n'est jamais une application métier.
3	Organisationnel	Rationalisation de l'exploitation	L'outil SaaS permet-il de mettre fin à des pratiques d'exploitation non standard ?
4	Organisationnel	Rationalisation de l'administration des serveurs	L'outil SaaS permet-il de mettre fin à la dépendance à un administrateur unique ?
5	Organisationnel	Conformité réglementaire	Le modèle SaaS est-il possible dans le secteur d'activité de l'entreprise ? Par exemple, l'externalisation des comptes par une banque est impossible.
6	Organisationnel	Acceptabilité par les clients/partenaires	L'usage du modèle SaaS risque-t-il de poser des problèmes aux clients ou partenaires ? Par exemple, un cabinet d'avocat d'affaire peut difficilement externaliser des documents concernant les fusions/ acquisitions.
7	Organisationnel	Réversibilité	L'opérateur SaaS propose-t-il des outils pour récupérer ses données/applications ? Sinon, propose-t-il au moins une API permettant de créer un tel outil ?
8	Utilisateurs	Ergonomie des applications	L'outil SaaS permet-il de mettre à disposition des utilisateurs des applications plus ergonomiques ?
9	Utilisateurs	Productivité des applications	L'outil SaaS permet-il de mettre à disposition des utilisateurs des applications plus productives ? Par exemple, les applications SaaS offrent-elles des fonctions de collaborations intéressantes ?

	Famille de critère	Critère	Commentaire
10	Utilisateurs	Accessibilité des applications SaaS	L'outil SaaS permet-il de mettre à disposition des utilisateurs des applications plus facilement accessibles ? Par exemple, les applications actuelles sont-elles accessibles en télétravail, en situation nomade, depuis un mobile ?
11	Utilisateurs	Disponibilité/qualité de service des applications SaaS	L'opérateur SaaS apporte-t-il aux applications un niveau de disponibilité plus avancé que celui de l'entreprise ? Par exemple, une PME qui externalise sa messagerie pourra bénéficier d'une disponibilité de 99,9 %.
12	Utilisateurs	Agilité	L'outil SaaS permet-il la mise à disposition des applications auprès des utilisateurs dans un temps plus court ?
13	Sécurité	Authentification sur les applications SaaS	L'opérateur SaaS propose-t-il un dispositif d'authentification suffisant sécurisé, en particulier pour les tâches d'administration ? Sinon, propose-t-il un système de délégation de l'authentification au système de l'entreprise ?
14	Sécurité	Confidentialité des données stockées chez l'opérateur SaaS	L'externalisation des données par le recours à l'outil SaaS est-elle conforme à la politique de sécurité de l'entreprise ? Par exemple, les données liées à des plannings projets peuvent être externalisables si elles sont classifiées comme non critiques.
15	Sécurité	Rationalisation de la sécurité des accès (confidentialité des données échangées)	L'opérateur SaaS propose-t-il un système de sécurité plus homogène que celui de l'entreprise ?
16	Sécurité	Intégrité des données stockées chez l'opérateur SaaS	L'opérateur SaaS propose-t-il des pratiques de sauvegarde ou de plan de reprise d'activité plus avancées que celle de l'entreprise ? Par exemple, une PME peut gagner en sécurité sur ses données en externalisant.
17	Sécurité	Traçabilité	L'opérateur SaaS propose-t-il des traces sur les accès/comportements utilisateurs ?

8.3 PROCESSUS DE PRISE DE DÉCISION

Nous vous proposons dans ce paragraphe un cheminement en vue d'une prise de décision. Cette méthodologie s'adresse avant tout aux entreprises de taille conséquente. Pour une PME de 20 personnes, le processus de prise de décision pourra être plus rapide, et ce d'autant plus s'il n'y a pas d'existant à remplacer.

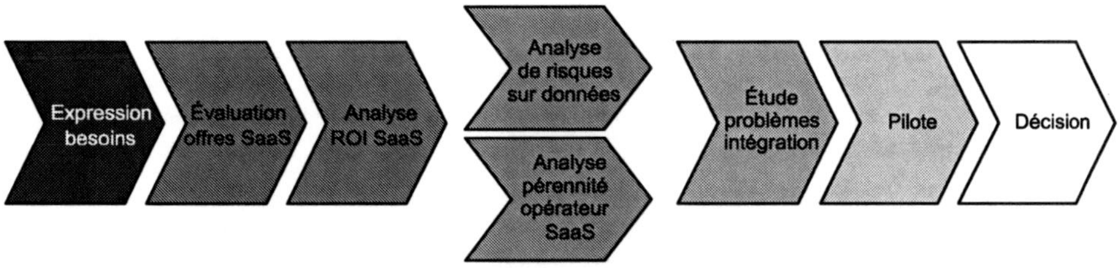

Figure 8.2 – Processus de décision pour l'adoption du modèle SaaS.

8.3.1 Rédiger une expression de besoins

Il est clair que le passage au modèle SaaS ne doit pas être déclenché par un souhait de la direction informatique d'utiliser des outils de nouvelle génération, mais par un vrai besoin des utilisateurs. L'adéquation aux besoins doit être mise au premier plan, à moins que l'on souhaite changer leur mode de travail. Dans ce cas, on parle d'un projet de gestion du changement des processus utilisateurs.

C'est à la direction de l'entreprise d'arbitrer ce choix :

- L'application SaaS est-elle destinée à offrir les mêmes fonctionnalités aux utilisateurs, selon un modèle économique différent, et en externalisant les problématiques d'exploitation ?
- Le modèle SaaS est-il envisagé dans le cadre d'une refonte de certains processus métiers ou collaboratifs dans l'entreprise.

Par exemple, si on constate un manque de synergie, de collaboration, de convivialité entre les utilisateurs, certains outils SaaS peuvent se révéler intéressants. Par contre, déporter la bureautique en ligne avec des outils comme Zoho ou Google Docs est très risqué compte tenu du périmètre fonctionnel de ces outils.

Il convient donc de déterminer les besoins réels :

- Besoin de messagerie instantanée pour augmenter les échanges ?
- Besoin de partage de calendriers à l'échelle de l'Internet ?
- Besoin de rédiger des documents très simples et de manière collaborative ? ou réels besoins bureautiques ?
- Besoin d'outils simples et ergonomiques pour faire des demandes de congés, du suivi d'activité ? ou suivi d'activité avancé ?

- Besoins d'outils de CRM simples ? ou grandes spécificités métiers pour l'entreprise ?
- Etc.

Le cas d'INDUS

Les collaborateurs d'INDUS n'ont pas un usage avancé des logiciels de collaboration. Ils utilisent depuis des années des services de base : messagerie électronique et calendriers partagés. Ils sont prêts à changer de solution s'ils retrouvent ces mêmes fonctionnalités, surtout si elle amène une qualité de service supérieure à celle qu'ils vivent au quotidien. Quelques « digital natives » parmi eux aimeraient pouvoir partager leurs calendriers avec des personnes externes à l'entreprise et utiliser une messagerie instantanée ouverte. Une solution de collaboration en mode SaaS, comme Google Apps, répond donc bien à leurs besoins.

On a vu, dans les paragraphes précédents, que la direction commerciale souhaite s'équiper d'une solution de gestion de la relation client. L'évaluation des fonctions de Salesforce a montré que cette solution répond aux exigences de l'équipe commerciale.

8.3.2 Évaluer les solutions SaaS disponibles

Le marché des solutions SaaS est en pleine expansion, et les solutions éligibles pour répondre aux besoins des utilisateurs vont devenir rapidement très nombreuses.

Si le choix est aujourd'hui limité à quelques solutions de références (nous avons déjà beaucoup cité Google et Salesforce), il deviendra rapidement nécessaire d'évaluer un nombre conséquent de solutions avant de déterminer laquelle peut correspondre à ses besoins. On utilisera alors les démarches de choix classiques correspondant aux logiciels « software ».

8.3.3 Faire une étude de ROI

Une fois la solution déterminée, il convient de faire un calcul de retour sur investissement (ROI) du modèle SaaS. L'étude de ROI est centrale dans la décision d'aller ou non vers les SaaS. En effet, si ce modèle est souvent intéressant en termes de réduction des coûts, il est essentiel d'évaluer précisément ce bénéfice avant toute prise de décision. Il se peut qu'il soit nul pour certaines entreprises.

Deux cas de figure peuvent se présenter :

- **L'entreprise évalue le modèle SaaS pour disposer de nouvelles fonctionnalités.** Dans ce cas, la comparaison intègre :
- les coûts liés à l'usage des logiciels ;
- les coûts machines ;
- les coûts des locaux de type « salle blanche » ;
- les coûts en électricité ;
- les coûts en accès réseau ;
- les coûts salariaux du personnel d'exploitation et de support.

- **L'entreprise dispose déjà des fonctionnalités dans le modèle « software » et évalue la pertinence de migrer vers le modèle SaaS.** Dans ce cas, il est nécessaire d'intégrer aussi au calcul de ROI :
- les impacts du changement sur les équipes ;
- les coûts de la migration vers la nouvelle solution.

Le cas d'INDUS

Le collaborateur du département R&D qui avait présenté au directeur général un petit calcul de TCO (40 /utilisateur/an pour Google Apps contre 70 /utilisateur/an pour Microsoft Exchange) a poussé son analyse. Le résultat de cette analyse détaillée, intégrant les coûts de la migration assurée par une société de service, a confirmé le bénéfice financier d'un basculement vers Google Apps.

De son côté, le directeur commercial, Monsieur François, a mandaté une société de conseil high-tech pour comparer les coûts de la solution Salesforce à ceux d'une solution progicielle (il a écarté le développement spécifique, proposé par le directeur informatique, Monsieur Paul, car le planning proposé était trop long). Le cabinet de conseil a rendu son verdict : le TCO de Salesforce est le meilleur.

8.3.4 Mener une analyse de risques

Nous avons abondamment abordé la problématique de sécurité dans les précédents chapitres. Il est clair que cette problématique est centrale dans la décision d'aller ou non vers les SaaS.

Rappelons que la problématique doit être envisagée non pas sur la base d'impressions et de rumeurs, mais sur la base d'une **solide analyse de risques**. Cette analyse doit intégrer une **classification des données** candidates à l'externalisation : données stratégiques, critiques, confidentielles, données de fonctionnement. Elle doit envisager la sécurité selon le prisme : **authentification, confidentialité, intégrité, disponibilité, traçabilité**.

Rappelons enfin que seul le **responsable de la sûreté de l'entreprise** peut statuer sur cette problématique : les informaticiens et les utilisateurs sont généralement incompétents sur le sujet car ils n'envisagent pas la problématique dans son ensemble.

Le cas d'INDUS

Les messages électroniques et calendrier sont considérés par le responsable de la sûreté d'INDUS, Monsieur Jacques, comme des données de fonctionnement, non critiques. Le déport de ces fonctions vers un opérateur SaaS a donc été validé. Monsieur Jacques a cependant émis la directive suivante : les contrats échangés avec les clients stratégiques d'INDUS seront chiffrés à l'aide un logiciel Open Source courant. Monsieur Jacques est très satisfait car la migration vers les SaaS lui a permis de faire passer une mesure qu'il appelait de ses vœux depuis longtemps. En effet, jusqu'alors INDUS avait toujours échangé ses contrats via des courriers électroniques non chiffrés.

Concernant l'utilisation du service Salesforce, Monsieur Jacques a considéré qu'il s'agissait aussi de données de fonctionnement, tant que les contrats n'étaient pas intégrés à la solution.

8.3.5 Étudier la pérennité de l'opérateur SaaS

En parallèle de l'analyse de risque, il convient d'évaluer la pérennité de l'opérateur SaaS. En effet, la démarche de migration vers une plate-forme SaaS est une démarche lourde, dont la réversibilité est non triviale. Il est donc indispensable de s'assurer de la stabilité de son partenaire.

Le cas d'INDUS

INDUS est totalement rassuré par la santé financière de Google, un acteur qui est devenu en quelques années un des géants de l'informatique. Une autre solution SaaS de collaboration avait été envisagée : elle a été écartée car elle était proposée par une start-up qui n'avait pas atteint son équilibre financier.

L'examen des résultats financiers de Salesforce sur les trois dernières années a aussi rassuré INDUS.

8.3.6 Étudier les problématiques d'intégration

L'intégration de flux d'informations entre l'opérateur SaaS et l'entreprise peut revêtir différents niveaux de complexité :

- Dans un scénario simple et fréquent, il se limite à la création manuelle de comptes utilisateurs chez l'opérateur.
- Dans un scénario un peu moins simple, on peut souhaiter maintenir une synchronisation entre l'annuaire d'entreprise et la base de comptes hébergés chez l'opérateur.
- Dans un scénario nettement plus complexe, on peut être amené à échanger des flux d'informations en continu avec l'opérateur SaaS.

Le troisième type de scénario est peu fréquent dans un contexte où le SaaS est utilisé pour de l'informatique de commodité. Il est cependant indispensable de bien anticiper ces contretemps car ils peuvent se révéler très lourds à gérer par la suite.

Une étude de premier niveau des problématiques d'intégration est donc un préalable au choix d'aller vers une solution SaaS.

Le cas d'INDUS

Après une petite étude, INDUS a décidé de synchroniser son annuaire réseau actuel avec les comptes de messagerie hébergés chez Google. Les API fournies par l'opérateur ont permis de monter une maquette fonctionnelle rapidement, rassurant les équipes de la direction informatique.

Concernant Salesforce, compte tenu de la taille réduite de l'équipe commerciale (50 collaborateurs), il a été décidé de procéder à des imports/exports manuels.

8.3.7 Faire un pilote

Dans la mesure où le passage au modèle SaaS implique une **migration de données conséquente**, ou bien un **changement dans les processus de travail** des collaborateurs, il apparaît nécessaire de passer par une phase de pilote.

Fort heureusement, le modèle par abonnement des SaaS se prête particulièrement bien à des expérimentations sur une population réduite. En effet, l'expérimentation n'implique aucun déploiement : tout se passe chez l'opérateur SaaS ; et il est simple d'acheter un droit d'usage de quelques mois pour une population pilote.

Cette phase de pilote permettra de confirmer ou d'infirmer la décision de passer au modèle SaaS.

8.4 LE CLOUD COMPUTING, UNE MUTATION IMPORTANTE POUR L'ENTREPRISE

Pour terminer ce chapitre sur la prise de décision d'aller vers le Cloud Computing, nous avons souhaité récapituler les rôles de chaque entité de l'entreprise vis-à-vis de cette prise de décision, et les impacts du Cloud Computing sur l'organisation de l'entreprise à la suite de cette décision :

- Pour la **direction de l'entreprise**, le Cloud Computing représente une réduction des coûts, mais nécessite une validation sur le plan réglementaire.
- Le **responsable de la sûreté** doit valider l'externalisation des données vers le Cloud.
- Les **utilisateurs** doivent accepter le déport des données de leurs postes de travail vers Internet.
- La **DSI dans son ensemble** bénéficie de la robustesse des infrastructures du Cloud, et se renforce dans le métier du pilotage de sous -traitants.
- La **direction des études** bénéficie de l'agilité du Cloud Computing, pour déployer rapidement de nouvelles applications.
- La **direction de la production** de la DSI est débarrassée de certaines tâches d'exploitation, mais doit surveiller le Cloud.

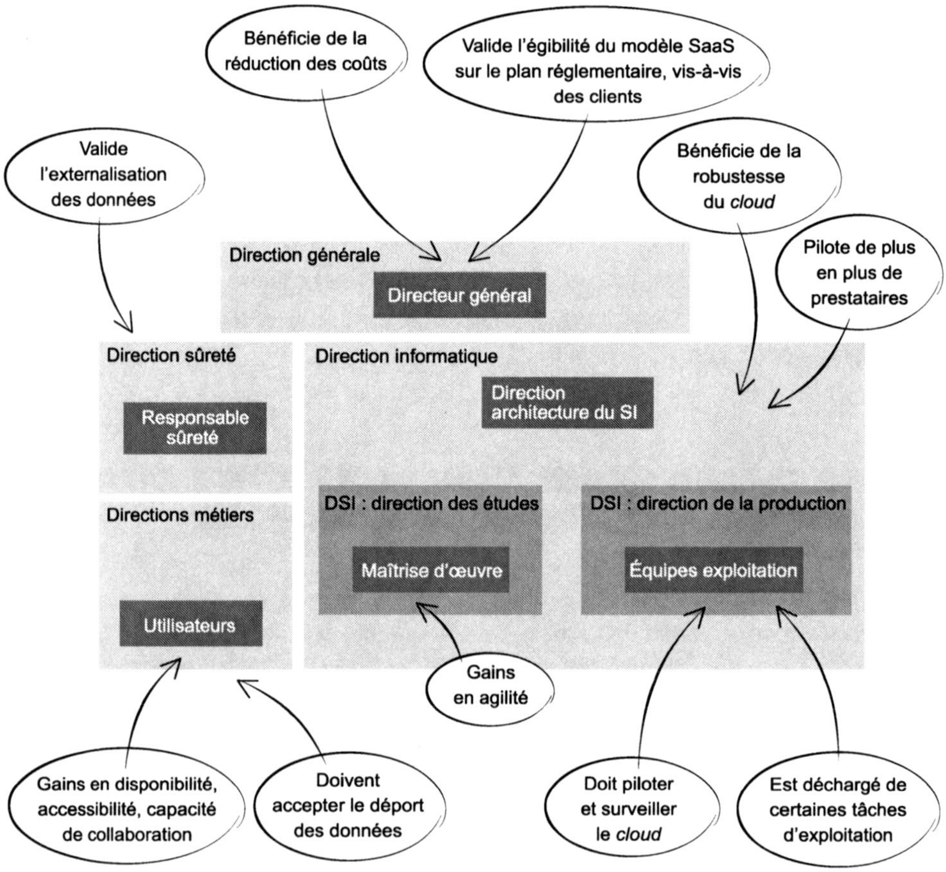

Figure 8.3 – Impact des SaaS sur les populations de l'entreprise.

En résumé

On a vu dans ce chapitre une méthodologie d'aide à la décision autour des SaaS. Avant de prendre cette décision, il nous apparaît important de :
– Évaluer les offres SaaS disponibles.
– Faire une analyse de ROI.
– Faire une analyse de risque sur les données de l'entreprise.
– Faire une analyse de la pérennité de l'opérateur SaaS.
– Étudier les problématiques d'intégration avec la plate-forme SaaS.
– Faire un pilote.

TROISIÈME PARTIE

Une feuille de route vers le *cloud computing*

Cette partie présente les différentes étapes que devra franchir une entreprise qui souhaite aller vers le *cloud computing*.

Nous aborderons d'abord le recours à un service « accessoire », l'usage d'une première application SaaS de commodité, suite à une phase de pilote.

Puis nous évoquerons l'intégration des SaaS avec le SI.

Enfin, nous traiterons le cas du déport d'une application métier vers le *cloud computing*.

9

La première application SaaS

Objectif

Ce chapitre présente une démarche pour expérimenter le modèle SaaS de manière progressive, en passant par une phase de pilote.

Nous utiliserons le cas d'usage d'INDUS, une société qui a décidé de migrer ses fonctions collaboratives vers le modèle SaaS, et de se doter d'une solution de gestion de la force de vente en SaaS.

9.1 COMMENCER PAR UN SERVICE DE COMMODITÉ ET UN PILOTE

9.1.1 Les applications de commodité

Comme on l'a vu dans le chapitre 4, l'adoption du modèle SaaS commence généralement par des fonctions d'informatique de commodité. Rappelons que l'informatique de commodité, par opposition à l'informatique métier, désigne les fonctions nécessaires à toutes les entreprises : collaboration entre les collaborateurs, gestion des ressources humaines, gestion de la relation client, gestion de la paye, gestion financière, etc. Ces fonctions sont assez génériques pour être facilement utilisées sous forme d'abonnement auprès d'un opérateur SaaS.

Par contre, même si ces fonctions sont dites de commodité, elles peuvent être stratégiques pour l'entreprise :

- La messagerie électronique est aujourd'hui une fonction vitale pour de nombreuses entreprises.
- La gestion de la paye est un point crucial.
- La gestion de la relation client est tout aussi critique.

Ces fonctions pourront donc être externalisées suivant le modèle SaaS, mais cette démarche d'externalisation doit être prudente et rigoureuse. **Elle doit suivre un processus de prise de décision raisonné, et la démarche de déploiement doit être effectuée de manière très encadrée.**

9.1.2 Le recours à un service « accessoire »

Parmi les services SaaS à caractère « accessoire » qui permettent d'ajouter une petite fonctionnalité non stratégique à une application, on peut citer :

- L'usage d'un fond cartographique pour localiser des sites.
- La mise en place de fonctions de recherche sur un site web.
- La mise en place de marqueurs sur un site web pour suivre les actions des utilisateurs.
- Etc.

Ces petits services, souvent gratuits et non stratégiques, ont une faible valeur ajoutée et un impact modéré sur l'informatique d'entreprise. Ils constituent donc une forme de pré-test des SaaS : ils permettent de vérifier la disponibilité et la facilité d'intégration de services externalisés, mais ils ne rentrent pas à proprement parler dans la « feuille de route SaaS ».

9.1.3 La première application SaaS

Le choix de la première application à utiliser en mode SaaS est assez crucial, car le succès de ce premier déploiement conditionne la suite du rapport entre l'entreprise et le modèle SaaS.

Par le passé, un certain nombre d'entreprises ont utilisé le modèle ASP (*Application Service Provider*), ancêtre du SaaS, pour des applications faisant l'objet d'un usage ponctuel. On peut citer dans ce domaine :

- Les plates-formes d'édition des bulletins de paye (par exemple, la solution ADP GSI).
- Les plates-formes d'envoi d'e-mails en masse à des fins marketings (par exemple, les solutions Sarbacane ou Cabestan).
- Les plates-formes de dématérialisation des marchés publics pour les collectivités locales (par exemple, la solution Omnikles).
- Les plates-formes d'édition de documents (par exemple, la solution New Works).
- Etc.

Avec un service de ce type, l'entreprise peut « se faire la main » sur le recours à une solution SaaS, et expérimenter les problématiques de sécurité des données, de disponibilité du service, de qualité du support aux utilisateurs, et de confiance dans la relation avec l'opérateur.

Ce type de service ne permet cependant pas de réduction de coût important puisqu'il s'agit de fonctions assez périphériques. Il constitue donc seulement un avant-goût du modèle SaaS, sans en démontrer les réels bénéfices : réduction des coûts et déport des problématiques d'exploitation.

De la même manière que pour les services « accessoires », on peut les considérer comme des pré-tests du modèle SaaS. En l'occurrence, le pré-test va un peu plus loin que dans le cadre des services « accessoires ». En effet, l'application est payante et des données de l'entreprise sont envoyées vers la plate-forme de l'opérateur. Mais il ne rentre pas non plus à proprement parler dans la « feuille de route SaaS ».

Pour tester véritablement le modèle SaaS, il faudra faire le choix d'une application de commodité à usage quotidien. C'est seulement dans ce contexte que l'on pourra bénéficier complètement des avantages du modèle.

Le cas d'INDUS

INDUS a eu l'occasion de tester des SaaS « accessoires » en intégrant ses sites d'implantations sur un fond cartographique dans son Intranet.

INDUS utilise aussi des services de mailing marketing auprès de ses distributeurs.

À la suite d'une réflexion sur le modèle SaaS et d'un processus de prise de décision rigoureux, INDUS a décidé de lancer en parallèle deux projets SaaS : la migration de ses outils collaboratifs vers Google Apps et l'utilisation de Salesforce pour la gestion de sa relation client.

9.1.4 La phase pilote

On a vu dans le chapitre 8 que la rupture créée par le modèle SaaS rendait nécessaire une phase de pilote. Ce pilote est simple à mettre en œuvre car le déploiement est entièrement fait chez l'opérateur SaaS, auquel il suffit d'acheter un droit d'usage pour quelques mois. Le pilote n'impacte pas le système d'information de l'entreprise : il implique uniquement les utilisateurs et détermine leur appréhension des fonctionnalités proposées en SaaS.

Il est pertinent de mener une expérimentation avec une population réduite, de 10 à 200 personnes selon la taille de l'entreprise, pendant une durée de 1 à 6 mois, selon la complexité des fonctions à tester.

Cette phase pilote peut être basée sur le volontariat si l'on souhaite commencer le test avec les utilisateurs les plus enthousiastes, les « early adopters », souvent issus de populations de « digital natives ». On peut aussi choisir un modèle un peu contraignant, si l'on souhaite que l'expérimentation reflète les difficultés d'adoption qu'on aura avec l'ensemble de la population. Dans ce cas, il faudra convaincre les expérimentateurs de la pertinence du pilote. Cette seconde option permet de choisir des populations représentatives de l'entreprise (utilisateurs métiers, commerciaux, informaticiens, administratifs, etc.). En effet, la première option peut déboucher sur une population constituée uniquement d'informaticiens.

Les étapes de l'expérimentation sont généralement les suivantes :

- Écriture d'un manuel de prise en main.
- Ouverture d'un forum de discussion, pour permettre les échanges entre expérimentateurs.
- Basculement des expérimentateurs vers la solution SaaS.
- Support par un expert de la solution et au travers du forum.
- Recours à des outils d'analyse de fréquentation pour mesurer leur adoption de la solution SaaS.
- Recours à des sondages pour mesurer la satisfaction des utilisateurs, ainsi que leur perception des bénéfices vis-à-vis de la solution précédente.

Le cas d'INDUS

INDUS a choisi de mener deux expérimentations :
– Le pilote sur la migration des outils de collaboration vers le modèle SaaS impliquera 200 utilisateurs pendant 6 mois. Les utilisateurs ont été choisis parmi les populations jeunes dans chaque corps de métier. La problématique d'accompagnement au changement des utilisateurs moins enthousiastes sera traitée après le pilote.
– Le pilote sur le déploiement d'une solution CRM SaaS impliquera 10 commerciaux volontaires pendant 3 mois.

Le pilotage de l'expérimentation

La phase expérimentale peut être encadrée par diverses typologies d'acteurs : DSI, département R&D, direction métier, cabinet de conseil.

On peut imaginer que la DSI prenne en main le pilote, mais l'équipe en charge du pilote peut être influencée par ses collègues de la production qui auront à cœur de démontrer l'inefficacité du modèle SaaS, par suite des craintes qu'ils nourrissent sur la perte de leur périmètre de responsabilité. De plus, de par leurs responsabilités sur la stabilité et la continuité de service des systèmes, les équipes d'exploitation sont souvent allergiques au changement. Enfin, il arrive que les informaticiens privilégient la technique sur la relation avec les utilisateurs, ce qui est fort dommage dans une expérimentation centrée sur les utilisateurs.

Certaines entreprises disposent d'un département R&D ou département innovation, tourné vers la veille et les nouveaux usages. Ce département pourra mener à bien l'expérimentation en utilisant des méthodes agiles et en cultivant la proximité avec les expérimentateurs. Le risque, avec ces équipes enthousiasmées par les nouveaux usages, est de passer à côté de problèmes très spécifiques, qui peuvent se révéler bloquants (par exemple, la solution SaaS n'autorise pas une fonction qui paraît anecdotique mais qui est très utilisée dans l'entreprise).

Dans le cas d'une expérimentation n'intégrant pas de problématique technique, le pilote peut être mené par les équipes métiers concernées. C'est possible dans le cas d'une solution de gestion de la relation client. Par contre, le test d'outils collaboratifs nécessite un accompagnement technique (en particulier pour ce qui concerne le routage des mails).

Enfin, on peut faire appel à un cabinet de conseil qui apportera deux avantages intéressants : une indépendance vis-à-vis des problématiques politiques internes à l'entreprise, et une expérience de la démarche dans d'autres entreprises.

L'accompagnement aux expérimentateurs

La phase de pilote constitue un galop d'essai dans l'accompagnement au changement. Elle permet de tester la compréhension des utilisateurs et leur adhésion vis-à-vis de la solution SaaS. Il est donc essentiel de bien les accompagner.

Il est souhaitable de créer, en vue de cette phase, un document de prise en main de l'application SaaS, synthétique, pragmatique et opérationnel. Le recours à la documentation en ligne de l'opérateur SaaS peut, en effet, faire perdre du temps aux expérimentateurs. Le document de prise en main pourra être partagé au travers d'une solution SaaS (*cf.* chapitre 15 sur les solutions de stockage SaaS), afin d'élargir le périmètre d'expérimentation du modèle.

Il est aussi important de cultiver les échanges avec les utilisateurs afin de répondre en temps réel à leurs interrogations. L'expérimentation doit être effectuée en conditions de travail réelles pour être probante ce qui générera une surcharge de travail pour les utilisateurs. Il faut donc les débloquer rapidement en cas de problème pour s'assurer qu'ils continuent à utiliser l'application SaaS.

La mise en place d'un forum de discussion est très indiquée pour faciliter les échanges et permettre à tous les expérimentateurs de bénéficier des retours d'expérience des utilisateurs les plus avancés.

Le forum de discussion pourra s'appuyer soit sur un logiciel Open Source déployé dans le SI d'entreprise, soit sur une solution SaaS (*cf.* chapitre 14 sur les solutions de collaboration SaaS), afin d'élargir le périmètre d'expérimentation du modèle.

Le pilote SaaS pour une nouvelle application

Lorsque l'expérimentation porte sur une nouvelle application, l'impact sur le SI est totalement nul et il est possible de mener le pilote sans participation active de la direction informatique.

Le pilote SaaS en remplacement d'une application

En revanche, lorsque l'expérimentation porte sur le remplacement d'une application, il est nécessaire de maintenir les deux systèmes opérationnels en parallèle pendant la durée du pilote. Il est en effet essentiel de maintenir la réversibilité : les expérimentateurs doivent pouvoir revenir à l'ancien système si l'expérimentation se passait mal.

Par ailleurs, si l'application implique la collaboration d'utilisateurs intégrés au pilote avec des utilisateurs travaillant sur l'ancien système, il est nécessaire de bâtir des passerelles entre les deux systèmes pendant la durée de l'expérimentation.

Prenons l'exemple de calendriers partagés : pour pouvoir travailler dans des conditions normales, il faut que tous les collaborateurs puissent partager leurs calendriers qu'ils fassent ou non partie du pilote. Cela implique une synchronisation des calendriers entre les deux systèmes parallèles. Cette synchronisation n'est pas triviale à maintenir. Pour des raisons de simplicité, certaines entreprises choisiront d'« isoler » la population des expérimentateurs pendant la durée du pilote, en ne maintenant pas cette synchronisation.

Il est essentiel de noter que les problématiques évoquées ne sont pas propres aux projets SaaS : on les rencontrera dans tous les projets de migration d'un système A vers un système B.

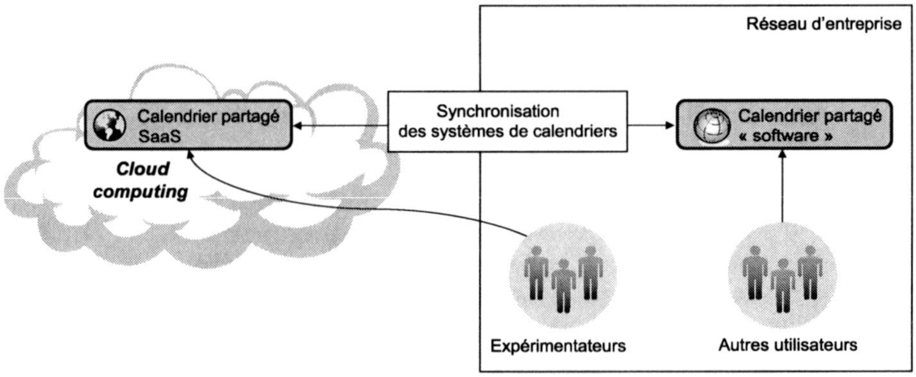

Figure 9.1 — La coexistence de deux systèmes pendant le pilote.

La mesure de la réussite de l'expérimentation

Pour mesurer la réussite du pilote, il est indispensable de définir, avant son démarrage, les indicateurs et les seuils indiquant une réussite. En effet, un travail sur les indicateurs en cours d'expérimentation serait biaisé par les premiers retours utilisateurs.

Ces indicateurs devront intégrer deux types de mesure :

- **Une mesure quantitative** qui portera sur des résultats tangibles, collectés à partir de capteurs, comme par exemple le suivi des accès utilisateurs à l'application SaaS, le suivi de la quantité d'informations manipulés par les utilisateurs au sein de l'application SaaS. La collaboration de l'opérateur SaaS sera nécessaire pour collecter ces indicateurs : il devra fournir une console de suivi ou une API permettant de collecter des données brutes.
- **Une mesure qualitative** qui portera sur la satisfaction des utilisateurs. Elle sera effectuée au travers de sondages de satisfaction. On recommande de

procéder à une série de sondages tout au long de l'expérimentation pour mesurer la progression de l'adhésion des utilisateurs à l'application SaaS. Pour effectuer ces sondages, il est possible de recourir à un outil SaaS, afin d'élargir le périmètre d'expérimentation du modèle.

C'est la confrontation des mesures aux seuils définis auparavant qui permettra de mesurer si l'expérimentation est un succès ou non.

9.2 LE PREMIER DÉPLOIEMENT

Une fois la phase de pilote terminée et la décision d'aller vers le modèle SaaS entérinée, il est temps de préparer la conduite du changement.

On a vu dans les paragraphes précédents que cette phase pilote pouvait être menée par le département innovation de l'entreprise, par une société de conseil, etc. Cette première phase terminée, l'application va devoir être reprise en main par l'équipe d'exploitation : on parle de phase d'« **industrialisation** » car on quitte le mode expérimental pour rejoindre un mode production.

9.2.1 Un nouveau rôle pour l'équipe d'exploitation

L'équipe d'exploitation va reprendre la main pour le déploiement et la maintenance de l'application. La notion de maintenance est ici très ténue. En effet, l'équipe d'exploitation ne va pas gérer l'application à proprement parler, mais **elle va se former à un nouveau métier : le pilotage d'opérateur SaaS.**

Ce nouveau métier va la rapprocher de la direction des études, rompue depuis longtemps au pilotage de SSII[1] pour la réalisation de projets d'intégration. Le modèle SaaS va donc conduire l'équipe d'exploitation à cesser de gérer elle-même ses serveurs, et la dichotomie usuelle dans les DSI entre études et production va se réduire.

Ainsi, la direction de l'exploitation va se former à la contractualisation et au pilotage d'opérateurs pour la gestion de ses applicatifs : ce pilotage se rapprochera de la relation avec un opérateur télécom ou un prestataire d'hébergement.

Elle demandera à l'opérateur SaaS de s'engager sur de bonnes pratiques pour les aspects suivants :

- **Garantie contractuelle sur la confidentialité des données** : engagement à ne pas consulter ni diffuser les données, protection contre les attaques, etc.
- **Garantie de respect des obligations réglementaires** : engagement à respecter les réglementations Sarbanes Oxley, par exemple.

1. Société de Service en Ingénierie Informatique

- **Garantie sur la disponibilité des applications** : engagement à maintenir une disponibilité de 99,9 %, par exemple.
- **Garantie sur le temps de rétablissement** : engagement à rétablir les applications en cas de plantage ou désastre dans un *datacenter* (inondation, incendie, etc.).
- **Garantie sur les sauvegardes** : engagement à mener des sauvegardes régulières des données, à conserver une copie dans un site distant.
- **Garantie sur le rétablissement des sauvegardes** : capacité à extraire et rétablir une sauvegarde sur l'infrastructure de production.
- **Garantie de support technique :** support technique à l'équipe d'exploitation, au travers d'un système de tickets d'incidents.
- **Garantie de support utilisateur :** support aux utilisateurs, au travers d'un système de tickets d'incidents.
- **Outillage de réversibilité :** engagement à fournir des outils, ou au moins des API, pour permettre la récupération des données stockées chez l'opérateur SaaS.

L'équipe d'exploitation négociera éventuellement un système de malus, sous la forme d'une somme à payer par l'opérateur, en cas de non-respect des engagements.

Rappels sur le monitoring[1]

Le monitoring consiste à collecter des informations pour créer des indicateurs de performance. Des seuils sont définis pour chaque indicateur et les franchissements de seuils peuvent déclencher des événements. On distingue habituellement deux types de monitoring :
– **Le monitoring de disponibilité** qui permet de mesurer la disponibilité des applications.
– **Le monitoring des temps de réponse** qui permet de mesurer les temps de réponse aux requêtes des utilisateurs.

Les équipes de production ont la responsabilité de faire le monitoring des applications pour s'assurer que les engagements de service (SLA, *Service Level Agreement*) définis avec les utilisateurs sont respectés. Il faudra donc que les opérateurs SaaS s'engagent sur des SLA (*cf.* l'engagement de 99,9 % de disponibilité généralement proposé).

Il faudra aussi que ces derniers leur fournissent un outillage de vérification de la disponibilité du service, c'est-à-dire une console de monitoring SaaS ou bien des traces exploitables par la DSI. Les opérateurs SaaS privilégient la seconde option en fournissant des traces au travers d'une API. Les équipes de production seront donc amenées à exploiter ces traces à l'aide d'un outil d'analyse comparable à ceux qui permettent de suivre la fréquentation des sites web.

1. Voir Grojean P., Morel M., Plouin G., *Performance des architectures IT. Disponibilité, temps de réponse, robustesse, montée en charge*. Dunod, 2007.

Pour le monitoring des temps de réponse, la DSI s'appuiera sur une application interne qui simule le comportement des utilisateurs et mesure les temps de réponse. Elle pourra aussi recourir à un opérateur SaaS, spécialisé dans la mesure des temps de réponse, comme par exemple Xiti.

À propos du support des opérateurs SaaS

Comme on l'a vu dans le chapitre 5, les opérateurs SaaS tendent à automatiser le maximum de tâches pour permettre de réduire leurs coûts d'exploitation. Par conséquent, le dialogue avec l'équipe d'exploitation de l'entreprise est centré sur des consoles web et des échanges d'e-mails pour traiter les incidents. Les échanges par téléphone ou lors de rencontres physiques sont généralement réduits aux phases commerciales. Cette relation impersonnelle est liée à un souci d'efficacité : elle peut rebuter certaines DSI habituées à avoir une relation de proximité avec leurs fournisseurs.

9.2.2 La conduite du changement pour l'équipe d'exploitation

Le changement de métier pour l'équipe d'exploitation ne sera pas toujours facile. Certains collaborateurs auront une impression de perte de possession, de réduction de leur périmètre de responsabilité. De plus, la technicité de leur travail sera grandement réduite : ceux qui aimaient entrer en profondeur dans la configuration système ou l'optimisation du paramétrage des bases de données seront frustrés.

Il conviendra donc d'accompagner cette équipe au changement en leur démontrant le bénéfice des SaaS en termes de robustesse et de disponibilité. Il faudra dialoguer avec les collaborateurs et lever leurs objections : par exemple en leur présentant un livre blanc intégrant des chiffres sur les qualités de services offertes par les SaaS.

Il pourra être pertinent de leur présenter le pilotage d'opérateurs comme une promotion, les faisant passer d'un statut d'exécutant à un statut de pilote de projet.

Le cas d'INDUS

Monsieur Paul, directeur informatique d'INDUS, a présenté à son équipe le bénéfice de ne plus gérer le service messagerie vieillissant : plus de coups de fil énervés de la part des utilisateurs, et moins de tensions avec ces derniers. Il leur a aussi proposé de s'impliquer plus dans l'architecture des applications métiers, ce qui a été vécu comme une promotion pour la plupart de ses collaborateurs.

9.2.3 La mise en production de l'application SaaS

Une fois les étapes de négociation et de contractualisation avec l'opérateur SaaS terminées, la direction informatique reçoit un identifiant/mot de passe pour l'accès à la console d'administration de l'application SaaS.

Elle doit alors prendre en main cette console et se familiariser avec les fonctions proposées :

- **Gestion des comptes et des droits pour les utilisateurs** : nous allons détailler cet aspect plus bas.
- **Paramétrage des fonctionnalités proposées** : il s'agit du paramétrage propre au type d'application ; par exemple, pour une fonctionnalité de calendrier, l'administrateur précisera si les utilisateurs peuvent partager leur agenda avec des personnes externes à l'entreprise.
- **Customisation des interfaces à la charte graphique de l'entreprise** : il est souvent possible d'afficher le logo de l'entreprise et de changer les couleurs de l'interface afin d'avoir une cohérence ergonomique avec les autres applications utilisées par les collaborateurs.
- **Customisation des adresses web des applications** : il s'agit d'utiliser les noms de domaines de l'entreprise pour donner une cohérence au parc applicatif ; par exemple, on accédera à la messagerie depuis l'adresse http://mail.monentreprise.com.
- **API pour l'échange de données avec le SI d'entreprise** : nous allons détailler cet aspect plus bas.
- **Parfois, API pour la collecte des traces des actions utilisateurs** : Ce besoin de collecte de traces pour assurer le monitoring a été évoqué plus haut.
- **Parfois, customisation du modèle de données de l'application SaaS pour l'adapter aux besoins de l'entreprise** : pour certaines fonctionnalités, comme la CRM, il peut être intéressant d'ajouter des champs de données spécifiques, comme la participation du client à tel ou tel événement propre à son secteur.

Les consoles SaaS sont généralement simples à prendre en main. Elles proposent un paramétrage standard très compréhensible, et parfois un paramétrage avancé. Pour illustrer cette simplicité, on peut dire que les plus simples ressemblent aux espaces clients des opérateurs ADSL ou des banques en ligne ; les plus complexes ressemblent à celles des hébergeurs mutualisés, comme OVH, NEXEN, AMEN, etc.

Gestion des comptes utilisateurs

Dans le cas d'une première application SaaS, l'intégration des comptes utilisateurs dans l'application SaaS suit généralement l'un des deux scénarios suivants : gestion manuelle ou gestion automatique.

Dans le cadre de la création des comptes de manière manuelle, le gestionnaire crée les comptes avec des identifiants identiques à ceux utilisés au sein de l'entreprise. Les mots de passe sont laissés à l'appréciation des utilisateurs : ces derniers pourront utiliser leur mot de passe d'entreprise, sans aucune obligation. Si leur mot de passe d'entreprise change tous les trois ou six mois, selon la politique de mot de passe en vigueur, ils devront répercuter manuellement ce changement sur leur mot de passe SaaS. Le gestionnaire de l'application SaaS devra penser à supprimer les comptes des collaborateurs démissionnaires. Cette gestion manuelle est recommandée pour une population réduite (moins de 50 comptes), elle peut se révéler très lourde pour une population conséquente (plus de 1 000 comptes).

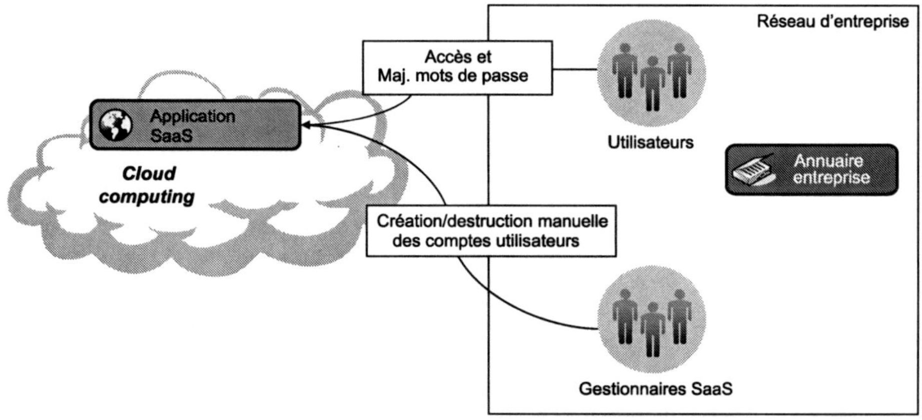

Figure 9.2 – Création manuelle des comptes SaaS.

Dans le cadre de la création des comptes de manière automatisée, les comptes sont créés depuis le système d'information d'entreprise. Dans ce cas, la DSI va utiliser les API mises à disposition par l'opérateur SaaS pour la gestion des comptes. Trois processus seront déployés :

- **Création automatique d'un compte depuis l'annuaire d'entreprise, à l'arrivée d'un nouveau collaborateur.**
- **Modification automatique du mot de passe utilisateur depuis l'annuaire d'entreprise.**
- **Suppression automatique de compte depuis l'annuaire d'entreprise, au départ d'un collaborateur.**

Bien entendu, les mots de passe seront envoyés vers l'opérateur SaaS au travers d'un protocole sécurisé, comme SSL.

Ces processus de gestion de compte sont généralement appelés « provisioning ». **Il convient d'apporter le plus grand soin à ces processus car ils sont déterminants pour la sécurité de l'application SaaS.**

Nous verrons dans le chapitre 10 que cette intégration peut se révéler plus complexe dans le cas de plusieurs SaaS, et d'une industrialisation de la gestion des comptes.

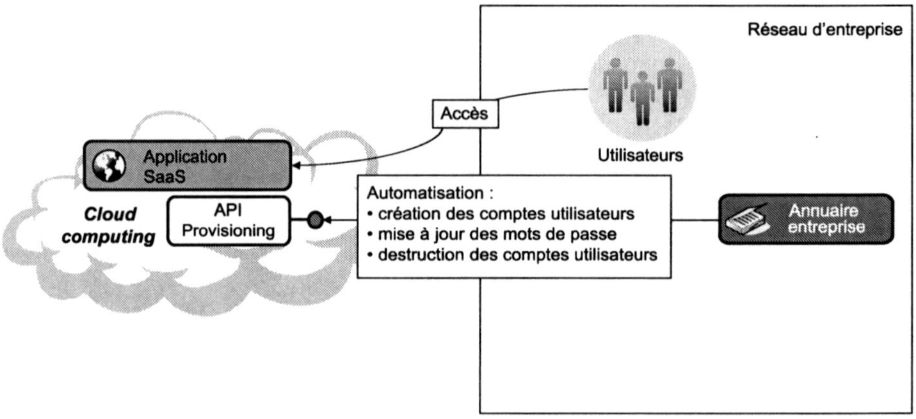

Figure 9.3 — Création automatisée des comptes SaaS.

Intégration de données

Lors de la mise en production d'une application SaaS, il peut être nécessaire d'y importer un certain nombre de données préexistantes, comme par exemple un carnet d'adresse clients dans une application de CRM, des archives d'e-mails dans une application de messagerie, des archives de documents dans une application de partage documentaire, etc. **Ce cas n'est pas le cas général : bien souvent, on peut démarrer une application à partir d'un contenu vide.**

Pour intégrer des données préexistantes, on peut à nouveau considérer deux scénarios : gestion manuelle ou gestion automatique.

Dans le cadre de la migration de données de manière manuelle, les utilisateurs tirent parti de fonctionnalités d'import/export disponibles dans les interfaces des applications SaaS. L'import se fera la plupart du temps au travers du format CSV[1], facile à générer depuis un tableur comme Microsoft Excel ou Open Office Calc.

Dans le cadre de la migration de données de manière automatisée, les informations sont importées depuis le système d'information d'entreprise. Dans ce cas, la DSI va utiliser les API d'intégration mises à disposition par l'opérateur SaaS pour la gestion de l'import. Deux types de processus pourront être déployés :

- **Envoi automatique de données depuis le SI d'entreprise vers l'opérateur SaaS, lorsque de nouvelles informations sont disponibles.**
- **Collecte automatique de données depuis l'opérateur SaaS, lorsque des informations sont traitées chez ce dernier. Il convient d'être prudent dans ce second scénario, car l'import automatique de données dans le SI depuis une source extérieure peut comporter un risque sur l'intégrité des données d'entreprise.**

1. *Coma Separated Values*

Nous verrons dans le chapitre 10 que cette intégration peut se révéler plus complexe dans le cas de plusieurs SaaS, et d'une industrialisation de la gestion des échanges de données.

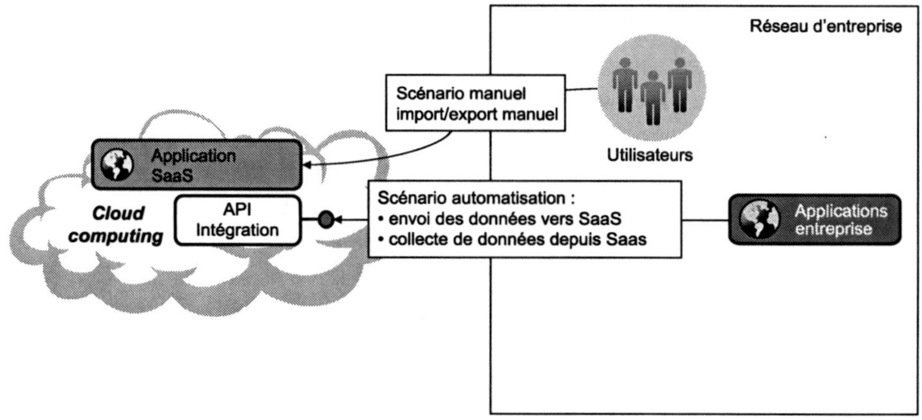

Figure 9.4 — Scénarios d'échanges de données avec opérateurs SaaS.

Cas du déploiement d'une nouvelle application

Dans le cas d'une nouvelle application, la mise en production peut se révéler triviale : elle se réduit généralement à la création manuelle des comptes utilisateurs chez l'opérateur SaaS, et à l'import manuel de données préexistantes.

> **Le cas d'INDUS**
>
> Pour le déploiement de sa CRM chez Salesforce, la direction informatique a décidé de procéder à des imports manuels.
>
> En effet, compte tenu de la taille réduite de l'équipe commerciale (50 collaborateurs), le nombre de comptes utilisateurs à gérer ne justifie pas le développement de processus automatisés.
>
> Pour ce qui concerne l'import des données clients, il se trouve que chaque commercial avait jusqu'à présent sa méthode et ses outils de gestion de clientèle. De fait, un import de masse est impossible, et chaque commercial se chargera d'importer lui-même son historique de relation client.

Cas du remplacement d'une application

Dans le cadre du remplacement d'une application, la mise en production est plus ardue. Un certain nombre d'étapes doivent en effet être franchies :

- **Résolution des « effets de bords »** : le changement de solution implique des différences dans la gestion de certaines fonctionnalités. Ces modifications impliquent parfois de nouveaux modes de travail. Prenons l'exemple d'une migration de messagerie : la gestion des fonctions annexes comme les listes de diffusion, la lutte anti-spam, le mailing marketing peut se révéler différente et impliquer une nouvelle organisation. Si l'opérateur SaaS ne fournit pas de fonction de mailing de masse, il faudra se doter d'une plate-forme tierce pour gérer cette fonctionnalité.

- Cohabitation **des deux solutions** : il est nécessaire de faire cohabiter les deux solutions pendant la phase de transition, une partie des utilisateurs accédant à l'ancienne solution et l'autre à la nouvelle. Cette cohabitation est complexe à gérer dans le cadre d'une messagerie, où les messages devront être routés vers l'une et l'autre des solutions par un service de *dispatching* (en l'occurrence, un service de proxy).
- Synchronisation **des données pendant la phase de transition** : il est nécessaire de synchroniser les données entre les deux solutions pendant la phase de transition, afin de permettre aux deux populations d'utilisateurs de travailler ensemble dans des conditions normales. L'exemple du partage de calendrier illustre bien cette problématique.
- **Basculement par lots** : pour une grande entreprise, il est impossible de basculer en un seul coup tous les utilisateurs vers la nouvelle solution. Plusieurs raisons expliquent cette incapacité : le risque technique, le besoin de faire monter en charge progressivement la nouvelle solution, le besoin d'accompagner progressivement les utilisateurs.
- **Fin de service pour la solution historique** : lorsque le basculement est achevé, il est possible de désactiver la solution historique (solution « software »). Il est cependant déconseillé de la démembrer immédiatement : il est prudent de la conserver pendant six mois, en cas d'émergence d'un problème non anticipé.

Dans le cas d'une migration, il est donc nécessaire de mener un « **plan de migration** » sur plusieurs mois, afin de gérer correctement les étapes décrites ci-dessus.

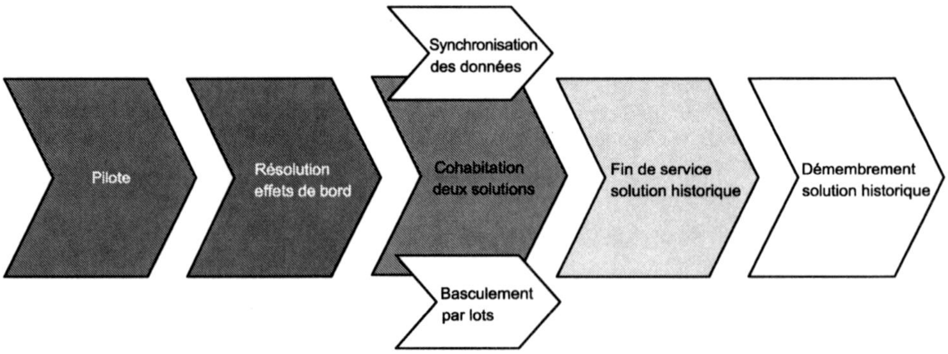

Figure 9.5 – Plan de migration, cas du remplacement d'une application par une solution SaaS.

Le cas d'INDUS

Après une petite étude, INDUS a décidé de se faire accompagner par un cabinet de conseil pour la migration de ses outils collaboratifs vers Google Apps.

Il a été décidé de mettre en œuvre un provisioning automatique des comptes entre l'annuaire réseau INDUS et Google Apps. Les API fournies par l'opérateur permettent de déployer les trois processus automatisés : création de compte, mise à jour de mot de passe, suppression de compte.

L'import des archives e-mails et des documents chez Google sera effectué par les utilisateurs eux-mêmes au travers d'outils fournis par l'opérateur.

Les deux messageries cohabiteront pendant 6 mois, en maintenant les calendriers synchronisés.

La migration des utilisateurs se fera site par site, à raison de groupes de 500 collaborateurs, pendant 18 mois.

9.2.4 La conduite du changement pour les utilisateurs

Comme on l'a vu au chapitre 6, le déploiement d'une solution SaaS peut donner aux utilisateurs une impression de perte de possession. En effet, les données ne résident plus en local sur leur PC, mais sur un serveur distant sur lequel ils ont peu de contrôle. Les utilisateurs doivent accepter un changement de modèle : passer d'applications embarquées sur leur machine et parfois administrées par eux-mêmes, à des interfaces web, qui gèrent plus ou moins bien le mode déconnecté[1], dans un contexte nomade.

Si les interfaces RIA offrent un bon niveau de productivité, elles se présentent différemment des applications client/serveur. Il est donc nécessaire de documenter ces interfaces.

Enfin, avec les SaaS, la DSI peut leur couper l'accès au service sur ordre de la direction générale et ils perdent instantanément tout accès à leurs données. Cette option est souhaitable pour l'entreprise qui veut protéger ses données d'un pillage par un collaborateur démissionnaire ; par contre, elle donne aux employés un sentiment de « dictature ».

Il convient donc d'accompagner les utilisateurs sur ces changements :

- **Nouvelles interfaces** : une documentation complète sur les nouvelles interfaces devra être distribuée aux utilisateurs ; il est souhaitable de prévoir aussi des formations afin d'accélérer leur prise en main ; il faudra aussi démontrer aux utilisateurs que les fonctions collaboratives des SaaS leur apportent un gain de productivité important et facilitent leurs échanges avec les clients et partenaires ; cet aspect du changement doit être préparé très soigneusement.
- **Perte de contrôle des applications et problématique du mode déconnecté** : il faut leur expliquer que le déploiement d'application poste par poste est une terrible charge pour la DSI et que les applications seront plus accessibles en mode SaaS (accès depuis leur domicile, un cybercafé, un aéroport, etc.) ; la

1. On a vu dans le chapitre 1 que Google Gears permet de travailler en mode déconnecté ; mais cette solution n'est pas généralisée aujourd'hui.

problématique du mode déconnecté devra être gérée par une synchronisation (solution de type Gears).

- **Centralisation des données et possibilité de coupure de leur accès** : il faut leur expliquer que cette architecture assure un meilleur niveau de sécurité pour les données d'entreprise ; l'intégrité des données est mieux gérée dans un *datacenter* que sur un fragile PC ; la protection des données contre un accès illicite est mieux gérée dans un *datacenter* que sur un PC éventuellement nomade.

Le cas d'INDUS

Pour accompagner l'équipe commerciale dans la prise en main de sa nouvelle solution de CRM, INDUS a profité d'un séminaire commercial pour organiser une journée de formation et d'échange sur Salesforce. Le déroulé du séminaire a été organisé par les expérimentateurs de la solution. Les commerciaux ont beaucoup apprécié le caractère interactif de ce séminaire.

Pour ce qui concerne la migration des outils collaboratifs vers Google Apps, le cabinet de conseil en charge de l'accompagnement a créé une formation en demi-journée, intégrant les spécificités d'INDUS. Cette formation a été donnée en parallèle du déploiement site par site. Chaque bascule utilisateur a été accompagnée afin de ne laisser personne découvrir seul les nouvelles interfaces.

En résumé

Ce chapitre a abordé les différentes étapes nécessaires au déploiement d'une première application SaaS :

– phase de pilote.

– phase de déploiement et problématiques d'intégration avec le SI.

– phase de conduite du changement.

10

Multiplier les SaaS

Objectif

Ce chapitre aborde le déploiement de multiples SaaS. Il met l'accent sur la cohabitation entre les SaaS et les applications de la plate-forme d'entreprise.

10.1 L'INDUSTRIALISATION DU DÉPLOIEMENT DES SaaS

Une entreprise qui utilise le modèle SaaS avec succès pour quelques applications pourra souhaiter étendre progressivement le modèle à une grande partie de son informatique de commodité, afin de réduire ses coûts et de recentrer son équipe informatique sur ses applications métiers.

Chaque externalisation applicative fera l'objet d'une évaluation. Dans certains cas, l'entreprise se contentera de faire héberger son application en l'état, suivant le modèle outsourcing. Dans d'autres elle choisira le modèle SaaS.

Le cas d'INDUS

INDUS utilise un ERP pour la gestion de ses échanges avec ses sous-traitants. Cet ERP a été fortement customisé pour tenir compte des spécificités métier d'INDUS. Il a donc perdu sa généricité et il est impossible à INDUS de faire appel à un opérateur SaaS pour lui fournir un service identique. INDUS a donc pris une option de faire infogérer cet ERP afin de déléguer son exploitation.

Pour ses applications de CRM et ses outils collaboratifs, on rappelle qu'INDUS a des besoins suffisamment génériques pour aller vers des opérateurs SaaS. Les solutions Salesforce et Google Apps ont été choisies.

La figure 10.1 présente l'évolution du parc logiciel d'INDUS. On verra plus loin, avec la figure 11.3, un scénario analogue pour les développements spécifiques.

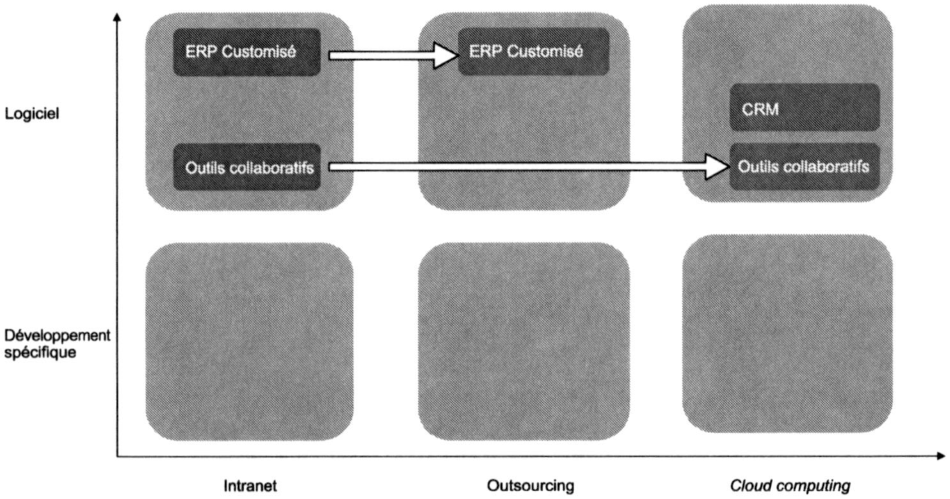

Figure 10.1 — Changements de modèles logiciels.

À chaque migration, il faudra traiter comme on l'a vu dans les paragraphes précédents :

- Le choix de la solution.
- La phase pilote.
- L'accompagnement au changement des équipes de la DSI et des utilisateurs.

À la suite de ses divers retours d'expérience, l'entreprise utilisatrice saura progressivement industrialiser ces pratiques. Elle va alors fatalement se poser la question d'une stratégie de choix des offres SaaS :

- **Souhaite-t-elle utiliser au maximum un opérateur SaaS unique ?** de la même manière que certaines entreprises utilisent exclusivement des solutions IBM ou des solutions Microsoft ? Cette première option fait courir le risque d'un enfermement, d'être « pieds et mains liés » à un seul acteur. En revanche, elle permet de disposer d'une base de comptes utilisateurs unique, d'une interface d'accès unifiée, et de la possibilité de partager des données entre plusieurs applications chez l'opérateur.
- **Souhaite-t-elle utiliser le meilleur acteur du marché pour chaque fonction ?** selon une approche « best of breed »[1] ? On peut ainsi choisir Google Apps

1. En français, on traduirait cette expression par « meilleur de son espèce ».

pour la collaboration, Basecamp pour la gestion de projet, Webex pour la visioconférence, etc. Dans ce cas, la cohabitation des applications SaaS va se révéler plus ardue. Il va falloir en effet trouver des solutions pour traiter les problématiques d'authentification unique, d'interface unifiée et d'intégration des données. C'est ce que nous allons voir dans le paragraphe suivant.

Le cas de Salesforce

Salesforce a eu très tôt l'idée d'ouvrir sa plate-forme, intitulée App Exchange, à des éditeurs tiers afin qu'ils développent des applications qui seront hébergées et opérées par ses soins. Ces éditeurs vendent leurs applications aux entreprises intéressées et Salesforce leur loue un hébergement.

Salesforce propose ainsi, sur App Exchange, un vaste écosystème d'applications SaaS répondant à divers besoins : analyse et tableaux de bord décisionnels, gestion des ressources humaines, gestion financière, gestion d'acheminement, gestion de projet, gestion de centre d'appel, outils marketing, gestion des relations partenaires, etc.

Salesforce commence même à proposer des applications métiers pour certains secteurs d'activité.

Par ailleurs, les applications hébergées sur App Exchange peuvent facilement collaborer entre elles.

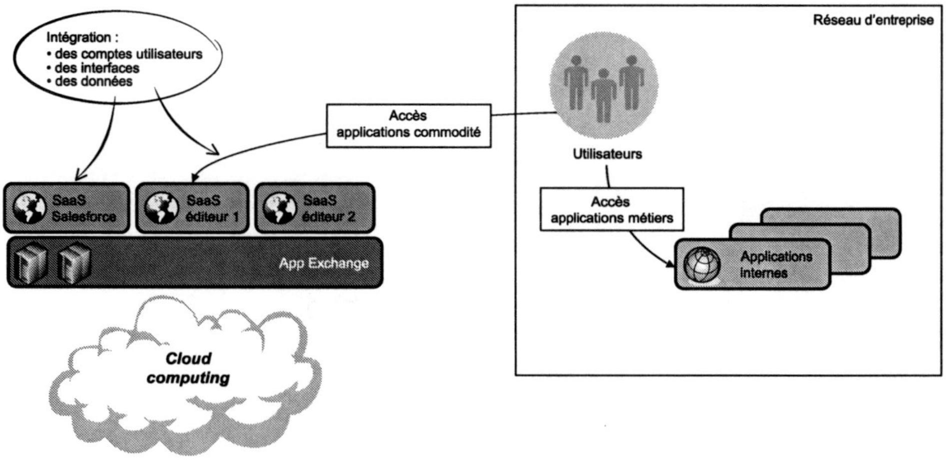

Figure 10.2 — Le modèle de Salesforce.

10.2 L'INTÉGRATION DES SaaS

La plupart des entreprises utilisatrices des applications SaaS sont confrontées à la problématique d'intégration des SaaS et les applications suivant le modèle « software » situées à l'intérieur de leur réseau d'entreprise.

Si l'on prend le cas d'un logiciel de messagerie SaaS, il n'aura pas nécessairement à échanger des données métiers avec le réseau d'entreprise. En revanche, il devra authentifier les utilisateurs, et de préférence avec le même identifiant/mot de passe que les applications internes à l'entreprise. **Cela milite en faveur d'un service d'identité unique.**

Si l'on prend l'exemple de l'externalisation du logiciel de gestion de la relation client, il est possible que ce dernier doive échanger des informations avec le logiciel de gestion financière sans doute hébergé dans les murs de l'entreprise. Ces échanges pourront être fréquents et éventuellement à double sens. **Si ces échanges entre le SI et les SaaS se multiplient, l'entreprise devra donc se doter d'un logiciel d'intégration ou d'un bus d'échange pour gérer ces flux de données.**

Enfin, pour optimiser la productivité des utilisateurs, l'entreprise peut recourir à un portail pointant vers toutes ses applications. Dans ce cas, il est tout à fait heureux que **ce portail s'intègre aussi bien avec les applications SaaS qu'avec les applications positionnées sur le réseau d'entreprise.**

Ce paragraphe fait donc émerger trois services d'intégration quasi-indispensables entre les SaaS et les applications situées dans l'entreprise :

- **Le service d'identité**, pour permettre aux utilisateurs d'accéder en toute transparence aux applications issues des deux mondes.
- **Le bus d'intégration**, pour faire circuler les messages entre les deux mondes.
- **Le portail**, pour permettre aux utilisateurs de disposer d'une interface unique vers les applications issues des deux mondes.

La figure 10.3 récapitule ces trois services.

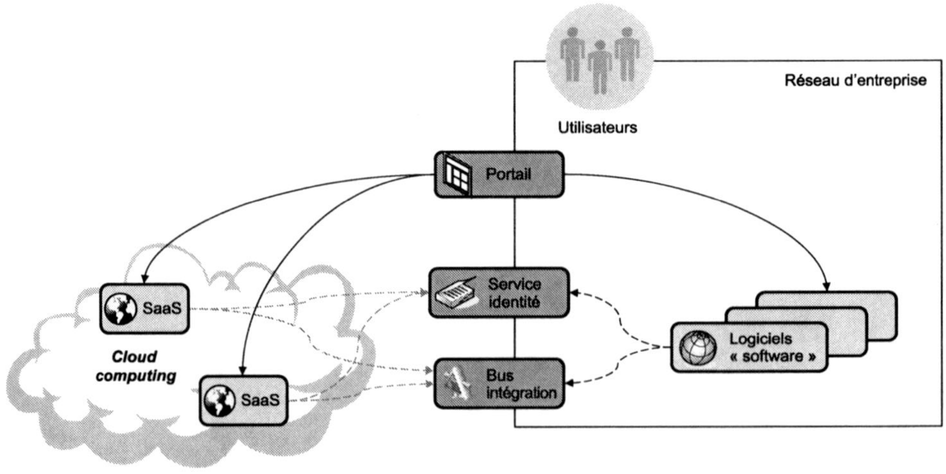

Figure 10.3 – Les trois services d'intégration entre SaaS et réseau d'entreprise.

Nous verrons dans le chapitre 19 que ces services peuvent eux aussi être issus des deux modèles SaaS et « software ». Il existe ainsi des services d'infrastructure, disponibles en SaaS.

10.2.1 Le service d'identité

On a vu dans le chapitre 9, que deux options de gestion des comptes utilisateurs s'offraient aux entreprises qui déploient leur première application SaaS : la gestion manuelle et le provisioning automatisé.

Si le recours aux SaaS se généralise, l'entreprise utilisatrice va probablement s'orienter vers un système d'authentification centralisé, un **service d'identité**, plutôt que vers la propagation des identifiants/mots de passe vers ses opérateurs SaaS, et ce pour plusieurs raisons :

- **La sécurité des mots de passe** : la propagation de mots de passe vers divers partenaires pose un problème de sécurité. Si quelqu'un de malintentionné parvenait à les capturer pendant l'envoi ou depuis la plate-forme de l'opérateur SaaS, il existerait un gros risque d'usurpation d'identité sur l'ensemble des applications SaaS de l'entreprise utilisatrice. Un service d'identité centralisé offre un bien meilleur niveau de sécurité.
- **Le risque d'une erreur de provisioning** : si une erreur se glisse dans l'un des processus de provisioning, l'entreprise peut avoir à gérer les dysfonctionnements suivants : un utilisateur ne peut pas travailler car son compte n'a pas été créé ou son mot de passe n'a pas été mis à jour ; un collaborateur ayant quitté l'entreprise continue à accéder à une application SaaS car son compte n'a pas été supprimé. Ce dernier scénario est catastrophique en termes de sécurité.
- **Le renfoncement de l'authentification** : un système de sécurité centralisé permet d'appliquer une politique de mot de passe efficace et d'apporter une solution aux carences de certains SaaS sur le renouvellement des mots de passe (voir chapitre 7) ; il permet aussi de mettre en œuvre un système d'authentification forte.
- **La fourniture d'un système de *Single Sign On*** (SSO) : un service de SSO est un confort supplémentaire pour les utilisateurs ; il leur permet de basculer entre les applications SaaS et les applications situées dans l'entreprise en toute transparence, sans avoir à se ré-authentifier ; il représente un gain de productivité.

À propos de l'authentification forte

On utilise le terme d'authentification forte lorsqu'on combine deux types de facteurs lors de l'authentification. Ces combinaisons peuvent être :
– Connaissance d'un mot de passe et possession d'un objet.
– Connaissance d'un mot de passe et identification biométrique.
– Possession d'un objet et identification biométrique.
La combinaison la plus courante est la première. L'objet peut être une carte bleue, une carte SIM[1], un certificat numérique[2], un générateur électronique de mots de passe à usage unique[3], etc.

1. SIM signifie *Subscriber Identity Module*. Les cartes SIM sont utilisées pour l'authentification des téléphones portables vis-à-vis des réseaux télécoms mobiles.
2. Voir le système d'authentification pour la télédéclaration des impôts en France.
3. Voir la solution SecurID de RSA : un porte-clefs électronique qui génère un mot de passe toutes les trois minutes.

Le service d'identité centralisé doit fournir une API permettant aux applications de lui déléguer leur sécurité, qu'elles soient en mode SaaS ou dans l'intranet de l'entreprise.

Une bonne pratique, pour l'entreprise utilisatrice, consiste donc à déployer un service d'identité centralisé et utilisant une authentification forte. Ce service devra être accessible pour les applications SaaS et pour les applications internes à l'entreprise.

Il peut être déployé selon deux scénarios :

- **Déploiement dans l'entreprise sur la base d'un logiciel « software »** fourni par un éditeur (Ping Identity, Sun, Novell, IBM, Oracle, EMC, CA, etc.).
- **Usage d'un service SaaS**, comme myOneLogin de TriCipher ou Personal Identity Portal de Verisign. Dans ce scénario, il est clair que la direction de la sûreté de l'entreprise mènera une étude poussée de la solution avant de l'adopter. Il s'agit ni plus ni moins que de déléguer sa sécurité à un tiers. Cette stratégie est admissible plutôt par des PME.

Ces aspects seront décrits de manière plus technique dans le chapitre 19.

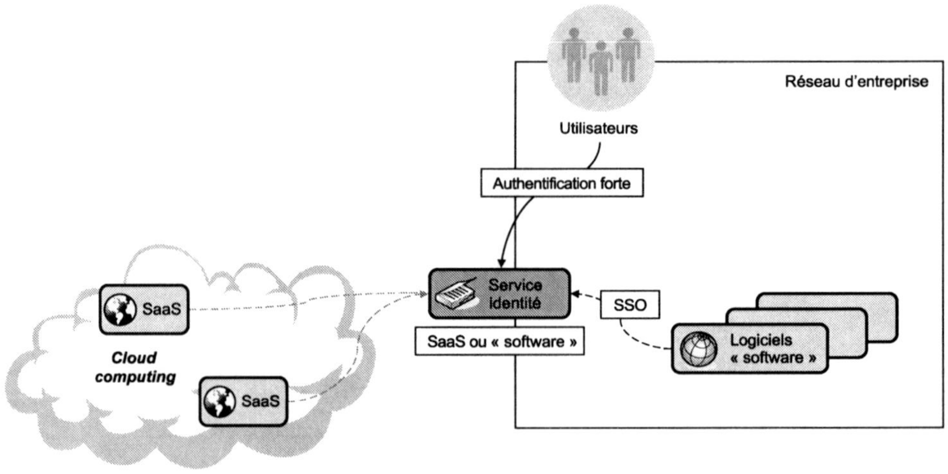

Figure 10.4 — Bonnes pratiques de service d'identité centralisé.

10.2.2 Le portail d'intégration

Rappel sur les portails

La métaphore du portail désigne la porte d'entrée du SI d'entreprise. De nombreuses entreprises déploient un portail pour proposer à leurs utilisateurs un point d'entrée unique et homogène vers toutes leurs applications. Un portail est donc intéressant en termes de productivité. Il permet aussi de pousser des informations importantes vers les utilisateurs.

On intègre généralement au sein d'un portail :
– Des contenus de communication interne : le mot du président, les offres du comité d'entreprise, etc.
– Des outils collaboratifs : calendriers partagés, espaces de partage de documents, etc.
– Des indicateurs issus d'applications métiers : ventes de la semaine, audimat dans le cas d'une chaîne de télévision, etc.
– Les interfaces des applications métiers ou des raccourcis vers ces interfaces.

Un portail se matérialise par une page web composite, regroupant des fragments d'interfaces qui pointent vers les différents applicatifs de l'entreprise.

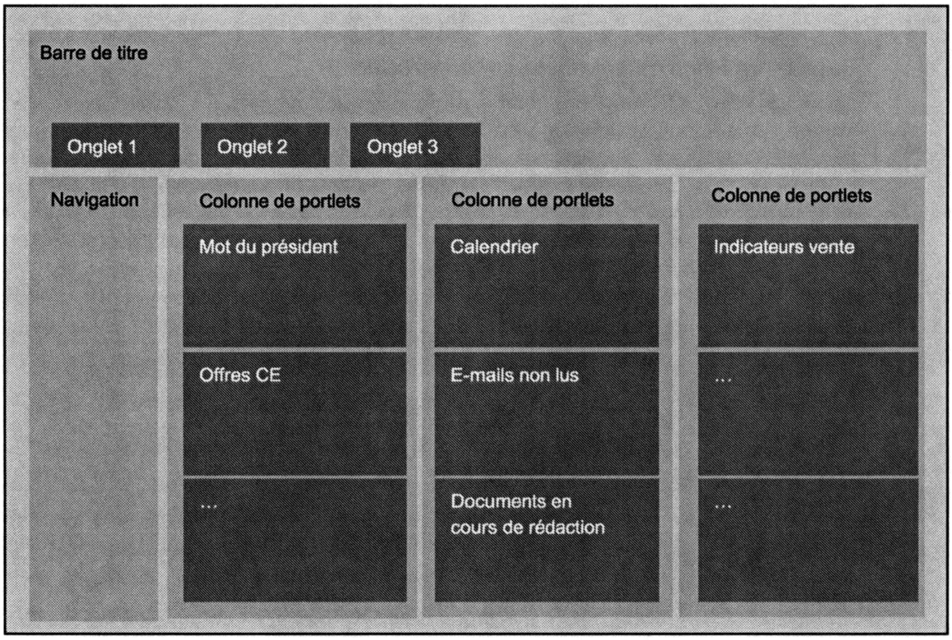

Figure 10.5 – Une interface de portail.

Dans le cas d'une entreprise utilisatrice d'application SaaS, le portail va devoir intégrer les applications internes et celles qui sont hébergées par des opérateurs SaaS. Par exemple, sur la figure 10.5, un calendrier pourrait être issu de Google Apps, et des indicateurs de vente issus de Salesforce.

Notons au passage qu'un service de Single Sign On est un prérequis à un portail proposant un bon niveau d'ergonomie. On a vu comment déployer un tel service dans le paragraphe précédent.

L'entreprise a donc tout intérêt à déployer une solution compatible avec les deux modes : SaaS et applications internes. Elle va pour cela s'orienter vers une solution compatible avec des standards techniques issus des mondes de l'entreprise et du web 2.0, comme WSRP[1] ou UWA[2].

À nouveau deux scénarios sont possibles :

- **Déploiement dans l'entreprise sur la base d'un logiciel « software »** fourni par un éditeur (Microsoft, IBM, Oracle, BEA, etc.).
- **Usage d'un service SaaS**, comme Netvibes, iGoogle, etc.

Ces offres seront décrites de manière plus technique dans le chapitre 19.

10.2.3 Le bus d'intégration

> **Rappel sur les problématiques d'intégration**
>
> Les entreprises font souvent face à des problématiques de partage d'informations entre leurs applications, ce qui les amène à créer des communications interapplicatives. Lorsque ces communications sont gérées au cas par cas, on aboutit à de multiples liens entre applications : c'est le fameux **syndrome du « plat de spaghettis »**. Pour résoudre ce syndrome, il est recommandé de mettre en œuvre un outil unique et dédié à la gestion des échanges d'informations entre applications. C'est l'objectif des EAI (*Enterprise Application Integration*) et de leurs successeurs les ESB (*Enterprise Service Bus*).

Dans le cas d'une entreprise utilisatrice d'applications SaaS, la problématique d'intégration va au-delà de son réseau local : il est nécessaire d'intégrer les applications internes avec celles qui sont hébergées par des opérateurs SaaS.

Le bus d'intégration devra donc se doter d'une connectivité vers les API SaaS, ce qui se révélera assez simple car ces API sont basées sur le protocole HTTP. Il devra aussi être capable de sécuriser les échanges via SSL car ces derniers transitent par Internet. Enfin, si des flux de données émis depuis l'extérieur doivent pénétrer au sein du SI d'entreprise, il faudra s'assurer de la provenance de ces flux via un protocole d'authentification sûr. Le bus d'intégration devra ainsi gérer des spécificités pour fonctionner en bonne entente avec les SaaS.

Il peut être déployé selon deux scénarios :

- **Déploiement dans l'entreprise sur la base d'un logiciel « software »** fourni par un éditeur (IBM, Microsoft, Oracle, etc.).

1. WSRP signifie *Web Services for Remote Portlets*. C'est un standard OASIS.
2. UWA signifie *Universal Widget API*. C'est une proposition de Netvibes.

- **Usage d'un service SaaS**, comme RunMyProcess, Amazon's Simple Queue Service (SQS).

Ces offres seront décrites de manière plus technique dans le chapitre 19.

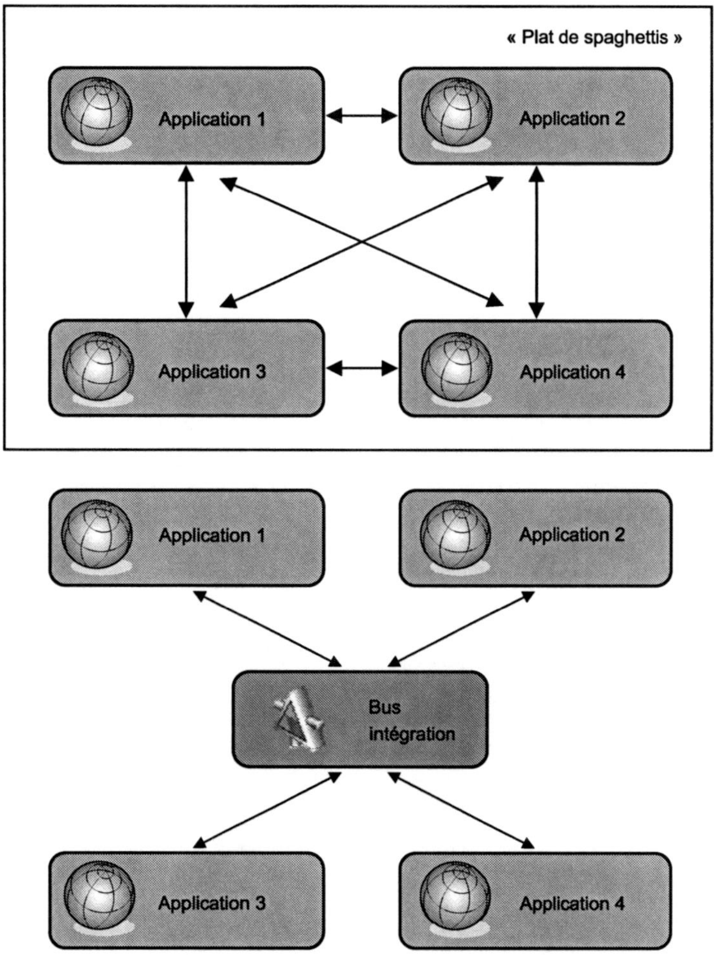

Figure 10.6 — Le bus d'intégration solutionne le syndrome du « plat de spaghettis ».

> **Les ISB**
>
> Les opérateurs de bus d'intégration proposés en mode SaaS ont proposé une nouvelle terminologie, qui vient s'ajouter aux EAI et ESB.
>
> Il s'agit de l'ISB, *Internet Service Bus*. Comme, son nom l'indique, ce bus a pour fonction de véhiculer des informations au travers de l'Internet.

En résumé

Ce chapitre a présenté les problématiques liées à la multiplication des SaaS :
– cohabitation entre applications internes et externes à l'entreprise.
– nécessité de déployer un service d'identité, un service de portail, et un service d'intégration, pour bien gérer cette cohabitation

11

Généraliser les SaaS

Objectif

Ce chapitre présente une vision jusqu'au-boutiste du modèle SaaS, dans laquelle le recours au *cloud computing* est poussé assez loin.

Cette vision est présentée à titre de cas d'école : elle concerne peu d'entreprise à ce jour...

11.1 LE DÉPORT DES APPLICATIONS MÉTIERS

11.1.2 *Cloud computing* et applications métiers

On a vu précédemment que l'usage des SaaS était plutôt destiné à l'informatique de commodité pour deux raisons principales :

- Les applications métiers constituent souvent un élément critique pour assurer la compétitivité de l'entreprise et, de fait, elles sont généralement très spécifiques, et différentes des applications des concurrents (exemples : assurance, exploration pétrolière, etc.). Par conséquent, il est difficile pour des opérateurs SaaS de les proposer « clés en main ».
- Les applications métiers manipulent des données critiques pour l'entreprise, dont le responsable de la sûreté interdit le stockage hors des murs de l'entreprise (exemple : banque).

Néanmoins, il existe des secteurs d'activité pour lesquels **des applications métiers sont assez génériques, du fait de la maturité des usages métiers**. Par exemple, les applications de commerce électronique sont souvent sur un modèle commun, et des solutions SaaS existent dans ce domaine. Il existe par ailleurs, dans certains secteurs, des entreprises qui partagent leur recherche et développement avec leurs concurrents afin de réduire leurs coûts. Par exemple, plutôt que de développer chacun leur propre langage réseau, les opérateurs télécoms utilisent tous le langage Erlang, mis au point par Ericsson. Enfin, l'externalisation des données métiers peut s'envisager si **les conditions de sécurité offertes par l'opérateur SaaS sont jugées suffisantes par le responsable de la sûreté de l'entreprise**.

Une entreprise qui a largement expérimenté le modèle SaaS et souhaite pousser son recours au-delà de l'informatique de commodité va donc pouvoir envisager d'utiliser ce modèle pour ses applications métiers.

11.1.3 Le recours à des SaaS métiers génériques

Certains opérateurs SaaS commencent à proposer des SaaS métiers : c'est le cas de Salesforce ou de Netsuite. Le catalogue de la plate-forme AppExchange de Salesforce dispose aujourd'hui de solutions dans les secteurs suivants :

- Télécommunications : par exemple, applications pour opérateurs télécoms...
- Éducation : application de gestion de planning de cours...
- Santé : application de logistique hospitalière...
- Industrie : application de logistique d'acheminement...
- Media : application de gestion de campagne publicitaire...
- Organisations non gouvernementales (ONG) : application de gestion de l'évacuation d'une région...
- Pharmacie : application de gestion des visiteurs médicaux...
- Service : application de gestion de feuilles de temps...
- Etc.

Ces applications métiers sont assez génériques : elles ont donc un niveau de sophistication inférieur ce que l'on peut obtenir par un développement spécifique internalisé par la DSI. Elles peuvent frustrer les utilisateurs en attente de fonctions avancées. Néanmoins, elles peuvent convenir pour certaines tâches métiers à faible valeur ajoutée, comme les comptes rendus d'activité dans le domaine du service.

Si ces applications sont assez génériques, elles manipulent toutefois des données qu'il faut partager avec les autres applications métiers de l'entreprise : autant l'effort d'intégration peut être limité avec de l'informatique de commodité, autant le recours à des SaaS métiers nécessite une véritable intégration avec le SI.

Le recours à un bus d'intégration de données sera donc ici quasiment incontournable. Par ailleurs, pour des raisons de productivité, l'intégration d'un service d'identité et d'un portail est recommandée. Ainsi, le recours du modèle SaaS pour des applications métiers rend la problématique d'intégration évoquée au chapitre 10 encore plus cruciale.

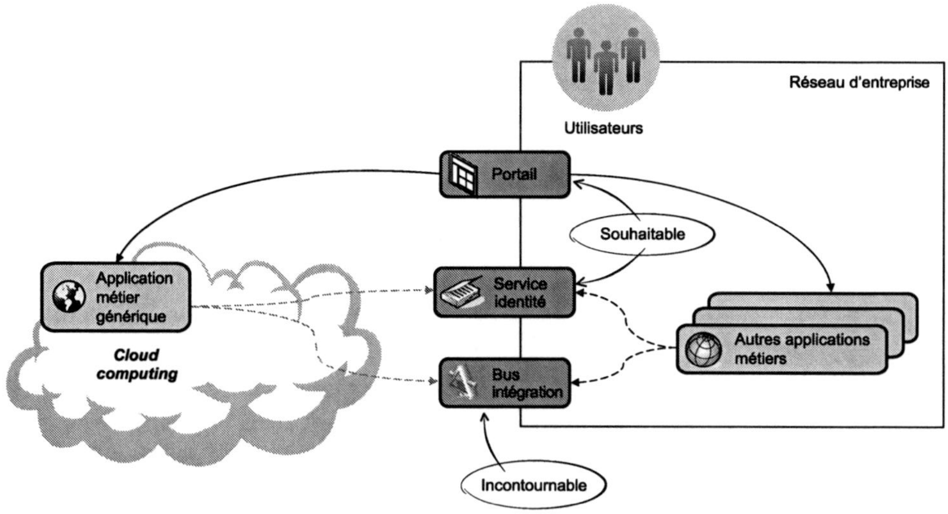

Figure 11.1 – Intégration d'une application métier SaaS générique.

11.1.4 Le développement de SaaS métiers

L'autre option envisageable pour déporter des applications métiers sur des plates-formes de *cloud computing* est le développement sur une plate-forme PaaS. Dans cette approche, l'entreprise utilise une plate-forme tierce pour développer son application métier sans en assurer la production.

La démarche est alors proche de celle utilisée pour le développement d'une application destinée à être exploitée par un hébergeur. Les différences essentielles se situent au niveau des spécificités techniques des plates-formes PaaS. Or, on l'a vu précédemment, celles-ci ne sont pas standardisées : elles ont chacune leur propre architecture « multi-tenant ». On décrira ces architectures en détail au chapitre 19.

Passons en revue le cycle projet du développement des applications SaaS métiers :

- **Expression de besoins** : dans une phase d'analyse fonctionnelle des besoins, l'architecture technique a peu d'impact. Cependant, il faut prendre en compte dès cette phase la problématique d'externalisation des données et des flux d'échanges entre SaaS et SI d'entreprise. Il convient donc de mener une analyse de risque sur les données manipulées.
- **Spécifications fonctionnelles détaillées** : le recours à une plate-forme de *cloud computing* n'a pas d'incidence sur cette étape.
- **Conception d'architecture** : dans cette phase, il faut prendre en compte les spécificités architecturales de la plate-forme PaaS. Ces dernières peuvent être très fortes comme on le verra dans le chapitre 20. Elles peuvent nécessiter une montée en compétence, un temps de formation non négligeable. L'entreprise pourra se faire accompagner dans cette étape par une société de service spécia-

lisée dans l'intégration des plates-formes de *cloud computing* ; elle pourra aussi demander conseil à des architectes de l'opérateur PaaS. Cependant le support offert par ces acteurs est assez réduit.

- **Développement** : dans cette étape, l'entreprise devra recourir à des développeurs connaissant les langages de programmation de la plate-forme. qui sont particuliers (cf. chapitre 20). Ces développeurs pourront être fournis par une société de service spécialisée dans l'intégration des plates-formes de *cloud computing*.
- **Tests** : les tests auront lieu à partir de l'environnement fourni à cette fin par la plate-forme SaaS. La seule contrainte ici est que les testeurs aient accès à Internet.
- **Intégration** : l'intégration sera effectuée avec les outils fournis à cette fin par la plate-forme SaaS. Il sera nécessaire de se familiariser avec ces outils. Notons cependant qu'ils sont en général très simples à prendre en main.
- **Passage en production** : le basculement en production est assez simple sur les plates-formes PaaS. Elles savent généralement gérer les diverses versions d'une application, ainsi que leur état (en test, en production). Tout se fait depuis une interface web.

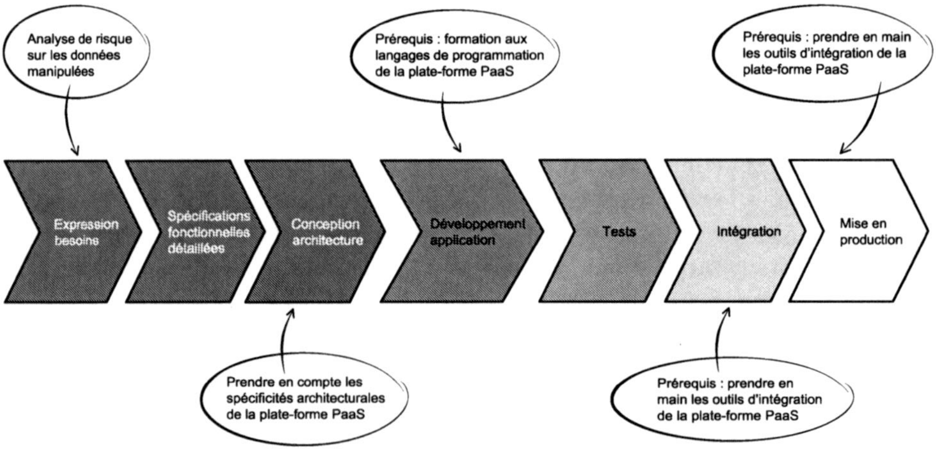

Figure 11.2 — Cycle de vie d'un développement applicatif sur une plate-forme PaaS.

La problématique essentielle du développement d'application métier en *cloud computing* est la prise en main de la plate-forme PaaS. Plusieurs chapitres seront consacrés à cette problématique dans la cinquième partie de cet ouvrage.

Ce type de développement nécessite un investissement sur la plate-forme utilisée : **une formation des équipes de la direction informatique s'impose, tant côté direction des études que côté direction de l'exploitation**.

La direction des études devra avoir une connaissance de premier niveau de l'architecture, des spécificités, des forces et faiblesses de la plate-forme. Cette compétence lui permettra d'informer les maîtrises d'ouvrage sur la faisabilité des exigences métiers ; elle lui permettra aussi de piloter les équipes de développement.

La direction de l'exploitation devra connaître les forces/faiblesses de la plate-forme en termes de disponibilité, de robustesse, de sécurité. Elle devra aussi connaître les outils permettant d'assurer son suivi en termes de respect des engagements de type SLA (*Service Level Agreement*).

L'investissement sur la plate-forme PaaS par la DSI est similaire à l'investissement habituellement consenti sur une plate-forme d'entreprise de type Java/JEE[1] ou Microsoft .NET. De même qu'une DSI investit généralement sur une seule plate-forme de développement, il sera pertinent qu'elle investisse sur une seule plate-forme PaaS. **Cet investissement sera moins important sur le plan technologique** car les PaaS fournissent des langages de développement rapides à prendre en main, et car la DSI n'aura pas à exploiter la plate-forme.

Par contre, le risque d'enfermement technologique est plus important avec les PaaS car elles utilisent aujourd'hui toutes plus ou moins des architectures propriétaires, tandis que les plates-formes JEE et .NET sont répandues et bien connues du monde informatique. Nous pensons que cet aspect propriétaire devrait s'estomper dans le futur, car de bonnes pratiques d'architecture devraient émerger et être adoptées par les PaaS avec leur maturation.

On considère aujourd'hui que l'investissement dans le développement sur une plate-forme PaaS ne se justifie que si les qualités de cette plate-forme apportent un plus à l'entreprise, comme :

- Haute disponibilité offerte par la plate-forme.
- Sécurité sur l'intégrité des données.
- Capacité d'absorption d'une surcharge saisonnière.
- Capacité de stocker des grandes quantités de données.

Le cas d'INDUS

INDUS dispose d'un extranet métier, destiné aux échanges avec ses sous-traitants. Cet extranet souffre de problèmes de disponibilité liés à une trop forte charge à certaines périodes de l'année. Par ailleurs, il est développé sur la base d'une technologie dépassée, pour laquelle il n'existe plus de compétence sur le marché.

Les fonctionnalités de cet extranet sont assez simples. INDUS a donc décidé de le redévelopper sur des technologies actuelles et de faire ce développement sur une plate-forme de *cloud computing* afin de disposer d'une forte capacité à montée en charge.

INDUS a par ailleurs développé un site web présentant son activité dont l'hébergement a été confié à son opérateur télécom.

La figure 11.3 présente l'évolution des applications spécifiques d'INDUS. Cette figure est complémentaire de la figure 10.1, qui portait sur les progiciels.

1. JEE signifie *Java Enterprise Edition*

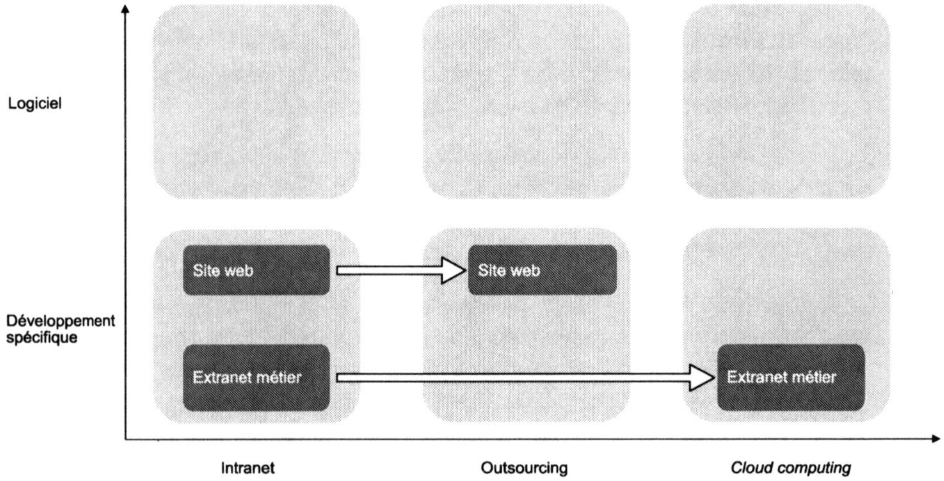

Figure 11.3 – Externalisation des développements spécifiques.

11.2 PROJECTION À LONG TERME : LE SI DANS LES NUAGES

Le propos de ce paragraphe est de faire une projection sur une vision ultime de l'usage du *cloud computing* : le déport de l'ensemble du système d'information d'entreprise dans les nuages.

Cette vision reste aujourd'hui assez théorique, car une architecture distribuée à l'échelle de l'Internet souffre de problématiques de latence réseau. En effet, l'utilisateur peut être amené à attendre devant son écran, si plusieurs services séparés par des milliers de kilomètres doivent être invoqués avant de fournir une réponse à un traitement. Les acteurs du *cloud computing* sont très conscients de cette problématique : ainsi Google est en train d'investir lourdement dans les réseaux pour réduire leur latence.

On imagine, dans cette vision, une entreprise qui a testé des applications SaaS depuis suffisamment longtemps, qui a une confiance totale dans le modèle, et qui souhaite le généraliser. Cette approche est stratégique pour l'entreprise : elle est donc forcément issue d'une décision impliquant la direction générale.

11.2.1 Structuration du SI dans les nuages

Dans cette vision du SI en ligne, l'entreprise a fait le choix d'un ou plusieurs opérateurs SaaS pour **la gestion de son informatique de commodité** :

- Dans une **approche intégrée**, elle se sera orientée vers un opérateur unique, afin de limiter les problématiques d'intégration et de limiter le nombre de ses prestataires. Cette approche est intéressante sur le plan technique, mais aussi sur le plan contractuel : la négociation des engagements n'a lieu qu'une seule fois.
- Dans une **approche « best of breed »**, elle se sera orientée vers l'opérateur le plus compétent pour chaque service. Plus d'intégration et plus de négociations seront nécessaires dans ce cas.

Pour ses **applications métiers**, l'entreprise utilise deux approches :

- Le recours à des **services métiers génériques**, lorsque ses besoins métiers sont suffisamment simples pour permettre ce mode de fonctionnement.
- Le recours au **développement spécifique sur une plate-forme PaaS** qu'elle a choisie pour ses caractéristiques techniques : rapidité de développement, capacités d'intégration, disponibilité, et engagements de niveau de service.

Pour l'intégration de ses divers SaaS, fournis « clés en main » ou développées par ses soins, l'entreprise utilise trois services en ligne :

- Le **service d'identité SaaS** lui permet de centraliser ses moyens d'authentification, de maîtriser son niveau de sécurité, et de proposer un service de SSO (*Single Sign On*) à ses utilisateurs.
- **L'*Internet Service Bus*** (ISB) lui permet d'intégrer les flux d'informations entre ses applications.
- **Le portail SaaS** lui permet d'offrir à ses utilisateurs une interface unique vers un monde informatique complètement éclaté sur Internet. Cette interface unique leur offre cohérence et productivité.

Ces différents éléments sont récapitulés sur la figure 11.4.

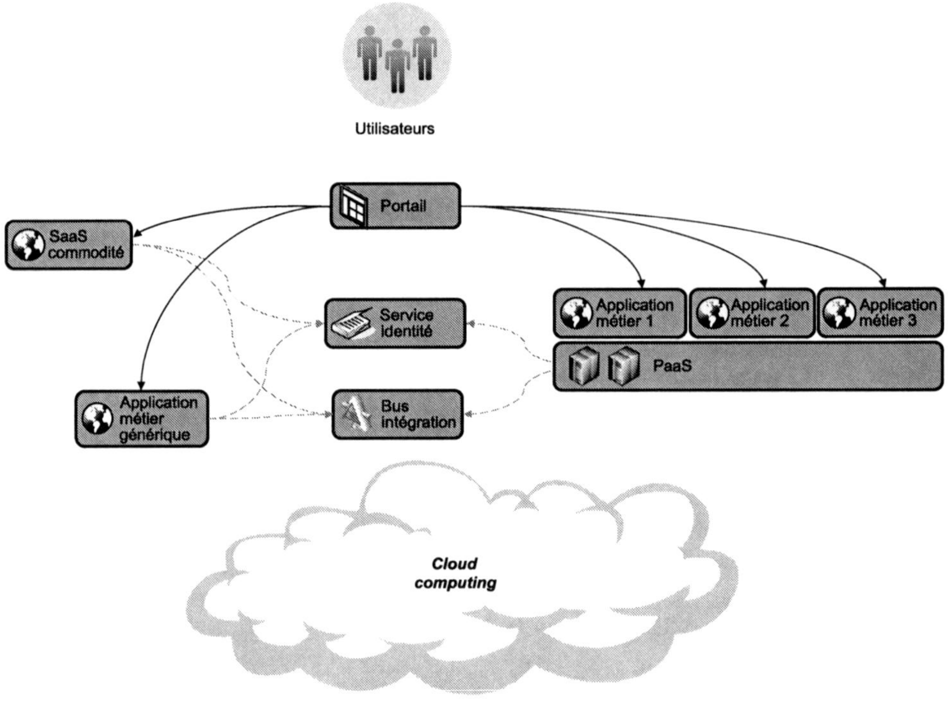

Figure 11.4 — Architecture du « SI dans les nuages ».

11.2.2 Conséquences du SI dans les nuages sur l'organisation de la DSI

Dans l'approche SI totalement en ligne, le parc informatique va se transformer de manière fondamentale et les rôles des acteurs de la DSI vont très logiquement changer.

Disparition des infrastructures serveurs

La conséquence la plus visible du SI en ligne est la disparition totale des infrastructures serveurs de l'entreprise : les **centres serveur seront entièrement démantelés**, car plus aucune application ne sera exploitée en interne.

Seuls les postes de travail des utilisateurs continuent à être administrés, mais cette administration est fortement simplifiée dans la mesure où toutes les applications sont accédées au travers d'un navigateur. La gestion de la configuration logicielle des postes de travail se limitera ainsi aux systèmes d'exploitation et aux navigateurs web. Il sera donc possible de **démanteler aussi les infrastructures de télédistribution de logiciels**.

Cette simplification de la gestion du parc utilisateur représente un gain de coûts très important, et ce d'autant plus que l'accès aux applications via un navigateur autorise l'exploitation de postes de travail moins puissants et donc moins chers.

La généralisation du modèle SaaS permettra donc de réduire de manière importante le coût du parc de postes de travail.

Le rôle du directeur de la sûreté

Le directeur de la sûreté joue un rôle critique dans le SI en ligne. C'est en effet à lui que revient la charge de valider l'externalisation des données vers les différents opérateurs SaaS et par conséquent de piloter des études et des audits sur les engagements de confidentialité de ces différents acteurs. Il acquiert un rôle central pour l'entreprise.

Le rôle de la direction des études

La direction des études va se former à un nouveau paradigme de développement applicatif. En effet, les applications développées pour le compte des directions métiers ne seront plus transmises à la direction de l'exploitation, puisqu'elles seront exploitées sur les PaaS.

Certaines d'entre elles seront même construites directement sur leur plate-forme d'exploitation. En effet, certaines PaaS proposent un environnement de développement et d'intégration intégré à la plate-forme (*cf.* chapitre 19). Dans ce cadre, la direction des études n'a plus besoin de gérer une chaîne de montage logicielle, ou une plate-forme d'intégration continue. **L'usine logicielle sera déportée vers la plate-forme PaaS. Ce modèle permet une réduction de la complexité des développements, ainsi qu'une réduction des coûts.**

À propos de l'usine logicielle

Les équipes de développement travaillant dans les environnements Java ou .NET utilisent aujourd'hui des « usines logicielles ». Cette terminologie recouvre un ensemble d'outils permettant à chaque acteur du projet d'effectuer ses tâches :
– Modélisation technique pour l'architecte.
– Codage et intégration pour le développeur, en bonne entente avec ses collègues (ce qui signifie que les portions de code modifiées par chacun doivent s'intégrer entre elles sans incohérence).
– Suivi d'avancement pour le chef de projet.
– Gestion des tests par les équipes ad-hoc.

L'usine logicielle est ni plus ni moins une plate-forme collaborative orientée vers le développement d'applications. Sa mise en œuvre est généralement complexe et coûteuse, au même titre qu'une chaîne de montage dans le monde automobile.

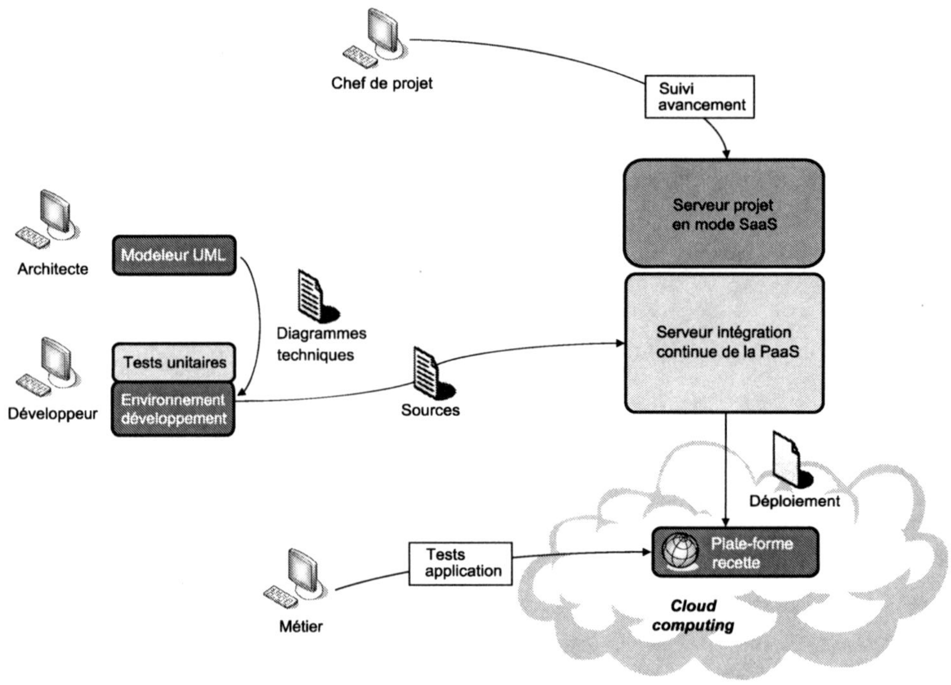

Figure 11.5 — L'usine logicielle dans le cadre du *cloud computing.*

Le rôle de la direction de l'exploitation

Dans le modèle du SI en ligne, la direction de l'exploitation voit disparaître ses tâches habituelles d'achat de machines, de déploiement de serveurs, de déploiement d'outils de monitoring.

Elle doit mener des études et audits sur la capacité technique des plates-formes PaaS à assurer le niveau de disponibilité et de robustesse attendu par les utilisateurs.

En effet, **elle reporte ses engagements de disponibilité vers ses prestataires SaaS.** Ainsi, son rôle revient à transmettre les exigences des métiers vers les opérateurs SaaS, à les contractualiser, et à les surveiller. On pourrait ainsi envisager de changer le terme « direction de l'exploitation » pour une terminologie du type « direction de la disponibilité ».

Dans certains cas, la direction de l'exploitation peut assister la direction des études dans le déploiement d'applications vers les plates-formes PaaS, uniquement lorsque celles-ci n'intègrent pas de dispositif d'intégration continue.

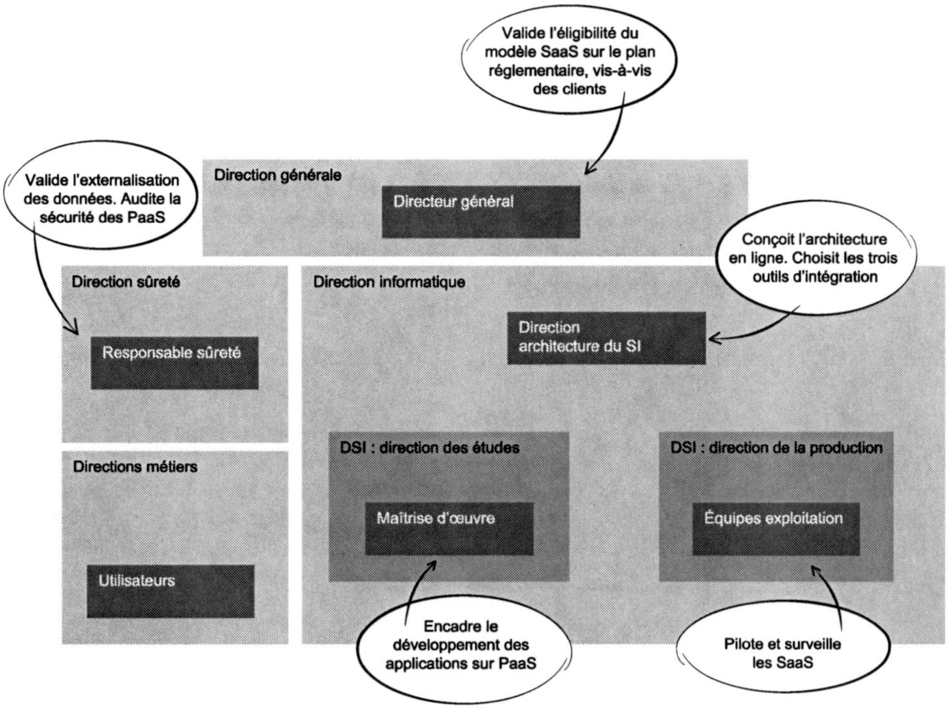

Figure 11.6 — Le SI en ligne et l'organisation de la DSI.

11.3 LE MODÈLE DE MATURITÉ DU *CLOUD COMPUTING*

L'objet de ce paragraphe est de présenter un modèle de maturité en cinq étapes pour le *cloud computing*. Cette démarche à cinq niveaux est inspirée du modèle **CMM** (Capability Maturity Model), un modèle dédié à la qualité logicielle. Des modèles de ce type existent dans d'autres domaines informatiques ; nous allons ici en proposer un pour le *cloud computing*:

- **Niveau 1 :** c'est le niveau initial, celui où se situent toutes les entreprises. Nous allons considérer que la quasi-totalité d'entre elles ont déjà testé un service « accessoire » (cartographie, mailing, paiement en ligne, etc.). ce type de service constituera donc le niveau 1.
- **Niveau 2 :** c'est le premier niveau où l'entreprise s'implique véritablement dans le *cloud computing*, en déployant une première application de commodité SaaS.
- **Niveau 3 :** l'entreprise est satisfaite de sa première expérience avec les SaaS. Elle va multiplier les SaaS, et éventuellement commencer à utiliser des SaaS

métiers génériques. Elle va alors être confrontée à des besoins d'intégration des identités utilisateurs et des données.

- **Niveau 4 :** l'entreprise se lance dans le développement d'applications sur plateforme PaaS. Elle doit donc monter en compétence sur au moins une de ces plateformes.
- **Niveau 5 :** l'entreprise a fait le choix du « SI dans les nuages », c'est-à-dire de l'externalisation complète. Elle a donc démantelé ses infrastructures serveurs, et son équipe d'exploitation s'est transformée en équipe de pilotage d'opérateurs de *cloud computing*.

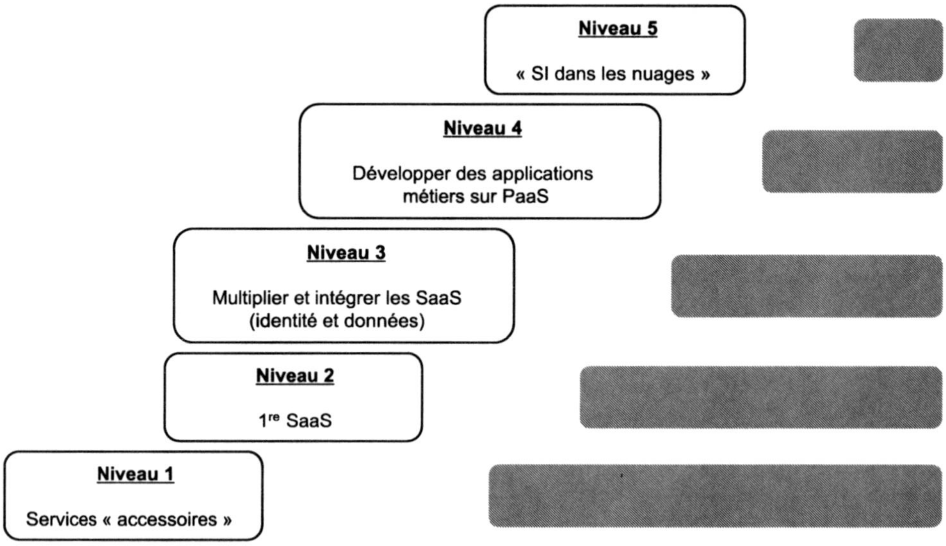

Figure 11.7 – Les modèles de maturité du *cloud computing*.

En résumé

Ce chapitre a présenté une vision un peu extrême d'une entreprise recourant uniquement au *cloud computing* pour son informatique.

Cette vision laisse entrevoir une organisation totalement nouvelle pour la DSI.

Le chapitre présente enfin un modèle de maturité du *cloud computing*.

QUATRIÈME PARTIE

Les offres SaaS disponibles

Objectif

Cette partie commence par évoquer les attitudes des différents acteurs informatiques vis-à-vis du *cloud computing*.

Elle propose un panorama des offres SaaS, ou progiciels en ligne prêts à l'emploi classées suivant les catégories :
- services « accessoires ».
- services de collaboration.
- services de cycle de vie des documents.
- progiciels intégrés.

Ce panorama n'est pas exhaustif : nous avons choisi de présenter les offres qui nous paraissent les plus intéressantes.

La partie propose enfin une vision prospective : celle d'un bureau en ligne constitué uniquement d'applications SaaS.

12

Le positionnement des grands acteurs de l'IT

Objectif

Ce chapitre présente les attitudes des acteurs du monde informatique vis-à-vis du *cloud computing*. Il présente en particulier les stratégies des éditeurs de logiciels traditionnels, des constructeurs, des opérateurs télécom, et des acteurs issus du web.

12.1 LES ACTEURS HISTORIQUES

La plupart des grands acteurs du monde informatique voient aujourd'hui le *cloud computing* comme un nouveau modèle incontournable à développer en priorité dans leur offre. Ce développement prend plusieurs formes suivant leur positionnement dans le mode informatique. De par leur métier, certains tendent à devenir opérateurs SaaS, d'autres proposent des PaaS afin d'héberger des SaaS, d'autres enfin proposent un outillage pour développer ou intégrer des SaaS.

12.1.1 Les éditeurs de logiciels « software »

Microsoft

Le cas de Microsoft est un peu particulier ; le géant de Redmond a une approche un peu schizophrène du modèle SaaS. En effet, une grande partie de ses revenus provient du couple Windows/Office ; et le modèle SaaS propose de déporter les applications, en particulier de collaboration, dans un navigateur : il remet donc en cause Office et un certain nombre de fonctionnalités de Windows. Rappelons qu'une entreprise qui a adopté complètement le modèle SaaS peut déployer des postes de travail équipés seulement d'un navigateur ; ces postes simplifiés peuvent alors utiliser le système Linux, moins coûteux que Windows.

Microsoft tient cependant à être présent dans le monde des SaaS. L'éditeur s'est donc forgé son propre discours sur le sujet, et parle de « **Software + service** » en utilisant l'acronyme « **S + S** » en remplacement de l'acronyme SaaS. S + S signifie que Microsoft recommande à ses clients de continuer à utiliser le modèle « software » et les solutions Windows/Office pour les postes de travail ainsi que pour certaines applications serveur, d'utiliser certaines applications en mode SaaS. Ainsi, Microsoft va proposer ses logiciels de collaboration (Unified Communications) et ses solutions métiers (Dynamics) en mode SaaS hébergé par ses soins. Ces offres pourront aussi être hébergées par des partenaires.

Microsoft justifie la conservation du modèle « software » sur le poste de travail en insistant sur le fait que les fonctionnalités d'Office sont supérieures à celles des applications SaaS et en argumentant sur leur meilleure gestion du mode déconnecté. Le géant de Redmond a néanmoins annoncé une version d'Office en mode SaaS mais elle devrait être limitée à des usages ponctuels, la version « software » restant la version de référence pour une meilleure productivité. Nous pensons que cette justification ne sera valable qu'un temps, car les solutions collaboratives SaaS rattrapent très vite leur retard sur Office en termes de périmètre fonctionnel, et elles savent gérer le mode déconnecté avec des extensions de navigateur comme Google Gears (*cf.* chapitre 1).

Concernant la conservation d'applications serveurs en mode « software », nous pensons que Microsoft a raison : en effet, les entreprises ne vont pas basculer du jour au lendemain vers le modèle SaaS, et la cohabitation entre applications « software » et SaaS sera longue. Certaines applications resteront dans les murs de l'entreprise pour des raisons de spécificité, de sécurité, etc. (*cf.* chapitre 5). Nous pensons que les applications « software » feront un jour partie de l'informatique patrimoniale au même titre que les grands systèmes.

Microsoft souhaite adresser tous les modèles logiciels dans son offre pour répondre aux besoins de tous ses clients. Cette cohabitation sera complexe à gérer : il faudra maintenir des solutions selon plusieurs architectures. Cette démarche est néanmoins réaliste : l'informatique d'entreprise est une problématique complexe et la cohabitation de divers modèles et technologies est généralement inévitable. En ce sens, la vision de Microsoft est pertinente.

Rappelons enfin que Microsoft est présent sur les technologies RIA : l'éditeur propose des composants Ajax, ainsi que Silverlight, sa technologie propriétaire issue de .NET. Silverlight sera utilisé pour la version SaaS d'Office.

Enfin, Microsoft a présenté son offre PaaS, intitulée Azure. Nous décrirons cette offre dans le chapitre 20.

Adobe

Adobe dispose d'un peu d'avance sur les autres grands éditeurs dans le monde du web, car l'acronyme RIA (*Rich Internet Application*) a été inventé par ses collaborateurs, et l'éditeur dispose avec Flash d'une technologie très mature pour créer des interfaces SaaS. Flash constitue la principale alternative à Ajax pour la construction de ces interfaces : elle a le gros avantage d'intégrer des capacités multimédias (audio, vidéo).

Pour faciliter le développement rapide d'applications SaaS, Adobe propose Flex, une solution permettant aux développeurs de créer des applications Flash depuis un environnement qui leur est familier : Eclipse. On verra dans les chapitres suivants que de nombreuses applications SaaS utilisent cette solution.

Adobe a utilisé cette technologie pour initier la déclinaison de ses solutions historiques en mode SaaS :

- L'offre de collaboration autour du cycle de vie des documents : Acrobat.
- L'offre d'infographie : Creative Suite.

Nous présenterons ces offres dans le chapitre 15.

Enfin, Adobe sort en 2009 une PaaS intitulée Cocomo. Cette plate-forme doit proposer des services hébergés de collaboration et de diffusion audio/vidéo afin d'intégrer ces fonctions dans les RIA Flash.

IBM

IBM communique depuis de nombreuses années sur l'expression « On Demand ». Cependant, cette expression marketing ne correspondait pas au *cloud computing*, un modèle que « Big Blue » a abordé tardivement.

IBM a construit récemment « BlueHouse » un ensemble de datacenters destinés à proposer un certain nombre de ses applications en mode SaaS :

- Les applications de collaboration de la gamme Lotus.
- Des applications de vérification de conformité des applications web (sécurité, juridique) de la gamme Rational.
- Etc.

Cette « BlueHouse » devrait aussi servir un jour de PaaS pour les entreprises qui souhaiteront y externaliser leurs applications.

Par ailleurs, IGS (*IBM Global Services*) se positionne comme un expert du *cloud computing*, capable d'aider les entreprises dans la démarche d'externalisation.

Oracle

Oracle a depuis longtemps décliné une partie de ses solutions progicielles en mode « outsourcing par l'éditeur » : il s'agit de l'offre « **Oracle on Demand** » :

- Oracle On Demand for Siebel CRM.
- PeopleSoft Enterprise On Demand.
- Oracle E-Business Suite On Demand.
- Oracle Hyperion On Demand.
- Etc.

Comme on l'a vu au chapitre 3, le modèle « outsourcing par l'éditeur » n'est pas tout à fait SaaS, car l'application est hébergée sans être structurée selon une architecture « multi-tenant ».

Larry Ellison, le PDG d'Oracle, a par ailleurs investi dans NetSuite une société qui propose des applications SaaS de type ERP, CRM, et décisionnel, à la manière de Salesforce.

SAP

SAP propose une version simplifiée de sa suite en mode SaaS, intitulée « SAP Business by Design ». Il semble que l'éditeur allemand peine à trouver sa place dans le monde des opérateurs SaaS : sa solution doit encore mûrir, selon les spécialistes du secteur.

12.1.2 Les constructeurs

Sun

Sun propose aujourd'hui un outillage pour bâtir une PaaS, une plate-forme de *cloud computing*. Cette offre intitulée « Sun Grid Engine » a pour objectif de fournir une solution de création de *datacenter*, basée sur de vastes grappes[1] de serveurs. Cette offre constitue le socle du Project Caroline, la plate-forme PaaS de Sun.

Notons aussi que Sun propose, au travers du projet BlackBox, des containers clefs en main contant des milliers de serveurs. Ces conteneurs sont destinés aux entreprises qui souhaitent déployer rapidement un *datacenter* de grande dimension.

HP

Dans le cadre de son offre *Business Technology Optimization* (BTO), HP a développé une offre autour des SaaS. Elle intègre en particulier :

- Une offre de *datacenter* pour l'hébergement des SaaS par HP.
- Une offre de conseil pour la structuration et l'optimisation des *datacenters* destinés à l'hébergement des SaaS.
- Une offre de monitoring des SaaS par HP.

1. En anglais, on emploie le terme *cluster*.

Dell

Dell a constitué une offre similaire. Le constructeur a racheté dans cet objectif un certain nombre de *start-up* :

- MessageOne : un service de sécurité et de sauvegarde de mails.
- Everdream : une solution de gestion de parc à distance.
- SilverBack : une solution de monitoring à distance.
- ASAP Software : un outil d'inventaire et gestion de licences pour l'externalisation de la gestion de parc informatique.

12.1.3 Les opérateurs télécom

La stratégie actuelle des opérateurs télécom, du moins en France, tend vers la notion d'« opérateur intégré », c'est-à-dire vers une offre télécom convergente, intégrant l'accès à Internet depuis la téléphonie mobile, l'accès résidentiel, l'accès en entreprise, l'accès depuis les gares et aéroports, etc.

Les opérateurs intégrés tendent aussi à proposer des services à valeur ajoutée sur la base de leur cœur de réseau intégré. Ces offres de services sont généralement basées sur des SaaS. Elles couvrent en général les fonctionnalités suivantes :

- Lignes téléphoniques fixes ou mobiles.
- Messagerie e-mail basée sur une adresse du type `NuméroMobile@operateur.fr`.
- Parfois messagerie unifiée, c'est-à-dire intégration de la boîte vocale et de la messagerie e-mail.
- Service d'agenda et de carnet d'adresses synchronisé avec le téléphone mobile.
- Stockage en ligne de documents.
- Applications collaboratives intégrées.
- Portail d'intégration vers des services en ligne ou des applications d'entreprise.
- Hébergement de site web.

La plupart de ces fonctionnalités sont proposées par ailleurs par des opérateurs SaaS spécialisés. Ainsi, les opérateurs télécom peuvent se trouver en concurrence avec le monde des opérateurs SaaS. Cette concurrence peut les desservir car il leur est difficile d'être meilleurs que les spécialistes dans chaque gamme de service.

Par conséquent, certains opérateurs ont choisi d'intégrer des offres SaaS tierces[1] à leur offre, en les packageant sous une forme cohérente pour leurs clients : par exemple, l'opérateur télécom fournit la ligne téléphonique, mais la boîte mail est issue d'un opérateur SaaS tiers ; les outils d'intégration cités au chapitre 11 permet-

1. D'ailleurs certains opérateurs SaaS vont dans ce sens en proposant des offres réservées aux opérateurs.

tent une intégration de services distincts. Nous pensons que cette approche est la meilleure et la plus pérenne.

12.1.4 Les sociétés de service

Les sociétés de service spécialisées dans l'infogérance voient dans le modèle SaaS une prolongation naturelle de leur métier. En effet, les SaaS permettent à leurs clients d'externaliser leurs outils, en leur en confiant la maintenance. La seule différence est le lieu d'hébergement de ces outils. Ces sociétés de service ont donc tout intérêt à monter en compétence sur les solutions SaaS pour les proposer à leur catalogue de services gérés. **Les plus grandes d'entre elles ont déjà entamé cette démarche.**

Les sociétés de service spécialisées dans l'intégration ont tout intérêt à monter en compétence sur les SaaS pour accompagner leurs clients. Elles devront développer les compétences suivantes :

- Intégration des SaaS avec le SI, au travers d'API, d'Internet Service Bus, de portail d'intégration et de services d'identité.
- Développement d'applications sur des plates-formes PaaS.

Certaines d'entre elles ont déjà entamé cette démarche.

Les sociétés de conseil en gestion du changement ont intérêt à monter en compétence sur les nouveaux usages induits par les SaaS : elles pourront ainsi accompagner les utilisateurs dans la migration vers ce modèle.

12.2 LES ACTEURS ISSUS DU WEB

Les acteurs issus du web sont naturellement intéressés par le modèle SaaS, qui représente la continuité de leur modèle grand public, les mêmes technologies et services étant déclinés pour les entreprises. En revanche, ils ont parfois du mal à adapter un modèle gratuit, basé sur la publicité, au monde de l'entreprise. Enfin, ils peuvent manquer d'expérience dans les relations avec les entreprises.

12.2.1 Google

La société Google a été créée autour d'un moteur de recherche gratuit. Au démarrage Google n'avait donc pas de modèle économique. Puis, l'invention des « liens sponsorisés », des publicités ciblées sans être intrusives, a permis à la société de devenir un des acteurs les plus rentables du monde informatique.

Google offre essentiellement des services gratuits rentabilisés par la publicité. Seules **Google Maps** et **Google Apps**, offres SaaS destinées aux entreprises, sortent de son modèle économique habituel. L'offre s'est bâtie très progressivement en rachetant de très nombreuses start-up. Sans être exhaustif, on peut citer quelques solutions intégrées dans les offres entreprises du géant de Mountain View :

- Writely (racheté en mars 2006) est à la base du traitement de texte de Google Apps.
- 2Web Technologies (racheté en juin 2006) est à la base du tableur de Google Apps.
- Zenter (racheté en juin 2007) et Tonic Systems (racheté en avril 2007) sont à la base de l'outil de présentation de Google Apps.
- Postini (racheté en juillet 2007) et Greenborder (racheté en mai 2007) permettent la protection antivirus et anti-spam des e-mails dans Google Apps.
- YouTube (racheté en octobre 2006) et Omnisio (racheté en juillet 2008) sont à la base de l'intranet vidéo intégré à Google Apps.
- GrandCentral (racheté en juillet 2007) devrait permettre de gérer des lignes téléphoniques dans Google Apps.
- Marratech (racheté en avril 2007) permet la visioconférence dans Google Apps.
- Deja News (racheté en février 2001) est à la base Google Groups.

Avec cette offre SaaS, Google a pour ambition de détrôner les suites collaboratives historiques Microsoft Echange et IBM Lotus. Les fonctionnalités de Google Apps évoluent progressivement selon le principe de la « bêta perpétuelle » évoqué au chapitre 1 et se rapprochent peu à peu de celles des offres Microsoft et IBM.

Le spécialiste de la recherche propose aussi une PaaS avec **Google App Engine**. Nous reviendrons sur cette plate-forme dans le chapitre 20.

Google dispose à ce jour du plus grand parc de *datacenters* connus : ses capacités de stockage et de traitement sont gigantesques. Rappelons, par exemple, que :

- Son algorithme de recherche nécessite l'aspiration et le stockage de l'ensemble du web.
- Avec Book Search, Google s'est lancé dans un projet pharaonique et très controversé de numérisation de tous les ouvrages de toutes les grandes bibliothèques du monde.
- Avec Street View, Google s'est lancé dans un projet pharaonique, lui aussi controversé, de photographie de toutes les rues des grandes villes.
- Google Translate, son système de traduction utilise des statistiques à grande échelle pour proposer la meilleure interprétation possible.

Google est donc un acteur totalement incontournable du *cloud computing*.

12.2.2 Yahoo

Yahoo, société créée en 1995, est un acteur historique du web. Ses outils de recherche, messagerie, messagerie instantanée, portail web sont utilisés par des millions d'utilisateurs.

En revanche, Yahoo n'a jamais réussi à créer une offre SaaS crédible pour les entreprises. Au début des années 2000, le lancement d'une offre de portail hébergé s'était soldé par un échec.

Yahoo a depuis racheté Zimbra, une offre de collaboration intéressante, mais cette solution est aujourd'hui proposée sur le modèle « software » et non en SaaS. Elle peut cependant être hébergée par des tiers pour le compte d'une entreprise : quelques partenaires hébergeurs européens et américains sont cités sur le site de Zimbra.

Néanmoins, de nombreux employés utilisent ses outils de messagerie et de messagerie instantanée en parallèle aux solutions d'entreprise, faisant enrager leurs directeurs informatiques.

12.2.3 Amazon

Amazon a été la première société à proposer une plate-forme de *cloud computing* avec **Amazon Web Services.** Il s'agit d'une offre de mise à disposition de ressources de traitement et de stockage.

De nombreuses start-up utilisent aujourd'hui la plate-forme Amazon pour héberger leurs services : on peut citer par exemple slideshare.net, une solution de présentation de diapositives en ligne.

En résumé

Ce chapitre a présenté les stratégies des grands acteurs de l'informatique et de l'Internet : tous semblent vouloir aller vers le *cloud computing*. Certains privilégient le SaaS, certains abordent les PaaS, certains proposent des solutions pour bâtir des datacenters, enfin d'autres proposent du conseil autour du *cloud computing*.

13

Les services « accessoires »

Objectif

Ce chapitre décrit des services fournis en ligne qui ne sont pas des applications à proprement parler, mais des fonctions élémentaires à intégrer dans une application pour bénéficier d'extensions à valeur ajoutée.

Ces services sont essentiellement liés à la gestion de site web.

13.1 LA RECHERCHE AU SEIN D'UN SITE WEB

Les grands moteurs de recherche proposent aujourd'hui la possibilité de s'intégrer dans l'interface d'un site web pour proposer une recherche au sein de ses pages. Dans ce domaine, on peut citer les offres Google Site Search, Microsoft Live Search Box, Yahoo! Search, etc.

Ces offres permettent de présenter les résultats de recherche dans l'interface du moteur de recherche, ou bien directement dans l'interface du site. Dans le second cas, il est nécessaire d'utiliser les API fournies par le moteur pour mener à bien l'intégration.

Ces offres sont généralement gratuites pour un faible volume de recherche ; des offres payantes sont proposées aux entreprises sur la base du nombre de requêtes par an.

La figure 13.1 présente l'intégration de l'outil Google Site Search dans le site *www.tendances.it*.

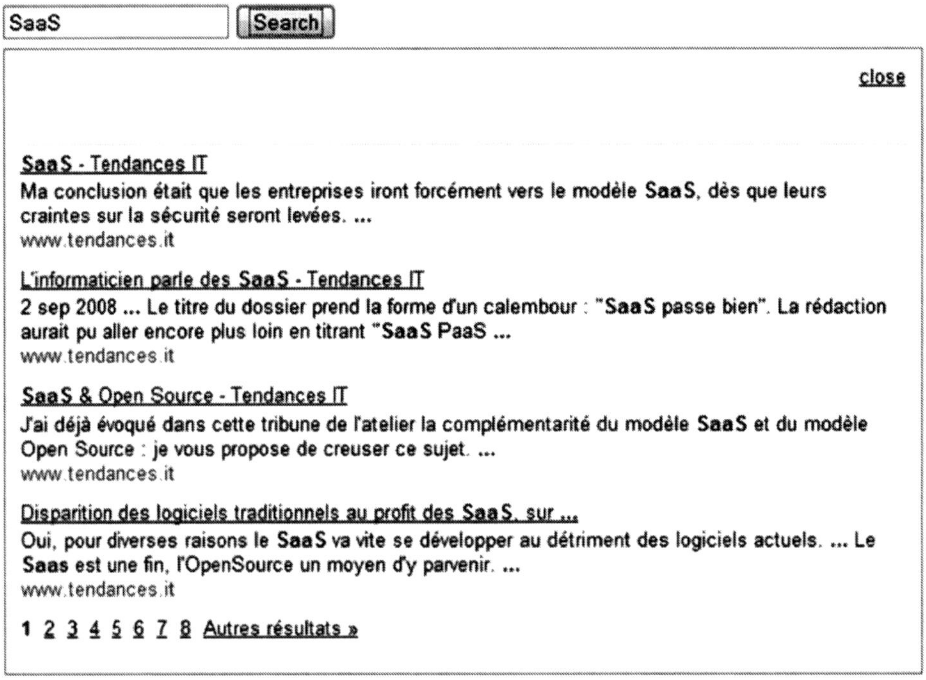

Figure 13.1 — Intégration d'un moteur de recherche au sein d'un site web.

13.2 LES SERVICES DE COMMERCE ÉLECTRONIQUE

Pour développer un site de commerce électronique et vendre des articles sur le web, les entreprises ont aujourd'hui plusieurs approches possibles :

- Elles peuvent développer en spécifique l'ensemble des composants (catalogue, panier d'achat, paiement, livraison), éventuellement en utilisant des composants Open Source.
- Elles peuvent s'appuyer sur des services « accessoires » pour l'un ou l'autre de ces composants.

Certains commerçants en ligne, comme Amazon, proposent l'accès à leur catalogue au travers d'API : il est ainsi possible de faire une recherche au sein de ce dernier depuis une autre application web. Cette fonction a une utilité toute relative pour les entreprises qui souhaitent vendre leurs propres produits.

Il existe des services en ligne pour la gestion de panier d'achat. Par exemple, Google Checkout permet aux sites de commerce électronique d'externaliser cette fonction. Là encore, une API permet l'intégration du service à un site web.

Enfin, de nombreux services en ligne permettent la délégation de l'étape de paiement à un tiers. Cette délégation est particulièrement pertinente, car elle évite de devoir gérer des numéros de carte bancaire, ce qui est particulièrement critique en termes de sécurité. Le service de paiement valide la solvabilité de l'acheteur, effectue le paiement et notifie au commerçant que la transaction a bien eu lieu. Là encore l'intégration d'une API, cette fois sécurisée, est nécessaire. On peut citer les services de paiement suivants :

- Paypal, une solution de validation de transaction par e-mail.
- Google Checkout.
- Des solutions proposées par des banques : Sogenactif de la Société Générale, CyberMUT P@iement du crédit Mutuel, etc.

Enfin, des services de gestion de livraison sont fournis par FedEx, UPS, ou la Poste. Ils proposent eux aussi des API pour permettre le suivi de l'acheminement des commandes au sein de l'interface du site de commerce électronique.

Le commerce électronique est ainsi un bon exemple d'utilisation avancée de services accessoires fournis par des tiers.

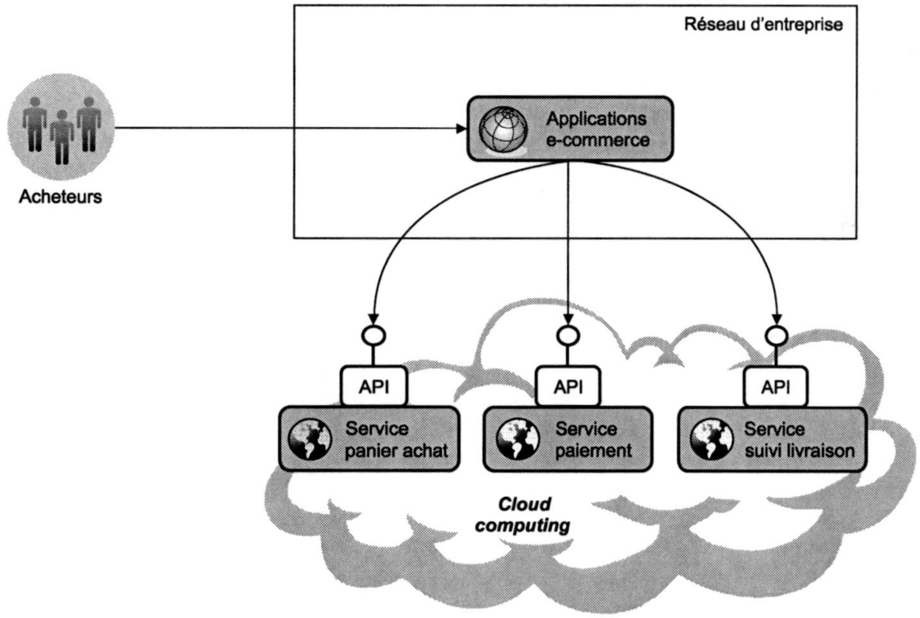

Figure 13.2 — L'intégration de services accessoires dans le cadre du commerce électronique.

13.3 LES SERVICES DE MAILING

L'envoi de courrier électronique en masse à des fins marketing est une manière efficace et peu coûteuse de communiquer auprès de ses clients. Il pose cependant un certain nombre de problèmes. La problématique technique est aujourd'hui facile à gérer, les machines standard étant assez puissantes pour gérer la charge induite par l'envoi de nombreux e-mails. Par contre, d'autres aspects sont l'affaire de spécialistes :

- **La gestion de l'*opt-in*** : il s'agit d'obtenir l'accord des utilisateurs ciblés par les campagnes de mailing et de leur proposer une possibilité de se désinscrire à tout moment.
- **La gestion des statistiques de campagne** : il s'agit de mesurer le nombre d'ouvertures de message, le nombre de clics à partir des messages.
- **La gestion du spam** : les entreprises investissent massivement dans la lutte contre les e-mails non sollicités issus de pirates en tous genres, et il est n'est pas simple pour un message marketing d'apparaître comme « honnête ». Le domaine (par exemple monentreprise.com) utilisé pour l'envoi des messages peut se retrouver catalogué comme domaine de spammeur, ce qui est catastrophique pour tous les e-mails issus de l'entreprise, qui seront automatiquement supprimés chez leurs clients et partenaires. La gestion de mailing marketing sans passer pour un spammeur est aujourd'hui une affaire d'experts.

Pour bien gérer ces différentes problématiques, il est très pertinent d'utiliser les services de sociétés spécialisées, comme Sarbacane ou Cabestan, en France. Ces sociétés offrent un service intégré de mailing : elles se rapprochent donc du modèle SaaS.

Elles offrent aussi des API permettant :

- L'import/export des adresses de messagerie depuis le système d'information d'entreprise.
- Parfois, la collecte des résultats d'une campagne.

Ces offres fonctionnent par abonnement et sur la base du nombre de messages envoyés par campagne.

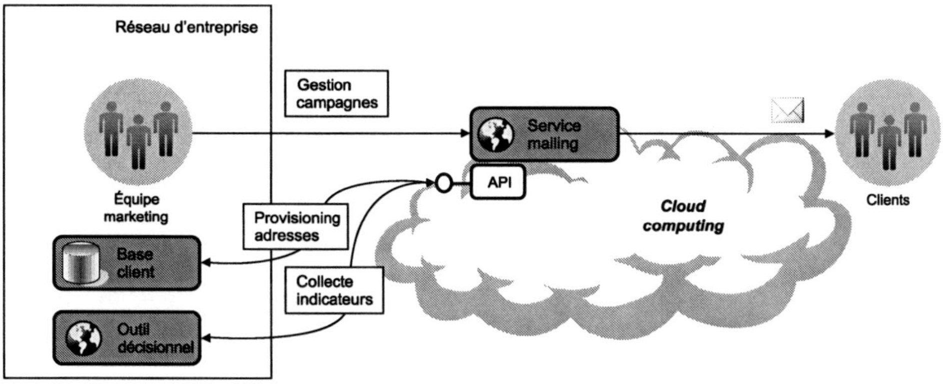

Figure 13.3 – Utilisation d'un outil de mail marketing.

13.4 LES SERVICES DE CARTOGRAPHIE

Un certain nombre de services de cartographie ont émergé ces dernières années, permettant de présenter des informations d'entreprise sur un fond de carte. On peut citer par exemple : Google Maps, Yahoo Maps, Microsoft Live Maps, Mappy, etc.

Ces services offrent des API permettant une intégration très simple. En effet, ils n'ont pas vocation à créer des Systèmes d'Information Géographique (SIG) pour des besoins avancés, comme par exemple l'urbanisation ou la gestion des cadastres.

Ces services offrent en général plusieurs API :

- **Une API de « geocoding »** qui permet la transformation d'adresses postales en coordonnées terrestres (latitude et longitude).
- **Une API de manipulation du fond cartographique**, permettant d'afficher la carte d'un lieu donné avec un niveau de zoom adéquat.
- **Une API de calcul d'itinéraire**, permettant de calculer le trajet le plus cours entre deux points en voiture ou à pied.
- Parfois **une API de dessin sur le fond cartographique,** qui permet de présenter des points d'intérêt (sites de présence de l'entreprise), ou des polygones correspondant à des limites de zones (terrains inondés en cas de crue, par exemple).

Ces services sont fréquemment utilisés dans les sites web des entreprises pour localiser leurs points de présence. À la manière des services de recherche, ils sont généralement gratuits pour un accès limité ; des offres payantes sont proposées aux entreprises sur la base du nombre de requêtes par an.

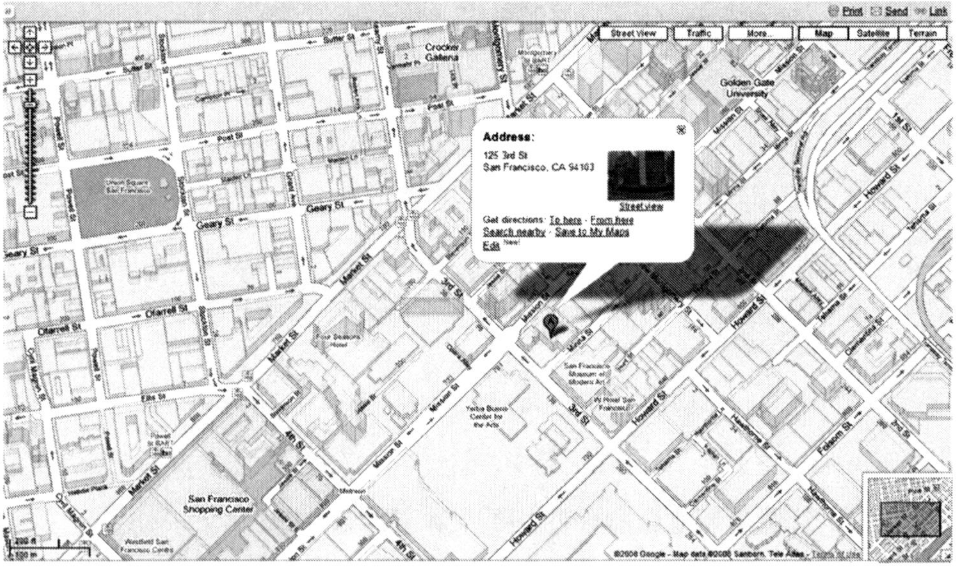

Figure 13.4 – Affichage du lieu de déroulement d'un congrès sur un fond de carte.

En résumé

Ce chapitre a présenté les principales familles de services « accessoires » :

– services de recherche.

– services de commerce électronique.

– services de mailing de masse.

– services de cartographie.

14 Les services de collaboration

Objectif

Les services de collaboration sont les offres SaaS les plus développées aujourd'hui.
Ce sont en effet des fonctions très génériques : il y a peu de valeur ajoutée à les développer ou les exploiter en interne.
Ces services manipulent généralement des données de fonctionnement, peu critiques, plutôt que des données métiers, plus sensibles.
Ce sont souvent les premiers services SaaS adoptés par les entreprises.

14.1 LES CONCEPTS DE LA COLLABORATION UNIFIÉE

Les fournisseurs de solution de collaboration proposent aujourd'hui des solutions intégrées ou unifiées qui offrent en général des services de **communication synchrone**, de **communication asynchrone**, et de **partage d'informations unifié**.

14.1.1 La communication synchrone

On entend par service de **communication synchrone** un système qui offre diverses méthodes pour échanger ou débattre à distance avec des collègues. Les fonctions offertes par ces outils sont généralement :

- La messagerie instantanée.
- La téléphonie sur IP.
- La webconférence.

- Le partage d'applications ou du bureau du poste de travail.
- La coédition de documents.
- Le tableau blanc, qui permet de faire des schémas visibles instantanément par ses interlocuteurs.
- Le transfert instantané de fichier.

À propos des solutions de conférence vidéo

Nous entendons par **webconférence** un échange vidéo basé sur une interface web. Elle ne nécessite ni installation d'application lourde, ni réseau télécom spécifique. En revanche, elle propose des vidéos au format « timbre poste » avec généralement un seul orateur à la fois. Elle propose souvent un système de partage de document ou d'application.

Par opposition, nous entendons par **visioconférence** un échange vidéo via une salle spécialement équipée avec caméra et rétroprojecteur. Ce type de système permet d'organiser une réunion entre des personnes situées dans deux salles distantes. Chaque salle dispose d'une caméra panoramique et d'un écran unique. Cet échange fait appel à des infrastructures spécifiques proposées par des équipementiers télécom.

Enfin, nous entendons par **téléprésence** un échange vidéo qui donne aux utilisateurs l'impression d'être dans la même pièce. Il s'agit de salles équipées de grands écrans plats et d'un dispositif sonore digne d'une salle de cinéma. Chacun y est présenté en grandeur nature. Ainsi, chaque utilisateur a l'impression d'être face à ses interlocuteurs. Un bâillement ou un manque d'intérêt pour la réunion est immédiatement remarqué par les autres. Cette solution très luxueuse empêche le syndrome de la rédaction d'e-mails pendant la réunion. Souvent issue de l'offre d'un équipementier télécom, elle est réservée à des grandes entreprises.

Seule la webconférence utilise une interface RIA et entre donc dans notre définition des SaaS.

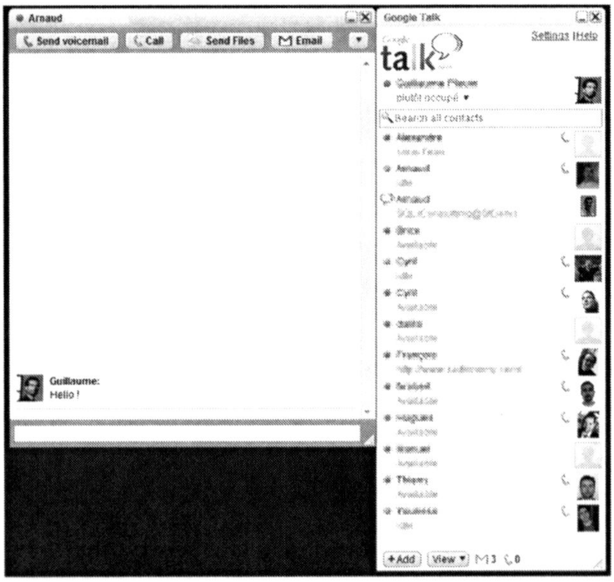

Figure 14.1 — Google Talk, un exemple d'outil de communication synchrone.

Deux outils viennent en support à cette communication synchrone : **l'agenda partagé** permet d'organiser une séance de travail à distance ; **l'indicateur de présence** permet de connaître l'état de disponibilité de son interlocuteur afin de déclencher un échange à l'improviste sans le déranger. L'indicateur de présence est une version avancée de la « sonnerie occupée » des téléphones classiques.

14.1.2 La communication asynchrone

On entend par service de **communication asynchrone ou messagerie unifiée** un système qui offre diverses méthodes pour laisser des messages des collègues. La messagerie unifiée est constituée d'une boîte de réception collectant :

- Les e-mails.
- Les SMS.
- Les fax.
- Les messages vocaux.

Ces contenus peuvent être consultés sous forme textuelle ou orale : des conversions entre ces modes sont parfois possibles grâce à la reconnaissance vocale et à la synthèse vocale.

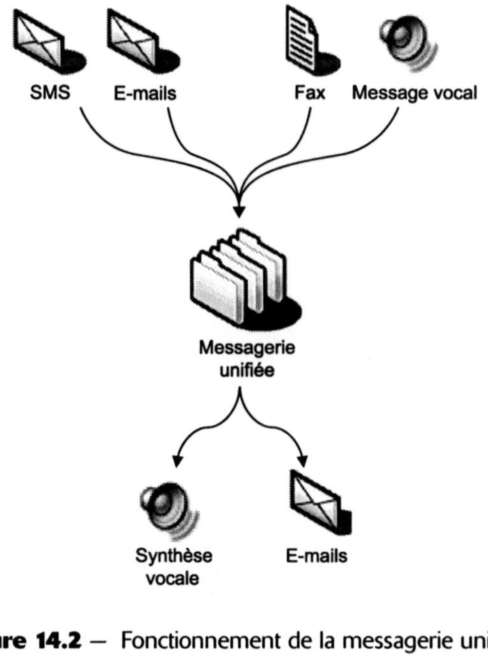

Figure 14.2 — Fonctionnement de la messagerie unifiée.

Le recours à la communication asynchrone peut être décidé à la suite de la consultation de **l'agenda** ou de **l'indicateur de présence** de son interlocuteur, s'il est indisponible.

14.1.3 Le partage d'information unifié

On entend par service de partage d'information unifié, un système qui permet de gérer de manière cohérente :

- Des documents bureautiques, avec des fonctions de **GED** (gestion électronique de documents).
- Des contenus web, avec des fonctions de **CMS** (*Content Management Solution* ou gestion de contenu web).
- Des espaces de communication sur des projets sous la forme de **blogs.**
- Des espaces de capitalisation autour des compétences métiers, sous la forme de **wikis.**
- Des messages reçus issus des communications synchrone et asynchrone.

Deux outils viennent en support à ce partage d'information unifié : la recherche transverse permet de retrouver un contenu sur l'ensemble des supports ; les suites bureautiques permettent de créer les documents.

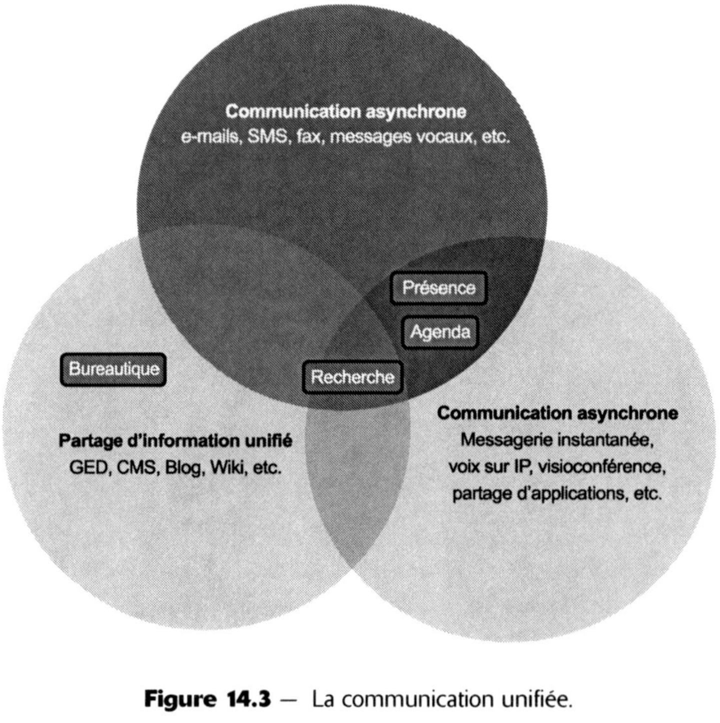

Figure 14.3 — La communication unifiée.

14.1.4 La pertinence des SaaS

Les outils SaaS sont particulièrement intéressants pour la mise en œuvre de communication unifiée, à plusieurs titres :

- La **coédition de documents** est possible, du fait que les données sont centralisées sur une plate-forme SaaS. Par exemple, Google Spreadsheet permet à deux utilisateurs de modifier de manière simultanée deux cases d'une feuille de calcul.
- Le **versioning des documents** est bien géré, du fait que les données sont centralisées sur une plate-forme PaaS. En effet, l'accès simultané aux documents supprime les risques de désynchronisation entre deux documents modifiés par deux personnes différentes.
- Des **fonctions de communication synchrone** sont disponibles lors de la consultation des documents.
- Les **services de collaboration sont accessibles** dans tous les contextes (bureau, domicile, cybercafé, aéroport ou gare, etc.).
- La **communication synchrone** est possible avec des personnes qui n'appartiennent pas à l'entreprise (clients, partenaires).
- Le **partage de documents** est également possible avec des personnes qui n'appartiennent pas à l'entreprise (clients, partenaires).
- Les outils de collaboration sont souvent **disponibles sur mobile** (iPhone, Blackberry, etc.).
- Les fonctions de communication unifiée peuvent être intégrées avec d'autres applications grâce aux API fournies par les opérateurs SaaS (exemple : intégration Google Apps/Salesforce, évoquée dans le chapitre 2).

À propos des outils de présentation

Les outils de présentation ont une spécificité dans le domaine de la bureautique : ils s'apparentent à des outils d'infographie. Ils sont donc beaucoup plus exigeants que les traitements de texte ou tableurs en matière graphique. Ainsi, il existe un certain nombre d'outils de présentation SaaS développés à partir de la technologie Flash, qui autorise des rendus graphiques de qualité.

On peut citer SlideRocket qui permet de créer, partager et présenter des diapositives, ou SlideShare qui permet simplement de les partager et de les présenter.

14.2 LES OUTILS SAAS DE COMMUNICATION UNIFIÉE

14.2.1 Google Apps

L'offre de collaboration de Google couvre une large partie des concepts de la communication unifiée. Elle est en constante évolution et rattrape rapidement son retard sur les acteurs historiques du modèle « software » : Microsoft et IBM Lotus.

L'offre de Google se distingue par l'aspect épuré de ses interfaces, sa simplicité et son ergonomie. Ses fonctions sont moins exhaustives que celles de l'offre Microsoft.

Nous allons décrire Google Apps de manière assez détaillée car c'est l'offre SaaS de collaboration la plus mature à ce jour.

Google Apps permet de déléguer le nom de domaine de son entreprise et donc de recevoir directement sur la plate-forme Google les e-mails en `prenom.nom@entreprise.com`. Il est aussi possible de personnaliser les adresses de services Google avec le nom de domaine de l'entreprise (exemples : `http://mail.entreprise.com` pour accéder à la messagerie, `http://calendrier.entreprise.com` pour accéder aux agendas, etc.).

Google Apps connaît deux déclinaisons :

- L'édition **Standard**, destinée aux PME sans grand existant informatique. Cette édition est aujourd'hui gratuite.
- L'édition **Premium**, destinée aux grandes entreprises. Cette édition est payante. Elle offre des garanties de disponibilité, un système de filtrage et d'archivage des e-mails intitulé **Postini**. Elle offre aussi plus d'espace de stockage et surtout des API, permettant l'intégration des outils collaboratifs avec le système d'information de l'entreprise (*cf.* création des comptes utilisateurs, évoquée au chapitre 9).

Gmail

Gmail est l'outil de **communication asynchrone** de Google. C'est une messagerie RIA, développée en Ajax. L'application offre donc un bon niveau d'ergonomie au sein d'un navigateur. Elle peut aussi être accédée depuis un logiciel de messagerie classique comme Microsoft Outlook ou Mozilla Thunderbird. Elle offre des fonctions classiques de classement, carnet d'adresses, signature de mail, message d'absence de bureau, filtres automatiques, etc. Elle dispose d'un filtre anti-spam très efficace. De plus, elle offre une intégration avec l'outil de communication synchrone de Google, dont elle affiche les indicateurs de présence. Elle peut réceptionner des messages vocaux laissés via Gtalk.

Le classement de Gmail privilégie les mots clefs (libellés) plutôt que les répertoires pour classer les messages. L'avantage est qu'on peut affecter plusieurs libellés à un même message, tandis qu'on ne peut pas mettre un même message dans plusieurs répertoires. C'est parfois perturbant au démarrage et cet aspect peut nécessiter un **accompagnement au changement**.

Google Calendar

L'interface de Google Calendar est très facile à prendre en main : elle offre le même niveau d'ergonomie qu'une application client/serveur. Google Calendar permet de gérer et de partager plusieurs calendriers par utilisateur. L'application permet en particulier des calendriers publics, comme ceux des vacances scolaires ou des jours fériés. Grâce au support du standard iCal[1], il est possible d'accéder à son calendrier Google depuis une autre interface.

Figure 14.4 — L'interface de Gmail

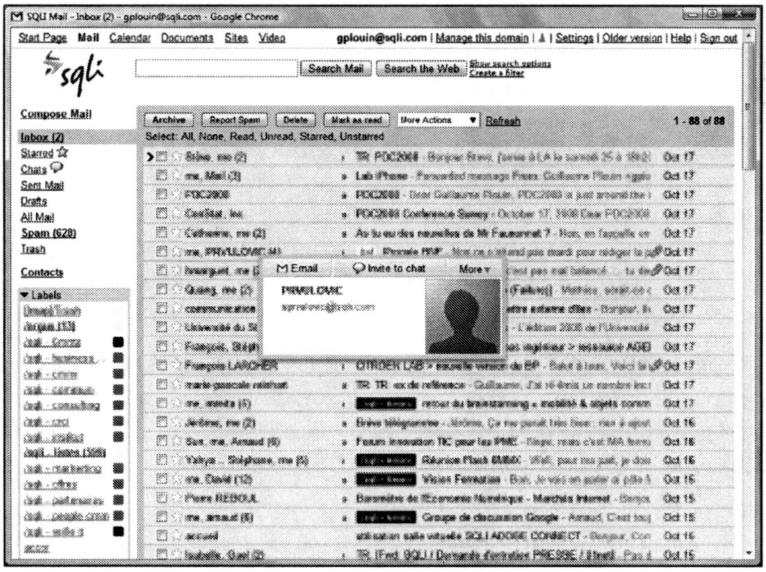

Figure 14.5 — L'interface de Google Calendar.

1. iCal est un standard d'accès aux calendriers, il permet d'accéder à ces derniers depuis Outlook, Thunderbird, ou depuis un portail en ligne comme Netvibes ou iGoogle.

Gtalk

Gtalk, l'outil de communication synchrone de Google, offre des fonctions de messagerie instantanée, téléphonie sur IP, visiophonie, transfert instantané de fichier. Gtalk permet de communiquer avec des utilisateurs en dehors de l'entreprise, en particulier avec des personnes utilisant d'autres outils de messagerie instantanée, grâce au support du protocole XMPP[1].

Google Docs, Sites, Blogger, Video

Google Docs est un environnement web qui couvre des fonctions de GED et de bureautique. Il propose des fonctionnalités d'édition de documents simplifiées correspondant aux besoins des utilisateurs courants (exemples : pas de table des index dans le traitement de texte, pas d'animations dans l'outil de présentation). En revanche, ses **possibilités de coédition et de communication synchrone autour des documents sont révolutionnaires pour un utilisateur de logiciel bureautique classique.**

L'organisation des documents utilise des libellés, à la manière de Gmail : ainsi un document peut appartenir à plusieurs arborescences, ce qui est impossible avec un serveur de fichier. Là encore, le mode de classement est déroutant, mais très puissant. L'outil permet aussi la recherche plein texte dans les documents, cœur de métier de Google.

Il offre une grande accessibilité aux documents :

- Depuis n'importe quel PC ou terminal mobile.
- Par un utilisateur hors de l'entreprise.
- Via d'autres outils de bureautique en ligne comme Zoho.

Lorsqu'un document est importé dans Google Docs, il est transformé dans un format spécifique à Google, qui ne gère pas les fonctions bureautiques avancées. Cet import peut donc déboucher sur une perte de certaines propriétés du document : par exemple, l'import d'un fichier Excel sophistiqué fait perdre les macros. **Il faut donc considérer Google Docs comme un outil de collaboration/partage plutôt que comme une GED, destinée à stocker tous les documents d'entreprise.**

Google Sites se rapproche plus d'une GED. Cet outil est présenté par Google comme un **wiki** : il permet à une équipe de créer et partager des contenus web, comme des documents. Google permet de constituer un intranet présentant des contenus vidéo.

Start Page est l'offre de portail d'entreprise de Google. L'outil permet d'agréger les informations issues des autres outils Google Apps. Il permet aussi d'afficher des flux d'informations (au format RSS) issus de publications diverses : actualité, indicateurs métiers, météo, etc. On peut aussi afficher dans Start Page des petites applications

1. XMPP signifie *Extensible Messaging and Presence Protocol*. C'est un protocole largement utilisé dans le monde de la messagerie instantanée.

intitulées *widgets*, et disponibles sur le web, comme par exemple des outils de cartographie, de calcul de trajet, etc.

14.2.2 Zoho Online Office

La suite de collaboration de Zoho est assez proche de celle de Google. Zoho a proposé de nombreuses innovations intéressantes et ses fonctionnalités ont souvent vu le jour avant celles du géant des moteurs de recherche. Zoho propose un vaste catalogue d'application, au sein duquel d'autres sociétés peuvent déployer leurs SaaS. Cette offre est une bonne illustration des fonctions de collaboration possibles en SaaS.

En revanche, les interfaces de sa suite sont moins ergonomiques et moins « finies » que celles de Google. Par ailleurs, la pérennité de Zoho reste à démontrer. Nous ne décrirons ici qu'une partie des nombreuses applications Zoho.

Zoho Mail

Zoho Mail est la Webmail de Zoho. C'est une messagerie RIA, développée en Ajax. Elle ne permet pas la délégation des noms de domaines, et donc pas la gestion directe des e-mails de type `prenom.nom@entreprise.com`.

Zoho Chat & Meeting

Zoho propose des outils de communication synchrone :

- Zoho Chat est une messagerie instantanée.
- Zoho Meeting est un système de webconférence qui permet le partage d'écran à distance.

Ces deux outils sont peu intégrés entre eux.

Zoho Docs & Wiki

Zoho Docs permet le classement et l'édition de documents bureautiques, à la manière de Google Docs. En revanche, les documents sont classés de manière hiérarchique, comme sur un serveur de fichiers.

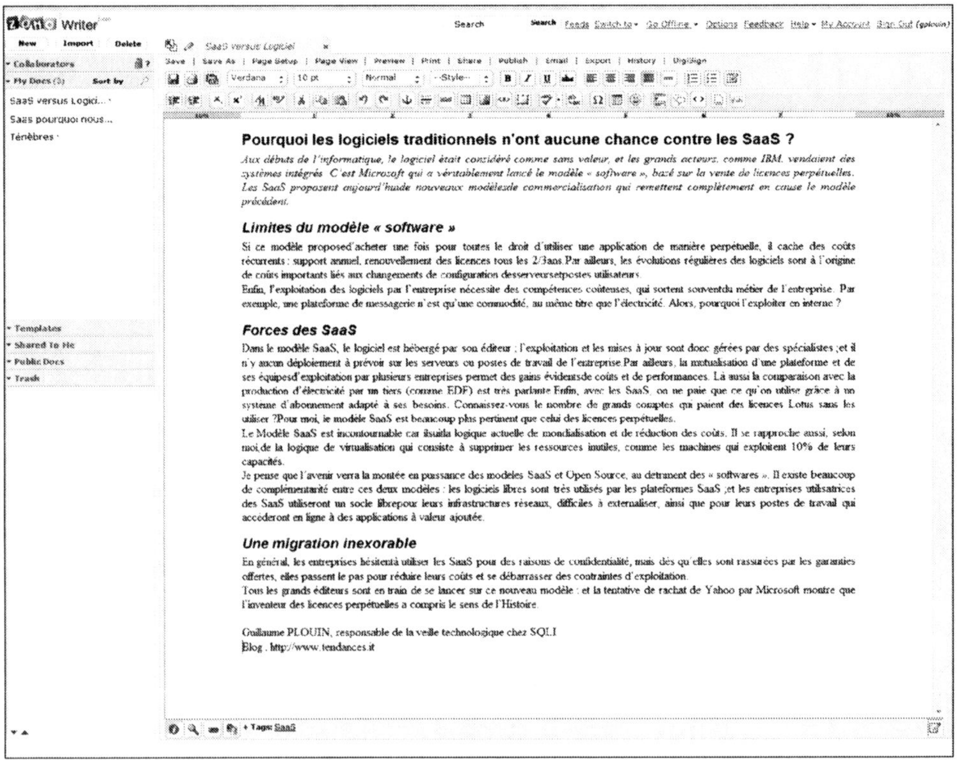

Figure 14.6 — L'interface de Zoho Writer, traitement de texte de Zoho.

Les outils bureautiques de Zoho permettent l'édition de fichiers tiers, grâce à leurs API : ainsi, il est possible d'éditer avec Zoho des documents stockés, par exemple, chez box.net.

Zoho Wiki permet de collaborer autour de contenus web.

14.2.3 Microsoft

Microsoft sort son offre de collaboration en 2009. L'éditeur de Redmond est arrivé tardivement dans le monde de SaaS, avec un rôle de suiveur.

Il est possible de faire un parallèle entre les offres Google et Microsoft :

- Solutions grand public : galaxie **Gmail** chez Google, galaxie **Windows Live** chez Microsoft.
- Solutions PME : offre **Google Apps édition Standard** chez Google, offre **Office Live** chez Microsoft.
- Solutions entreprises : offre **Google Apps édition Premium** chez Google, offre **Business Productivity Online Services (BPOS)** chez Microsoft.

Office Live

Office Live reprend les principes de Google Apps édition Standard (on peut par exemple déléguer la gestion de son nom de domaine à Office Live). Elle est néanmoins moins mature que Google Apps. Par ailleurs, elle suit la stratégie S + S (software + service) de Microsoft. Elle est donc très liée aux logiciels Office qui sont indispensables pour l'édition des documents, Office Live ne permettant que de les classer et de les consulter. Microsoft pousse aussi les utilisateurs d'Office Live à utiliser Outlook plutôt qu'une webmail.

Office Live ne correspond donc pas à notre définition des SaaS, puisque les interfaces ne sont pas toutes RIA : certaines restent client/serveur. Office Live ne permet pas de réduire les coûts liés aux licences bureautiques, ni les coûts liés aux déploiements sur les postes de travail.

Office Live propose les fonctions suivantes :

- **Office Live Workspace** pour la sauvegarde et le partage de documents. Pour éditer les documents à partir de Microsoft Office, il est nécessaire d'installer une extension spécifique à la suite bureautique.
- **Office Live Meeting** est une application de webconférence. Elle nécessite l'installation préalable d'un composant sur le navigateur. Ses fonctions sont équivalentes à celles de WebEx. La solution utilise le même mode de facturation.
- Pour les fonctions de **messagerie, carnet d'adresses, calendrier**, Office Live renvoie vers Windows Live, la solution grand public.
- Office Live propose une **place de marché** qui permet de déployer de nombreuses petites applications au sein de son espace de travail, un peu à la manière d'AppExchange Salesforce ou de Zoho.

Les fonctions évoquées ci-dessous sont encore immatures à l'heure où nous écrivons. Il est probable qu'elles deviennent plus pertinentes en 2009.

Business Productivity Online Services

Pour les grandes entreprises, Microsoft propose des versions hébergées de ses offres de référence :

- **Exchange Online** : il s'agit des fonctions de communication asynchrone proposées par Microsoft dans son offre « software » intitulée Exchange Server.
- **Office Communications Online** : il s'agit des fonctions de communication synchrone proposées par Microsoft dans son offre « software » intitulée Communication Server.
- **SharePoint Online** : il s'agit des fonctions de partage d'information unifié proposées par Microsoft. Cette version de SharePoint correspond à Windows SharePoint Services et non à Office SharePoint Server dans l'offre « software » de Microsoft. Elle propose donc un espace de partage pour une équipe projet, et non un portail.

BPOS est isofonctionnel avec l'offre « software » de Microsoft.

Microsoft propose par ailleurs une offre intitulée **Exchange Hosted Services** qui permet le filtrage et l'archivage des e-mails, à la manière de l'offre Postini de Google.

L'offre de collaboration « software » de l'éditeur de Redmond tend à s'unifier sous la terminologie « Unified Communications ». Il est donc probable que son offre SaaS s'intitulera un jour « Unified Communications Online Services », et qu'elle sera disponible sous la forme d'un seul service, à la manière de Google Apps.

La différence essentielle entre ces deux offres SaaS concurrentes est l'absence de bureautique chez Microsoft. L'éditeur de Redmond a annoncé la disponibilité de sa bureautique en ligne « **Office Web Application** » pour la sortie d'Office 14. Son modèle économique est aujourd'hui inconnu : Microsoft n'a cependant pas intérêt à ce que cette offre vienne cannibaliser son offre « software ». On sait qu'Office Web Application sera basé sur la technologie Silverlight.

Enfin, Microsoft a particulièrement soigné l'intégration de ses services Online avec le système d'information de l'entreprise : des outils de migration depuis Exchange et de synchronisation avec Active Directory sont proposés (voir figure 14.8). Si ces outils adressent uniquement l'intégration avec les autres produits Microsoft, ils sont plus faciles à utiliser que ceux de Google. Ces derniers adressent des intégrations avec des technologies plus variées, mais nécessitent plus de travail d'intégration.

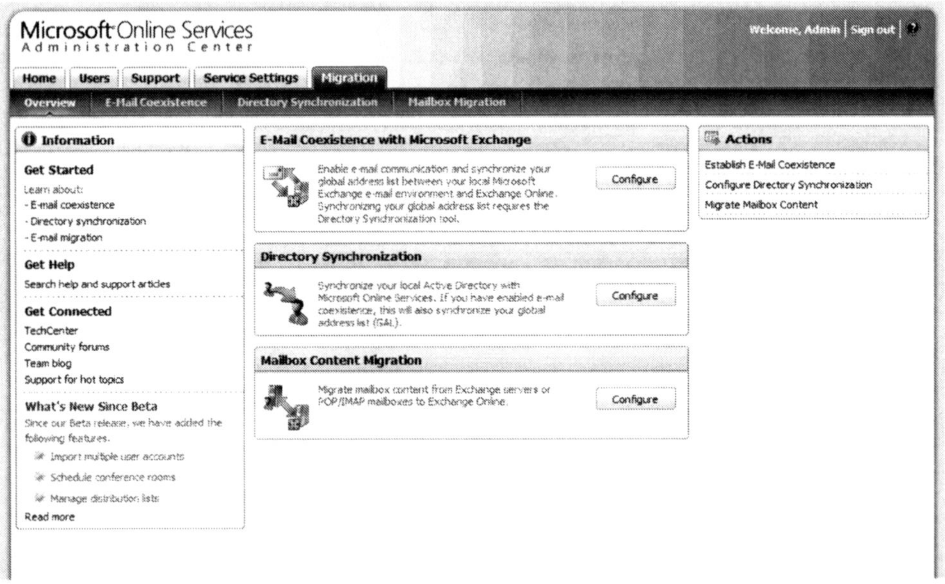

Figure 14.7 — La console d'administration de BPOS.

14.2.4 IBM BlueHouse

IBM a récemment lancé BlueHouse, son outil de collaboration SaaS. Cette solution est pour le moment gratuite. Elle reprend certaines fonctionnalités de Lotus, mais ne fournit pas pour l'instant de messagerie SaaS. On peut imaginer qu'elle offrira à terme toutes les fonctions de la gamme Lotus.

On trouve dans BlueHouse les fonctionnalités suivantes :

- **Communication synchrone avec « Meetings »**, un outil de webconférence qui nécessite l'installation d'une extension de navigateur spécifique. BlueHouse propose aussi d'utiliser la messagerie instantanée, mais celle-ci nécessite l'application Lotus SameTime.
- **Partage d'informations avec « Store & Share »** un outil de GED. L'offre ne propose pas de bureautique en ligne.
- **Partage de tâches avec « Activities ».**
- **Réseau social avec « Network ».**
- **Création de formulaires et de graphiques avec « Forms » & « LiveCharts ».**

On peut remarquer qu'IBM est un vrai nouvel entrant dans le monde des SaaS, puisque la société n'avait jusqu'alors pas de solution de messagerie grand public, contrairement à Microsoft ou Google. En revanche, IBM met immédiatement le pied dans les réseaux sociaux, une fonction en laquelle Big Blue semble croire : IBM propose en effet une offre de réseau social d'entreprise en mode « software » intitulée Lotus Connexions.

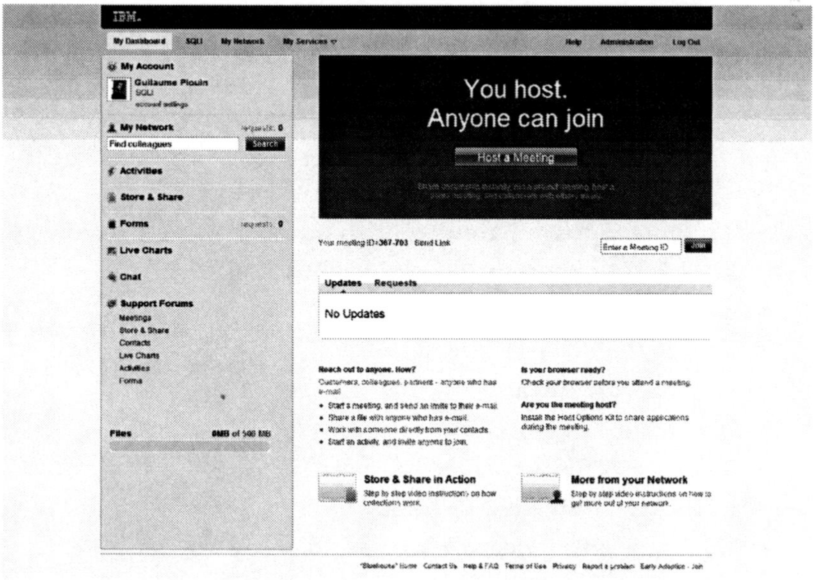

Figure 14.8 – L'interface de BlueHouse.

14.2.5 37Signals

37Signals est un acteur de référence dans le domaine de la gestion de projet en mode SaaS. Basecamp est leur outil phare. C'est donc un **outil de partage d'information intégré**, orienté gestion de projet. Il permet en particulier de créer un espace projet entre une société de service et un client. Basecamp permet de :

- Partager un des documents.
- Archiver des messages.
- S'affecter des tâches.
- Partager un calendrier.
- Partager un planning projet.

Basecamp propose des API permettant d'accéder aux informations liées au projet via des flux RSS ou une interface iCal.

Il est simple à prendre en main et assez productif grâce à son interface RIA. Il est très utilisé dans le monde des agences web.

La société 37Signals propose un certain nombre d'autres outils collaboratifs :

- **Campfire** : c'est un outil de collaboration synchrone permettant la messagerie instantanée et le partage instantané de documents.
- **Backpack** : c'est une sorte de wiki, permettant la réalisation rapide d'un Intranet, à la manière de Google Sites.
- **Highrise** : c'est un outil de partage de carnet d'adresses avec des fonctions simples de CRM.

14.2.6 WebEx

WebEx est une solution de référence pour la webconférence en mode SaaS, rachetée en 2007 par Cisco. Elle peut être utilisée sur abonnement ou en paiement à l'acte. Elle permet :

- L'organisation d'une conférence au travers d'un outil d'agenda partagé.
- Les échanges par messagerie instantanée.
- La téléphonie sur IP.
- La visiophonie.
- Le partage de bureau.
- Le partage d'applications.
- L'annotation de documents.
- Le transfert instantané de fichier.
- L'enregistrement vidéo de la conférence.

Au préalable, WebEx nécessite l'installation d'une extension de navigateur ou plug-in.

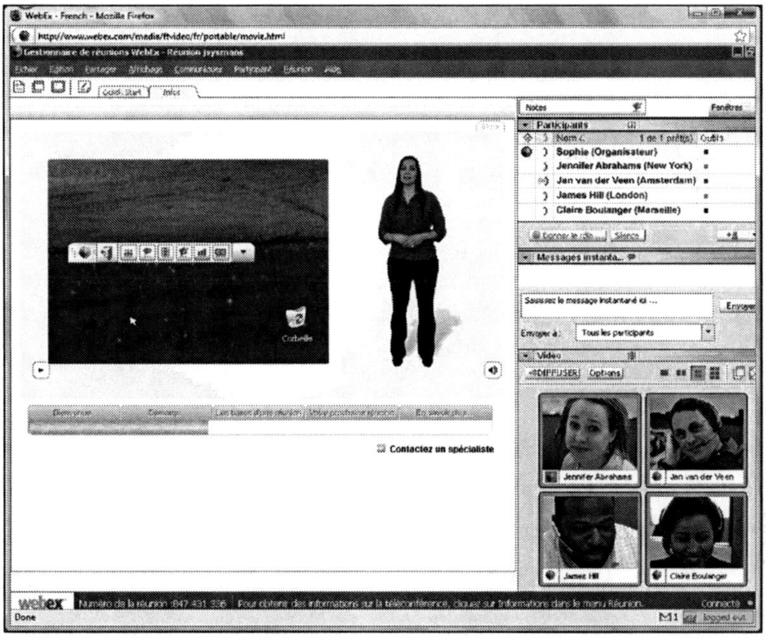

Figure 14.9 — L'interface de WebEx.

14.2.7 Adobe Acrobat

Acrobat Connect est une offre de webconférence issue du rachat de Macromedia par Adobe. En effet, Macromedia disposait d'une offre de communication synchrone intitulée Breeze basée sur sa technologie Flash. Acrobat Connect a donc un avantage sur WebEx car elle fonctionne grâce à Flash, une extension de navigateur extrêmement répandue. On peut donc considérer qu'elle ne nécessite aucune installation préliminaire.

Les fonctionnalités de la solution Adobe sont équivalentes à celles de WebEx. L'offre connaît deux déclinaisons :

- **Acrobat ConnectNow** est une offre gratuite destinée au grand public, mais limitée à trois interlocuteurs simultanés.
- **Acrobat Connect Pro** est destiné aux entreprises. Elle est facturée sur abonnement ou à l'usage.

Adobe propose par ailleurs un outillage de création et de gestion des documents PDF : nous reviendrons sur ces outils dans le chapitre consacré au cycle de vie des documents.

14.2.8 Thinkfree

Thinkfree et une solution de **bureautique en ligne**, basée sur la technologie Java. Elle nécessite donc l'installation préalable de l'environnement Java. On peut regretter la lenteur de chargement de ses interfaces, en revanche celles-ci sont assez proches de celles d'un logiciel bureautique de type Microsoft Office ou Open Office : leur qualité est remarquable.

Thinkfree propose aussi une **GED bureautique** permettant le stockage et le partage des documents. Il est possible d'accéder à cette GED depuis des outils bureautiques installés sur le poste de travail (*cf.* le modèle S + S de Microsoft).

14.2.9 ContactOffice

ContactOffice est une **suite collaborative SaaS** qui propose des fonctions classiques de :

- Communication synchrone : messagerie/carnet d'adresses en envoi de SMS.
- Communication asynchrone : messagerie instantanée.
- Partage d'informations : GED, wiki, favoris web, forum.

ContactOffice ne propose pas de bureautique en ligne. Un logiciel bureautique déployé sur poste de travail est donc nécessaire. Son interface est plus proche d'une interface web classique que d'une interface RIA : sa productivité et son ergonomie sont donc limitées.

L'offre entreprise propose diverses formes d'abonnement en fonction de l'espace de stockage souhaité.

14.2.10 Huddle

Huddle est un **outil de partage d'informations SaaS** qui propose des fonctions de GED, gestion de contenus web avec commentaires, forum et tâches. Huddle ne propose pas de bureautique en ligne, mais s'appuie sur les outils de traitement de texte et tableur de Zoho, grâce à l'intégration des API de ce dernier.

L'offre entreprise propose diverses formes d'abonnement en fonction de l'espace de stockage souhaité.

14.2.11 SocialText

SocialText est un outil de partage d'informations SaaS de type wiki qui offre des fonctionnalités de réseau social. Il permet en effet de créer des « graphes sociaux », c'est-à-dire des réseaux de collaborateurs ayant des affinités entre eux ou partageant une même expertise. La création de ces réseaux permet de mettre en contact plus facilement des personnes qui travaillent sur le même sujet, et d'éviter le syndrome des collaborateurs qui creusent le même sujet en parallèle sans s'entraider.

L'offre entreprise propose diverses formes d'abonnement en fonction du nombre d'utilisateurs et de l'espace de stockage souhaité.

En résumé

Ce chapitre a présenté des solutions SaaS offrant des fonctions de collaboration : communication synchrone, communication asynchrone, et partage d'information unifié.

Les offres les plus avancées sur l'ensemble de ces fonctions sont celles de Google, Microsoft et Zoho. D'autres offres sont très pointues sur une fonction collaborative précise comme celles de 37Signals (Basecamp), de WebEx, ou d'Adobe.

15

Les services de cycle de vie des documents

Objectif

Le déport de l'archivage des documents vers des prestataires est une pratique courante pour beaucoup d'entreprises.

Ce chapitre présente, au-delà de l'archivage, l'ensemble des fonctions du cycle de vie des documents. Puis il présente des offres SaaS disponibles dans ce domaine.

15.1 LE CYCLE DE VIE DES DOCUMENTS

Commençons par quelques rappels sur la gestion du cycle de vie des documents dans le monde des entreprises[1].

La gestion de ce cycle de vie est une problématique importante pour le fonctionnement des entreprises. Ses enjeux sont complexes :

- Les documents de gestion courante, comme les documents projets, doivent être archivés quelques années, mais pas forcément pérennisés. Leur destruction à une date pertinente permet de décharger les serveurs de l'entreprise et de réduire les temps de recherche dans la masse documentaire.

1. Voir Rietsch J.-M., Chabin M.-A., Caprioli É., *Dématérialisation et archivage électronique. Mise en œuvre de l'ILM (Information Lifecycle Mangement)*, Dunod, 2006.

- Les documents métiers constituent le cœur de la connaissance de l'entreprise : il est donc important de les pérenniser dans la durée, de les classer intelligemment pour faciliter leur accès aux collaborateurs, et de les protéger d'un accès illicite par d'éventuels concurrents.
- Les documents administratifs sont critiques pour pouvoir produire les preuves légales à tout instant. Leur bonne conservation est essentielle.

Les arbitrages possibles sur la conservation des documents sont présentés sur la figure 15.1.

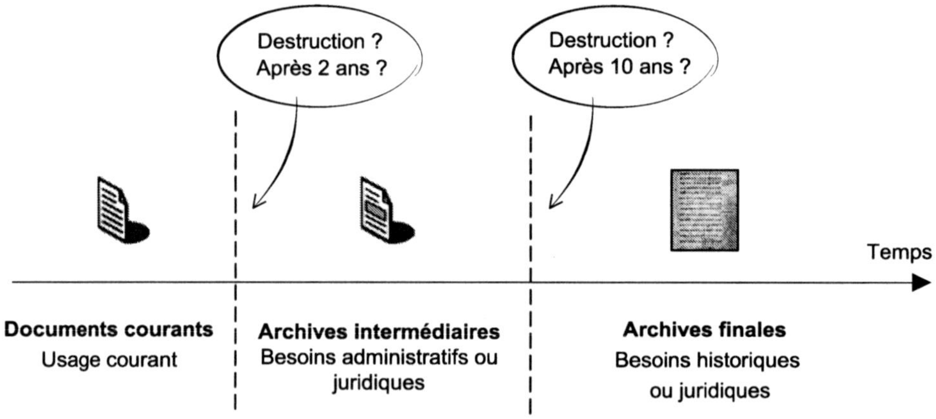

Figure 15.1 — Typologies de documents et conservation.

Le cycle de vie des documents est généralement décomposé en plusieurs étapes présentées dans les paragraphes suivants.

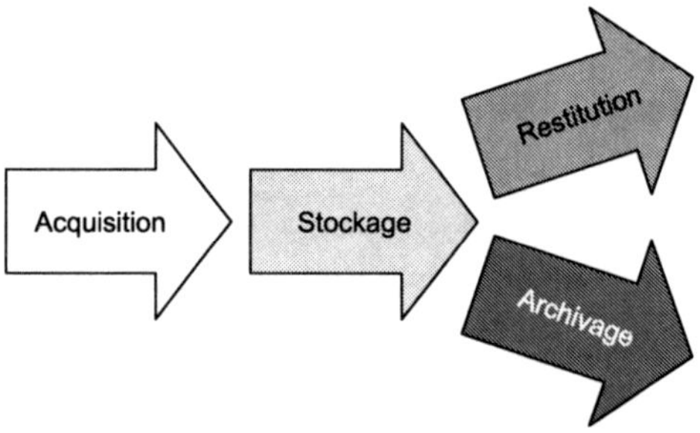

Figure 15.2 — Les étapes du cycle de vie des documents.

Acquisition

L'acquisition est l'étape de création et de classement d'un document.

Un document numérique sera inséré en l'état ou bien transformé dans un format assurant sa pérennisation, comme le format PDF[1]. Un document issu d'un support papier pourra être scanné, et éventuellement passé dans un logiciel de reconnaissance de caractères, afin d'extraire son texte.

Le classement des documents peut suivre plusieurs stratégies :

- **Plan de classement hiérarchique** : modèle classique des serveurs de fichiers.
- **Classement par mots clefs** : *cf.* les solutions évoquées plus haut, comme Google Docs.
- **Pas de plan de classement** : on compte sur la recherche plein texte.

Lorsque l'acquisition est menée au travers d'une application spécialisée, il est nécessaire de disposer d'une API d'accès à l'application de stockage, afin de pouvoir y insérer les documents acquis.

Stockage

Le stockage consiste à assurer la persistance des documents sur un support fiable en appliquant des règles de sauvegarde adaptées pour pouvoir les restituer en cas de désastre (incendie, inondation, etc.).

On exige généralement des temps d'accès rapides depuis le support de stockage, afin de pouvoir travailler de manière courante sur les documents concernés.

Restitution

La restitution consiste à mettre les documents à la disposition des utilisateurs. Afin d'empêcher les accès frauduleux, il est nécessaire d'identifier ces utilisateurs, donc de gérer leur authentification et leurs droits d'accès.

La restitution nécessite de faciliter l'accès aux documents pour les utilisateurs : ces derniers accéderont au contenu par recherche ou par navigation. La restitution peut aussi permettre la matérialisation des documents par impression, envoi de télécopie, etc.

Lorsque la restitution est menée au travers d'une application spécialisée, il est nécessaire de disposer d'une API d'accès à l'application de stockage, afin de pouvoir y collecter les documents.

Archivage

L'archivage consiste à préserver l'intégrité et de la lisibilité des documents afin d'assurer une possibilité de restitution à longue échéance. Il s'agit de lutter contre l'usure et la dégradation des supports documentaires, de s'assurer que les formats utilisés ne sont pas frappés d'obsolescence et restent lisibles.

---

1. Il existe une déclinaison du format PDF dédiée à l'archivage : le PDF/A. Ce format est normalisée par l'ISO et offre donc une garantie de lisibilité sur le long terme.

La lutte contre la dégradation des supports passe généralement par des solutions de stockage comme des SAN (*Storage Area Network*) ou des CD-ROM spécifiques comme les WORM (*Write Once, Read Many*). La garantie de lisibilité passe par l'usage de formats pérennisés comme le PDF/A, évoqué précédemment, ou des formats basés sur XML (formats Open Document et Open XML). Les formats XML sont ici très pertinents pour garantir la relecture à long terme, car ils reposent sur du texte ASCII[1], un format fondamental dans l'informatique, lisible par tous les systèmes.

L'archivage peut être délégué à un prestataire : le tiers archiveur. C'est alors lui qui fournira alors des API pour permettre l'accès aux documents.

La pertinence des SaaS

Les SaaS peuvent être pertinents à plusieurs étapes du cycle de vie des documents :

- **Stockage** : on a vu précédemment que les opérateurs SaaS disposent de *datacenters* redondants, offrant de bonnes garanties sur l'intégrité des documents en cas de sinistre. De plus, ils proposent des API qui facilitent l'accès aux documents depuis d'autres applications.
- **Restitution** : les opérateurs SaaS, et en particulier ceux spécialisés dans la recherche, proposent des systèmes pertinents pour la recherche et la classification des documents par mots-clés. Il existe par ailleurs des prestataires spécialisés dans l'impression.
- **Archivage** : certains opérateurs SaaS se sont spécialisés dans l'archivage et sont devenus tiers archiveurs.

Les offres Google, Zoho, Microsoft, IBM, 37Signals, etc. présentées précédemment sont plus axées sur la collaboration que sur le cycle de vie des documents. Elles offrent cependant certaines fonctions liées à ce cycle.

15.2 LES OFFRES DE GESTION DES DOCUMENTS

15.2.1 Adobe Acrobat.com

L'offre acrobat.com proposée par Adobe permet de gérer plusieurs étapes du cycle de vie :

- Étape d'acquisition : **buzzword** est un traitement de texte en ligne, qui permet de créer des documents directement ou bien de les importer.
- Étape de stockage : **MyFiles** est un espace de stockage qui permet de gérer les droits d'accès aux documents avec des personnes identifiées par leur e-mail.
- Étape de restitution : **Create PDF** est un système qui permet la génération de documents au format PDF, pour les conserver sous une forme plus pérenne.

1. ASCII signifie *American Standard Code for Information Interchange*.

Acrobat.com utilise la technologie RIA Flash : son interface est donc très ergonomique. Ses capacités d'import/export sont multiples. La gestion des accès est sécurisée par le protocole SSL.

Cette offre SaaS est en réalité une version hébergée et simplifiée de l'offre Adobe LiveCycle Enterprise Suite, une solution complète de gestion du cycle de vie des documents proposée en mode « software ».

Acrobat.com est aujourd'hui une offre gratuite : il est probable qu'Adobe continuera à proposer une offre gratuite pour le grand public, et que l'éditeur sortira à terme une offre payante pour les entreprises avec des fonctionnalités proches de celles d'Adobe LiveCycle Enterprise Suite.

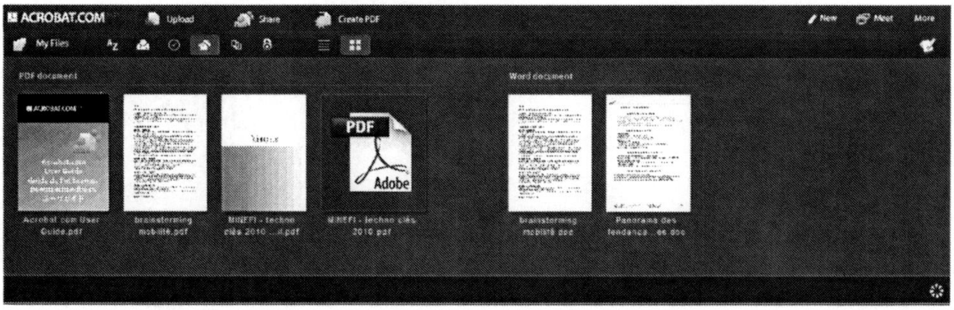

Figure 15.3 — L'espace de stockage acrobat.com

15.2.2 Adobe photoshop.com

photoshop.com est un outil **d'édition de documents** graphiques : il permet la retouche de photos. Cette offre SaaS est en réalité une version hébergée et simplifiée de l'offre Adobe Photoshop, application phare de l'éditeur.

photoshop.com est aujourd'hui une offre gratuite : il est probable qu'Adobe continuera à proposer une offre gratuite pour le grand public, et que l'éditeur sortira à terme une offre payante pour les entreprises avec des fonctionnalités plus évoluées.

À propos de l'infographie SaaS

Faire de l'infographie en ligne semble assez séduisant pour les utilisateurs occasionnels de ces types d'outils dans la mesure où le prix et le temps de déploiement de véritables outils d'infographie sont plutôt dissuasifs.

Pour ce qui concerne les professionnels, les outils SaaS devront savoir gérer un certain nombre de challenges :
- la manipulation d'images de grandes tailles ou de vidéos nécessite beaucoup de mémoire, et il n'est pas sûr que les RIA sachent bien les gérer ;
- la sauvegarde régulière de gros fichiers nécessite des réseaux à très haut débit, et ces débits ne sont pas disponibles avec des applications déportées sur Internet ;
- la création d'effets (traitement d'images et de vidéos, rendus 3D) nécessite beaucoup de ressources processeur, et par conséquent des datacenters très puissants.

15.2.3 sumo.fi

Sumo est outil SaaS **d'édition de documents** graphiques. Il propose le dessin vectoriel, à la manière d'Adobe Illustrator, c'est-à-dire qu'il permet de dessiner une image sur la base de primitives graphiques redimensionnables comme des rectangles, des ovales, etc. Son interface utilise la technologie Flash.

Nous avons choisi d'évoquer cet outil car il montre que les SaaS peuvent proposer des interfaces très sophistiquées, proches de celles des logiciels « software ».

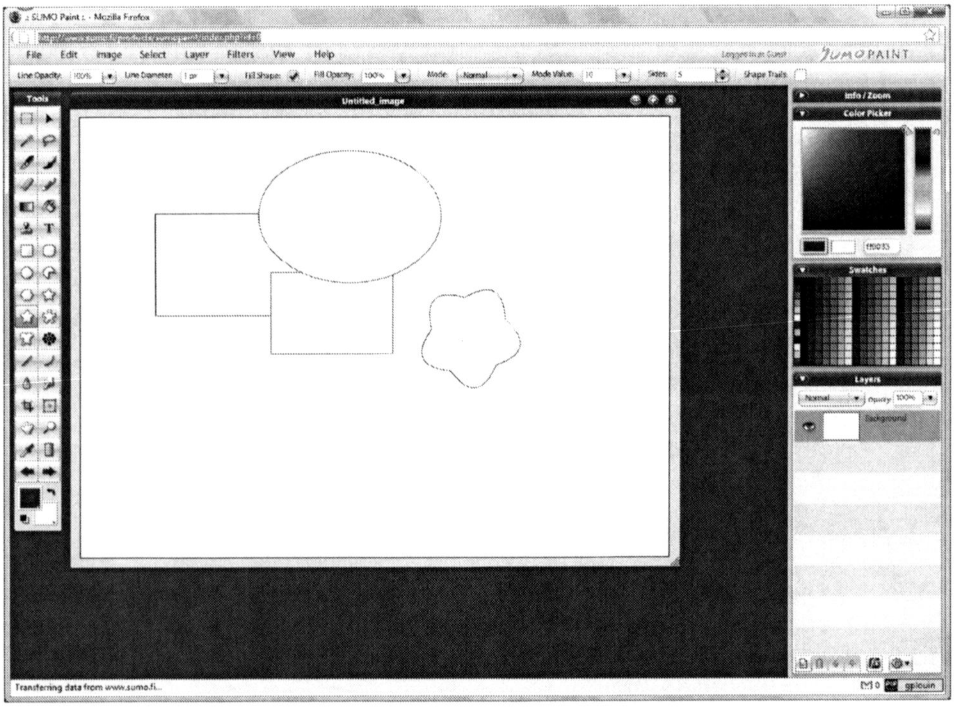

Figure 15.4 – L'outil de dessin vectoriel SUMO.

15.2.4 a.viary.com

Aviary propose une gamme d'outils d'infographie, à la manière de l'offre Adobe Creative Suite (qui intègre Photoshop, Illustrator, Flash, etc.). L'offre d'Aviary est entièrement en ligne. Elle constitue un aperçu des outils en ligne qu'Adobe pourrait proposer à terme aux graphistes occasionnels. Bien entendu, les fonctionnalités d'Aviary sont beaucoup moins vastes que celles de Creative Suite.

15.2.5 picnik.com

Picnik est une offre **d'édition**, de retouche photo comparable à photoshop.com ou Aviary Phoenix. Elle est basée sur la technologie Flash. Sa force est qu'elle est interfacée avec les API de Flickr, Picasa, Facebook. C'est ainsi l'outil de retouche photo que proposent ces sites pour éditer leurs contenus.

Picnik est ainsi un bel exemple d'interfaçage entre un outil d'édition de documents SaaS et des espaces de stockage SaaS (voir la suite de ce chapitre).

15.2.6 box.net

box.net est une offre de **stockage et partage** SaaS. De même que l'offre d'Adobe, elle permet de déporter ses documents et de les partager avec toute personne identifiée par son adresse e-mail. En revanche, l'offre box.net ne privilégie pas de format de fichier en particulier : on peut y stocker tous types de fichiers.

Par ailleurs, box.net propose des API très riches. En effet, si la solution n'offre pas d'outil d'édition, il est possible de modifier ses contenus depuis des outils SaaS tiers comme le traitement de texte Zoho Writer, le tableur Zoho Spreadsheet ou l'outil de retouche d'image Picnik. C'est une des grandes innovations proposées par box.net.

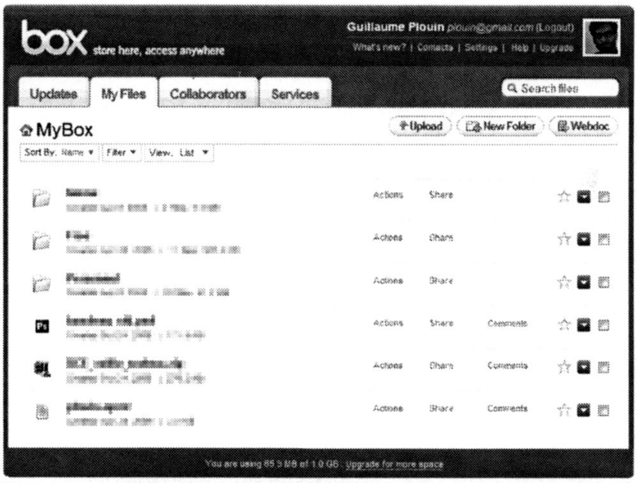

Figure 15.5 — L'espace de stockage box.net.

15.2.7 Oodrive

Oodrive est un opérateur SaaS français qui propose deux solutions destinées aux entreprises : Iextranet et Adbackup.

Iextranet

Iextranet est une solution de **stockage et de partage documentaire** en ligne : elle adresse les étapes d'acquisition, stockage et restitution du cycle de vie des documents. Elle permet de gérer un fond documentaire arborescent avec une gestion sophistiquée de droits d'accès. Elle permet aussi d'envoyer de gros fichiers à des partenaires au travers d'un système d'envoi de liens par e-mail : ces derniers peuvent alors récupérer les fichiers sans créer d'identifiant/mot de passe sur la plate-forme.

Iextranet est une solution intéressante pour les entreprises qui souhaitent un haut niveau de sécurité. En effet, les échanges sont sécurisés par SSL, les documents sont conservés sur les serveurs d'Oodrive sous forme chiffrée, et la solution offre une traçabilité de tous les échanges.

La solution offre la visualisation d'images et de plans, ce qui lui permet de proposer des déclinaisons métiers pour les secteurs de la communication et du BTP.

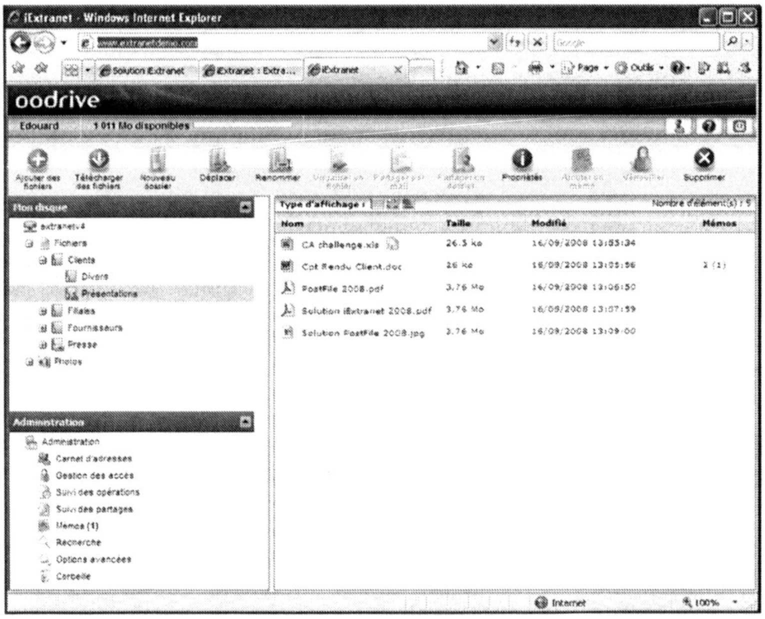

Figure 15.6 — IExtranet.

Adbackup

Adbackup est une solution SaaS de **sauvegarde documentaire**. Elle se substitue à une sauvegarde sur Intranet et permet de gérer les risques de désastre (inondation, incendie, vol, etc.). Les documents sont conservés sous forme chiffrée sur les serveurs d'Oodrive. Adbackup est une bonne illustration des bénéfices des SaaS en termes de garantie d'intégrité sur les données.

15.2.8 newworks.com

NewWorks est une solution de **restitution des documents** sous forme imprimée. L'offre permet de stocker des documents en vue de leur impression sous diverses formes : carte de visite, cartes de vœux, papier à en-tête, rapports, etc.

Il existe de nombreuses offres analogues, en particulier dans le monde grand public, destinées à l'impression de photos personnelles ou d'albums photos. On peut citer les services PhotoWays, HP, Kodak, etc.

15.2.9 Flickr & Picasa

Les services Flickr et Picasa, proposés respectivement par Yahoo et Google, sont des **offres de stockage en ligne spécialisés sur les documents graphiques**. Flickr est l'offre la plus avancée : elle est disponible pour les particuliers et les professionnels.

En termes d'acquisition, Flickr propose le transfert en masse des images vers ses serveurs via un logiciel spécialisé: le Flickr Uploadr. Le classement s'effectue par mots-clefs, par albums et par collections.

La **restitution** est proposée en RIA pour PC ou mobile. Il est possible de restreindre l'accès à des personnes identifiées par leurs adresses e-mails, ou à des groupes de personnes. On peut consulter les images une à une ou sous forme de diaporama en ligne.

Flickr propose de puissantes API, et un important écosystème d'application utilise ces API pour :

- envoyer des images vers Flickr ;
- géo-localiser automatiquement les images via un système GPS[1] ;
- présenter les images sous diverses interfaces et en particulier intégrer les diaporamas sur un site web ;
- proposer l'impression des images stockées chez Flickr.

De nombreuses entreprises ont aujourd'hui recours à ce service pour déporter le stockage de leurs documents graphiques publics.

1. GPS signifie *Global Positioning System*

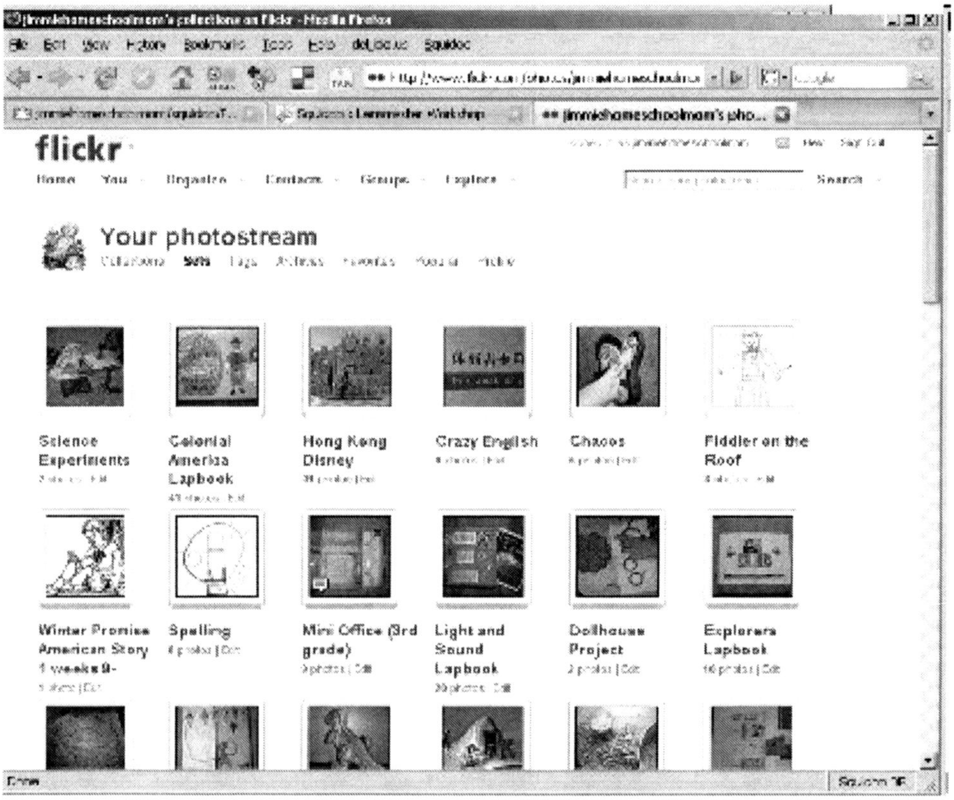

Figure 15.7 — L'interface de Flickr.

On peut noter que Flickr s'est essayé avec peu de succès au stockage des vidéos. Il semble ainsi qu'il est difficile de créer une offre unifiée et pertinente dans le domaine du stockage de médias.

15.2.10 YouTube & DailyMotion

Les services YouTube et DailyMotion sont des offres de **stockage en ligne spécialisés sur les vidéos**. YouTube est l'offre la plus avancée : elle est disponible pour les particuliers et les professionnels. La version professionnelle, intitulée Google Video, est intégrée à Google Apps (voir chapitre 14). Seule cette version permet le stockage de vidéo de plus de 10 minutes.

De même que Flickr, YouTube permet **l'import en masse** via un logiciel spécialisé. Le classement s'effectue par mots-clefs et catégories. Il est possible de localiser les vidéos sur un fond de carte.

La **restitution** est proposée en RIA en technologie Flash pour PC ou mobile : une version spécifique pour l'iPhone est disponible. Il est possible de restreindre l'accès à des personnes identifiées par leurs adresses e-mails, ou à des groupes de personnes.

YouTube propose de puissantes API, et un important écosystème d'application utilise ces API pour :

- envoyer des vidéos vers YouTube ;
- présenter les vidéos sous diverses interfaces et en particulier les intégrer sur un site web.

De nombreuses entreprises ont aujourd'hui recours à ce service pour déporter le stockage de leurs vidéos publiques.

15.2.11 SlideShare

SlideShare est un service de **restitution** spécialisé sur la présentation en ligne de documents de type PowerPoint. Il permet d'acquérir, de classer, et de gérer les droits d'accès sur ses présentations, puis de les présenter en RIA au format Flash. Les présentations peuvent être consultées en plein écran. Elles peuvent aisément être intégrées à un site web grâce aux API fournies par SlideShare.

15.2.12 CDC Arkhinéo

Arkhinéo est une offre SaaS du groupe CDC (Caisse des Dépôts) dédié à **l'archivage documentaire** en ligne. Son offre intitulée « coffre-fort électronique » assure l'archivage longue durée de tous les types de documents électroniques (factures, contrats, images-chèques, bulletins de salaires, e-mails, etc.) sous forme scellée et sécurisée. Elle propose la mise en œuvre d'un tableau de conservation afin de décider de la durée d'archivage nécessaire (1 an, 10 ans, 30 ans, indéfinie). Elle s'appuie sur des *datacenters* distants de plus de 450 km.

CDC Arkhinéo en qualité de tiers archiveur peut certifier, grâce au procédé de scellement utilisé, que le document restitué n'a pas été modifié. Le document peut ainsi servir de preuve vis-à-vis de la justice. Cette offre met donc très fortement l'accent sur la valeur juridique des documents.

15.2.13 Google Book Search

Google Book Search n'est pas à proprement parler une offre destinée aux entreprises, mais c'est un service intéressant, très représentatif des possibilités qu'offrent les SaaS en termes de gestion du cycle de vie des documents. Nous avons donc souhaité l'aborder dans cet ouvrage.

Book Search est un projet de numérisation à grande échelle du fond documentaire issu des bibliothèques régionales et universitaires : son objectif est la mise à disposition en ligne et gratuite des livres issus de ces établissements auprès du grand public. L'ambition de Google est de numériser 50 millions d'ouvrages. Le projet représente un coût astronomique, mais Google pense s'y retrouver grâce à l'insertion de publicités ciblées et grâce au commissionnement sur la vente d'ouvrages consultés au sein de son service.

Cette numérisation massive de textes libres de droits pour certains, mais protégés par copyright pour d'autres, soulève d'importantes questions de droits sur la propriété intellectuelle des contenus, et plusieurs éditeurs ont intenté un procès à Google.

Google gère la **phase d'acquisition** via des scanners qui permettent de numériser les livres sans les disloquer, les documents sont ensuite passés dans un système de reconnaissance de caractère pour extraire leur texte. Aucun plan de classement n'est utilisé : l'accès aux ouvrages se fait par recherche sur le titre, l'auteur ou sur le texte du livre.

La **restitution** est proposée en RIA. Il est possible de chercher dans le corps des ouvrages. On peut afficher l'image du livre ou son texte. Il est aussi possible d'obtenir une copie au format PDF, pour les livres libres de droits. Pour les livres soumis à copyright, seuls des extraits de texte sont consultables.

On peut imaginer des déclinaisons de ce service SaaS pour les entreprises sur abonnement ; ces dernières auraient ainsi accès à une recherche plein texte sur des ouvrages traitant de leur métier (documentation juridique, documentation informatique, documentation sur telle ou telle industrie, etc.).

En résumé

Ce chapitre a présenté des solutions SaaS permettant de gérer le cycle de vie des documents : acquisition, stockage, restitution, archivage.

L'offre d'Adobe est assez prometteuse pour couvrir l'ensemble du cycle de vie. De nombreuses petites offres présentent un aperçu de ce à quoi pourrait ressembler l'infographie en ligne dans le futur. Des offres sont assez avancées pour le stockage et l'archivage : celles de box.net, Oodrive, CDC Arkhinéo.

Enfin, Microsoft et Google devraient présenter rapidement leurs offres de stockage en ligne.

16

Les progiciels intégrés

Objectif

Ce chapitre passe rapidement en revue quelques offres de progiciel SaaS. Cette offre est vaste et en pleine croissance : il est donc difficile de la cerner de manière exhaustive et de la décrire complètement.

Il faut noter par ailleurs qu'il existe de nombreuses offres de progiciels en mode infogéré. Il ne s'agit pas alors de SaaS à proprement parler. Nous avons pris le parti de ne pas décrire ces offres.

16.1 SOLUTION DE GESTION DE LA RELATION CLIENT

La CRM (gestion de la relation client) est une fonction relativement simple à externaliser, car les équipes commerciales travaillent souvent de manière très autonome. L'intégration de la CRM au système d'information s'effectue généralement par une ressaisie manuelle des commandes par les commerciaux lorsqu'une affaire est gagnée. C'est ainsi une des premières gammes de progiciels à être allée vers le modèle SaaS.

16.1.1 Salesforce

La principale application proposée par Salesforce est la CRM, mais la solution offre aussi des fonctionnalités de marketing, gestion de force de vente, support client, analyse, etc.

Il est non seulement possible d'intégrer les comptes utilisateurs (identifiants/mots de passe) à ceux de l'entreprise, mais aussi d'échanger des flux de données entre la CRM et les fonctions de gestion financière situées dans le système d'information.

Salesforce peut s'intégrer avec Outlook pour le rapatriement des contacts clients. Elle peut aussi s'intégrer avec Google Apps pour tirer parti de ses fonctions collaboratives.

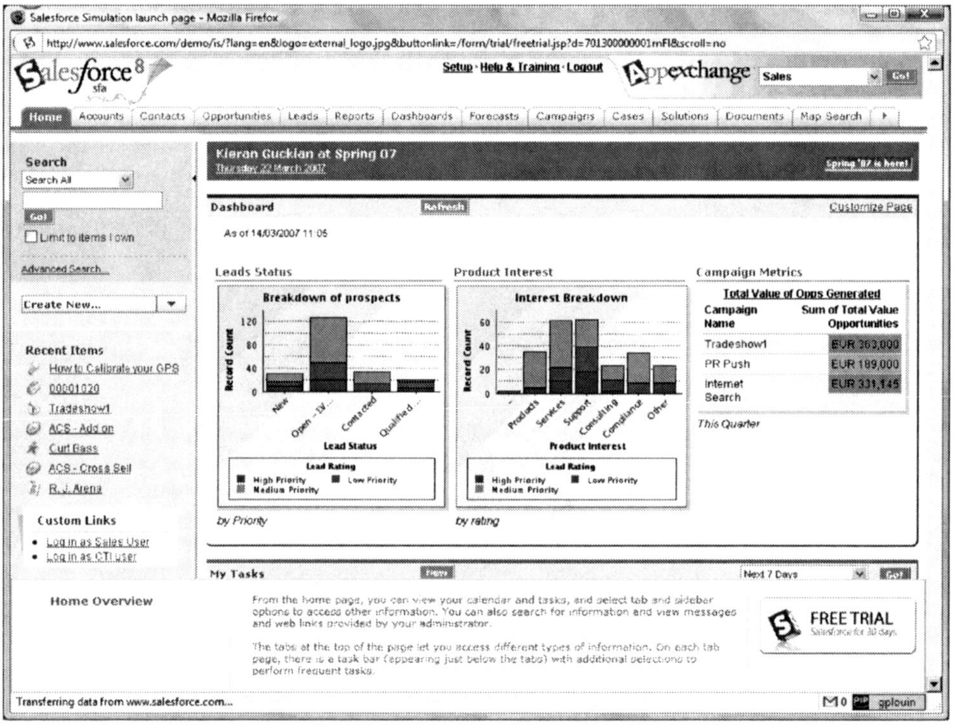

Figure 16.1 – La CRM Salesforce.

Comme on l'a vu précédemment, Salesforce propose par ailleurs sur App Exchange un vaste écosystème d'applications SaaS répondant à divers besoins : analyse et tableaux de bord décisionnels, gestion des ressources humaines, gestion financière, gestion d'acheminement, gestion de projet, gestion de centre d'appel, outils marketing, gestion des relations partenaires, etc.

16.1.2 Microsoft Dynamics CRM Online

Microsoft propose une offre de CRM dans sa gamme Online : Dynamics CRM Online. Les fonctionnalités de la solution sont proches de celles de Salesforce. Elle s'intègre fortement avec Outlook. Il est probable que les autres outils de la gamme Dynamics soient un jour disponibles en mode SaaS.

16.1.3 Sage CRM.com

La solution de Sage offre les fonctionnalités classiques. Elle se distingue par la richesse et l'ergonomie de son interface. C'est la première brique ERP que Sage propose en mode SaaS : d'autres suivront probablement.

16.1.4 Zoho CRM

L'offre de Zoho permet de gérer les contacts, devis, commandes, achats, factures, etc. Elle propose une page d'accueil personnalisable. Elle permet l'import de données fournisseurs, contacts, produits.

16.2 GESTION RH

L'externalisation des fonctions RH est assez fréquente, à la manière de la CRM. Ce sont en effet des applications à usage peu fréquent : édition des salaires une fois par mois, entretiens annuels une fois par an, etc.

16.2.1 ADP GSI

ADP GSI est un acteur positionné de longue date sur l'externalisation des fonctions RH. Il propose des solutions pour toutes les tailles d'entreprises.

Son offre est accessible au travers d'un portail : le **kiosque Vision**. Il offre les fonctions suivantes :

- gestion de la paie,
- gestion des carrières et compétences,
- gestion des déclarations sociales,
- gestion de la formation,
- gestion de l'administration du personnel,
- gestion du reporting social et du décisionnel RH,
- gestion des feuilles de temps et activités.

16.2.2 Zoho People

Zoho People est une solution basique de gestion des différents aspects liés aux ressources humaines : recrutement, organisation, départements, salaires, absences, vacances, etc.

16.3 ANALYSE DÉCISIONNELLE

16.3.1 Solutions issues du monde de l'analyse de trafic des sites web

Xiti

Xiti est un outil historique dans le monde de l'analyse de trafic des sites web. Il a évolué vers des fonctions décisionnelles.

La gamme Xiti comporte en particulier :

- **Analyzer** : l'outil permet le suivi en temps réel du trafic et des indicateurs de performance, l'aide à la prise de décisions, le calcul de ROI des actions marketing online.
- **DataExplorer** : l'outil permet la segmentation et l'analyse des populations accédantes.
- **Observer** : l'outil permet le monitoring en temps réel de l'accessibilité du site.

Google Analytics

Google Analytics est issu du rachat de la solution Urchin. L'usage de cette solution est gratuit. Elle permet la mesure du trafic web, l'analyse du comportement des utilisateurs, le suivi des objectifs marketing. Elle est destinée à fonctionner en association avec le système d'encarts publicitaires AdSense de Google. Elle peut cependant être utilisée pour d'autres types de suivi.

16.3.2 Solutions destinées à l'analyse décisionnelle

Il existe des solutions SaaS pour l'analyse de données clients et la création de rapports décisionnels. On peut citer parmi elles : LucidEra, LOKAD, RB-Apps.

16.4 SUITES ERP

16.4.1 SAP Business by Design

L'offre SaaS de SAP est destinée uniquement aux PME. Elle couvre, en version simplifiée, les fonctions :

- comptabilité et finances,
- paye,
- RH,
- CRM,
- gestion logistique,
- gestion de projet,
- gestion de la conformité.

Elle constitue les premiers pas dans le monde SaaS d'un éditeur issu d'un modèle très différent : celui des gros progiciels. Les observateurs affirment que la transition est difficile pour SAP.

16.4.2 Cegid Business on Demand

L'offre SaaS de Cegid couvre les fonctions de comptabilité, finances, gestion commerciale, CRM et paye.

En résumé

Le marché des progiciels en ligne est émergent, amené à se développer dans les prochaines années. Certaines solutions comme celles de Salesforce, ADP GSI, Sage sont déjà largement adoptées.

17

Perspective : le modèle du bureau en ligne

Objectif

La richesse de l'offre SaaS disponible à ce jour commence à rendre possible la création d'un environnement de travail entièrement en ligne, accédé uniquement via un navigateur.

Cette possibilité est aujourd'hui réservée à des cas un peu spécifiques. Cependant, la généralisation est en cours et on peut commencer à se projeter sur le mode de fonctionnement du « bureau en ligne ».

17.1 LE MODÈLE DU BUREAU « CLASSIQUE »

Le concept du bureau en ligne repose sur le même modèle que celui du poste de travail classique, il fournit à l'utilisateur :

- **Une interface d'accueil** : le bureau avec ses fenêtres et sa corbeille, dans le cadre du poste de travail classique.
- **Des espaces de persistance (stockage)** : le disque dur du PC et les serveurs de fichiers, dans le cadre du poste de travail classique.
- **Des applications d'accès et d'édition de contenus** : les applications installées localement, dans le cadre du poste de travail classique.

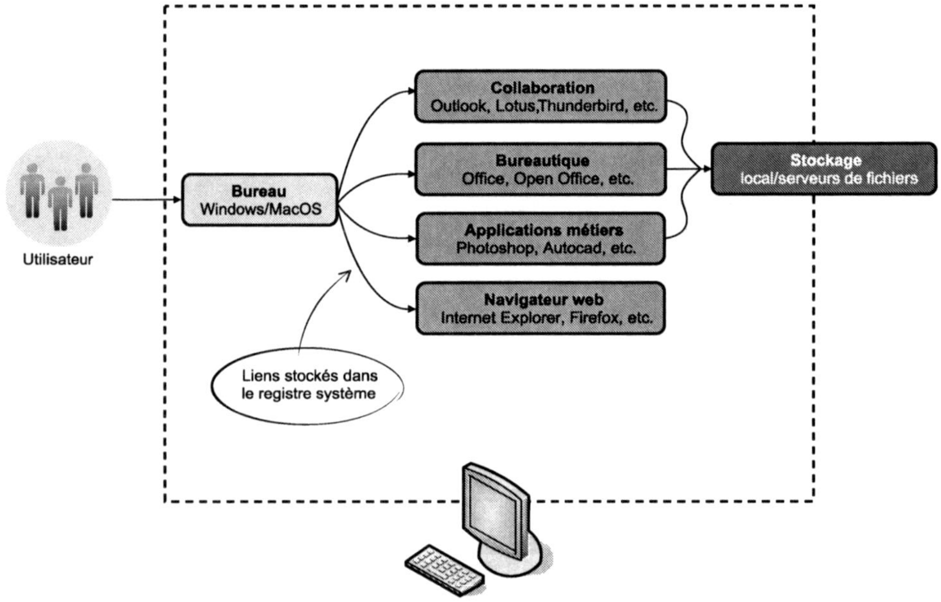

Figure 17.1 — Le bureau « classique ».

17.2 LE MODÈLE DU BUREAU EN LIGNE

17.2.1 L'interface d'accueil

Dans le cadre du bureau en ligne, l'interface d'accueil est une application RIA qui peut prendre plusieurs formes. Certaines de ces interfaces reprennent l'apparence du bureau classique avec fenêtres et corbeilles. On les appelle généralement « WebOS » pour *Web Operating System*[1], car elles fournissent la même interface et les mêmes utilitaires que Windows ou MacOS. Parmi ces WebOS, on peut citer les offres :

- **eyeOS** : un bureau intégrant un client de messagerie, un calendrier, un carnet d'adresses, un éditeur de texte, un tableur, un client FTP, des jeux, etc.
- **Nectil Officity** : un bureau intégrant un client de messagerie, un calendrier, un carnet d'adresses, une messagerie instantanée, un gestionnaire de site web.
- **G.ho.st** : un bureau intégrant un client de messagerie, un calendrier, un carnet d'adresses et s'intégrant avec des outils de bureautique en ligne tiers comme Zoho.

1. Système d'exploitation web

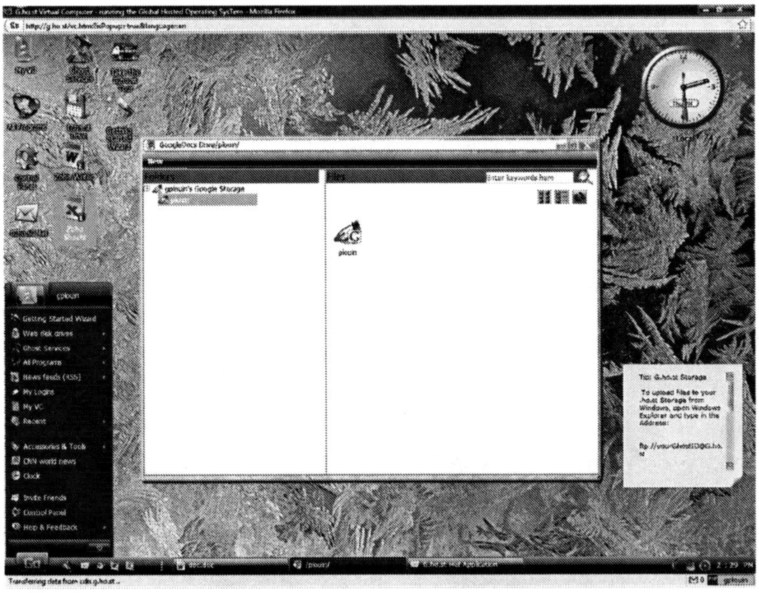

Figure 17.2 – Le WebOS g.ho.st.

Ce type d'interface est basé sur ce que nous appellerons « la métaphore du réel ». Cette métaphore consiste à reproduire l'environnement de travail du monde réel dans le monde informatique. Elle a été créée pour faciliter l'accompagnement au changement des utilisateurs qui passaient du travail sur support papier au travail sur support informatique. Ainsi, dans les années 1980, les néophytes de l'informatique ont pu retrouver leurs documents, dossiers et bureaux dans leur nouvel environnement informatique. Il nous semble que cette approche a aujourd'hui perdu son sens : d'une part, l'accompagnement au changement des néophytes de l'informatique est terminé, d'autre part, elle est réductrice en termes de possibilité de classement et d'accès à l'information. En effet, on a vu précédemment que le classement arborescent atteint vite ses limites : l'explorateur de document de Google Docs, basé sur des mots-clefs, est plus efficace que l'explorateur Windows basé sur une arborescence stricte. De plus, faire du multifenêtrage dans une page web a peu d'intérêt. Et de fait, la latence de ces interfaces est importante et leur ergonomie peu satisfaisante.

Les interfaces de type portail nous paraissent beaucoup plus efficaces que les interfaces multifenêtrées, dans le cadre d'un bureau en ligne. Elles sont plus efficaces et elles sont plus en phase avec la navigation hypertextuelle qui s'est imposé depuis la fin des années 1990.

Les deux offres les plus avancées dans ce domaine sont Netvibes et iGoogle : elles offrent une intégration simple avec des dizaines de milliers d'applications SaaS. Il existe par ailleurs des alternatives moins avancées : live.com de Microsoft ou WebWag sont des exemples.

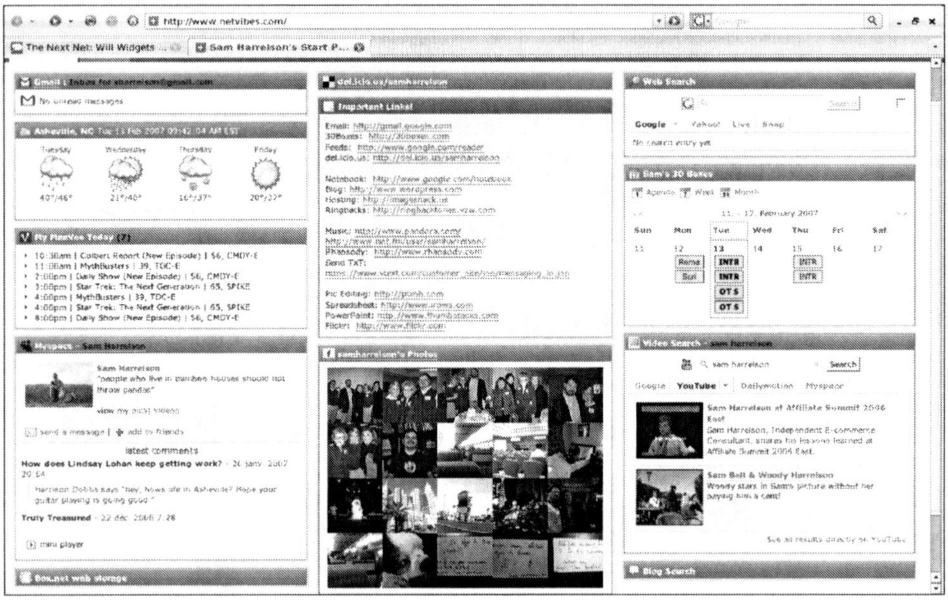

Figure 17.3 — Le bureau Netvibes.

17.2.2 Les applications d'accès et d'édition de contenus

On a aussi vu précédemment un panorama des applications disponibles en SaaS, en particulier :

- les applications de collaboration,
- les applications de gestion du cycle de vie des documents,
- les progiciels intégrés.

Le bureau en ligne devra s'intégrer avec ces applications via leurs API. Il sera aussi souhaitable qu'il s'intègre avec les applications qui résident dans le système d'information d'entreprise.

17.2.3 La persistance des contenus

On a abordé dans le chapitre précédent quelques outils de stockage en ligne. On a vu qu'ils disposaient tous d'API, ce qui rend leur interfaçage avec les bureaux en ligne très simple.

17.2.4 Description du bureau en ligne

L'idée du *bureau en ligne* consiste donc à reproduire le modèle du bureau classique avec un environnement SaaS. L'interface d'accueil SaaS s'interface donc avec des applications et espaces de persistance SaaS. En revanche, l'intégration ne se fait pas au niveau du poste de travail, grâce à des liens stockés dans le registre système, elle se fait sur le web grâce à des liens HTTP qui persistent indépendamment du PC utilisé.

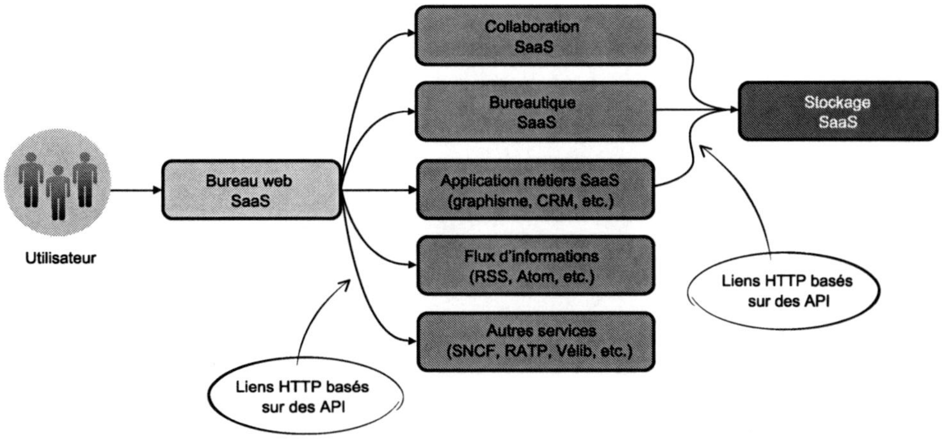

Figure 17.4 – Le bureau en ligne.

Le bureau en ligne permet d'installer, puis de supprimer des applications par simple création de liens HTTP. La multiplication des applications n'engorge donc pas le poste utilisateur et ne le rend pas instable, contrairement au bureau classique. Le bureau en ligne peut être accédé depuis n'importe quel terminal, en particulier depuis un appareil mobile.

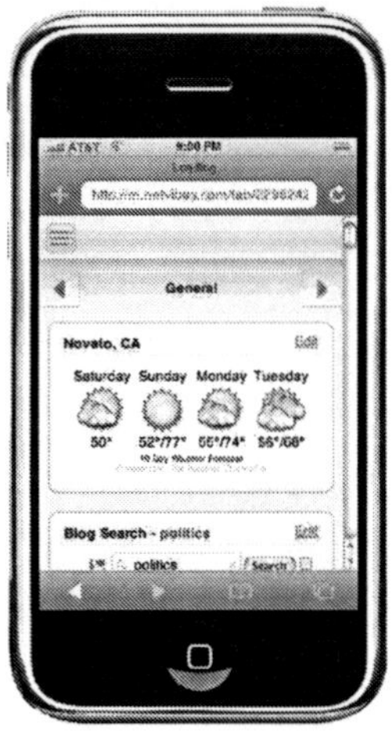

Figure 17.5 – Le bureau Netvibes en version mobile.

Enfin, les combinaisons possibles d'applications SaaS pour la personnalisation du bureau en ligne sont infinies. En effet, celles-ci ne sont pas liées à un poste de travail en particulier, à la différence des applications développées spécifiquement pour Windows ou MacOS.

La figure 17.6 illustre ces combinaisons avec quelques exemples issus des chapitres précédents.

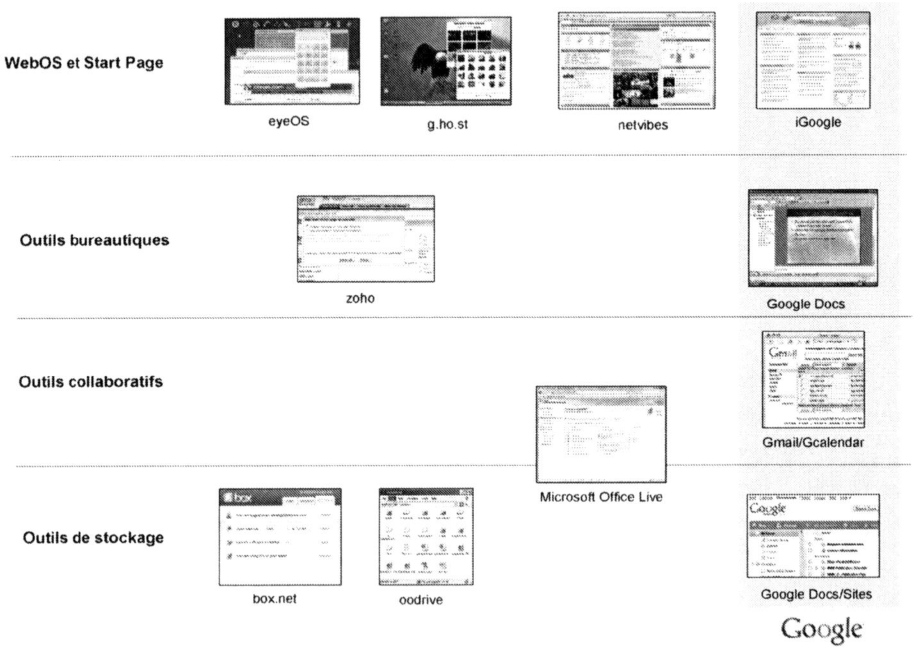

Figure 17.6 — Exemples de composants pour le bureau en ligne.

En résumé

L'usage exclusif d'application SaaS permet de déporter le bureau, ou la page d'accueil de l'utilisateur, vers le « *cloud* ». Cette approche offre de vastes possibilités de coopération entre applications SaaS.

CINQUIÈME PARTIE

Les plates-formes de *cloud computing*

Cette partie aborde les aspects techniques du *cloud computing*. Elle décrit les architectures sous-jacentes aux applications en ligne ainsi que leurs particularités.

Elle présente en particulier la structuration des PaaS (*Platform as a Service*). Puis, elle décrit les principales plates-formes disponibles pour les entreprises qui souhaitent faire héberger leurs développements spécifiques sur des architectures multitenants.

18

Les architectures de *cloud computing*

Objectif

Le propos de ce chapitre est de présenter les architectures techniques qui sous-tendent le *cloud computing*. Ces architectures sont comparées aux plates-formes d'entreprises afin de permettre au lecteur de bien saisir leurs spécificités.

Le chapitre évoque aussi les cas d'utilisation de telles architectures.

18.1 CLOUD COMPUTING ET ARCHITECTURES MULTI-TIERS

Les architectures multi-tiers constituent l'état de l'art des architectures d'entreprise. Elles sont utilisées dans les systèmes informatiques depuis environ 10 ans. Cette pratique consiste à segmenter les couches techniques des applications en plusieurs « *tiers* » conçus et exploités de manière autonome. On considère généralement les tiers suivants :

- **Le serveur de présentation** dont le rôle est de produire les écrans visibles par les utilisateurs. Il peut reposer sur diverses technologies de génération d'interface utilisateurs.
- **Le serveur d'application** dont le rôle est de servir de plate-forme d'exécution pour les applications de l'entreprise. Il peut reposer sur un serveur JEE[1] (IBM Websphere, Oracle Weblogic, Tomcat, etc.), sur la plate-forme Microsoft .Net, etc.

1. *Java Enterprise Edition*

- **Le système de persistance** dont le rôle est de stocker et de garantir l'intégrité des données métiers de l'entreprise. Il peut reposer sur une base de données relationnelle (Oracle, Microsoft SQL Server, MySQL, etc.) ou bien sur un serveur de fichiers, une base de données objet, une base de données XML, etc.
- **Le serveur d'authentification/gestion de droits** dont le rôle est de fournir des services de sécurité aux applications de l'entreprise. Il peut reposer sur un annuaire LDAP[1], un système de SSO[2], etc.
- **Le serveur d'intégration** dont le rôle est de fournir une passerelle d'échange avec les autres applications de l'entreprise. Il peut reposer sur un middleware orienté messages (MOM), un ESB[3], etc.

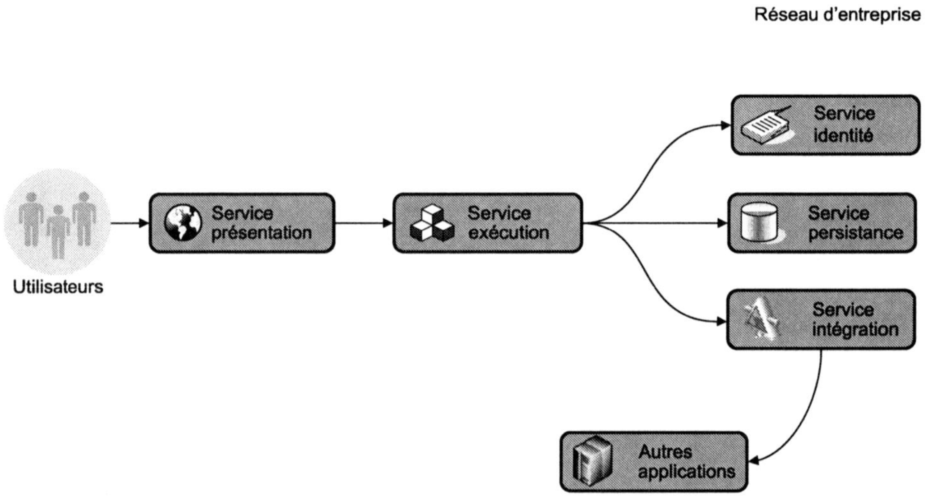

Figure 18.1 — Représentation schématique d'une architecture N-tiers.

Le nombre de tiers peut être plus important pour des applications complexes, mais la liste ci-dessus est représentative de ce type d'architecture.

Les bénéfices d'une architecture N-tiers sont les suivants :

- Chaque tiers étant isolé et accédé au travers de protocoles standardisés, il est possible de les remplacer sans impacter l'ensemble de l'architecture. Ainsi, on pourra décider de remplacer une base Oracle par une base MySQL avec un impact limité. Ce type de pratique était impossible du temps des mainframes.
- Chaque tiers étant isolé, on peut gérer sa performance de manière unitaire. Ainsi, si la base de données peine à tenir la charge, on pourra augmenter ses ressources sans toucher à celle du serveur de présentation.

1. *Lightweight Directory Access Protocol*
2. *Single Sign On*
3. *Enterprise Service Bus*

- Chaque tiers étant isolé, on peut introduire des règles et paramètres de sécurité à chaque interface. Ainsi, on peut définir des systèmes de sécurité différents pour la base de données, le serveur d'application, etc. Cette pratique permet de compliquer la tâche d'un éventuel pirate.

Les architectures N-tiers constituent à ce jour la meilleure solution en matière d'informatique d'entreprise.

Le *cloud computing* reprend ces bonnes pratiques et les plates-formes PaaS sont structurées en tiers selon l'état de l'art.

Elles peuvent aussi être utilisées selon un mode distribué sur Internet. En effet, il est possible de reposer sur une plate-forme PaaS unique, mais il est aussi possible d'utiliser (voir figure 18.2) :

- **un service de persistance proposé par une première PaaS,**
- **un service d'exécution d'application proposé par une seconde PaaS,**
- **un service d'intégration proposé par une troisième PaaS,**
- etc.

Dans ce scénario, il faudra bien entendu anticiper **les problématiques de temps de latence** : par exemple, la mise à jour de données depuis le service d'exécution vers le service de persistance pourra prendre quelques secondes. Il faudra aussi bien gérer la sécurité de bout en bout car les tiers communiqueront entre eux via Internet. Ce scénario peut malgré tout avoir sa pertinence dans une approche « *best of breed* ».

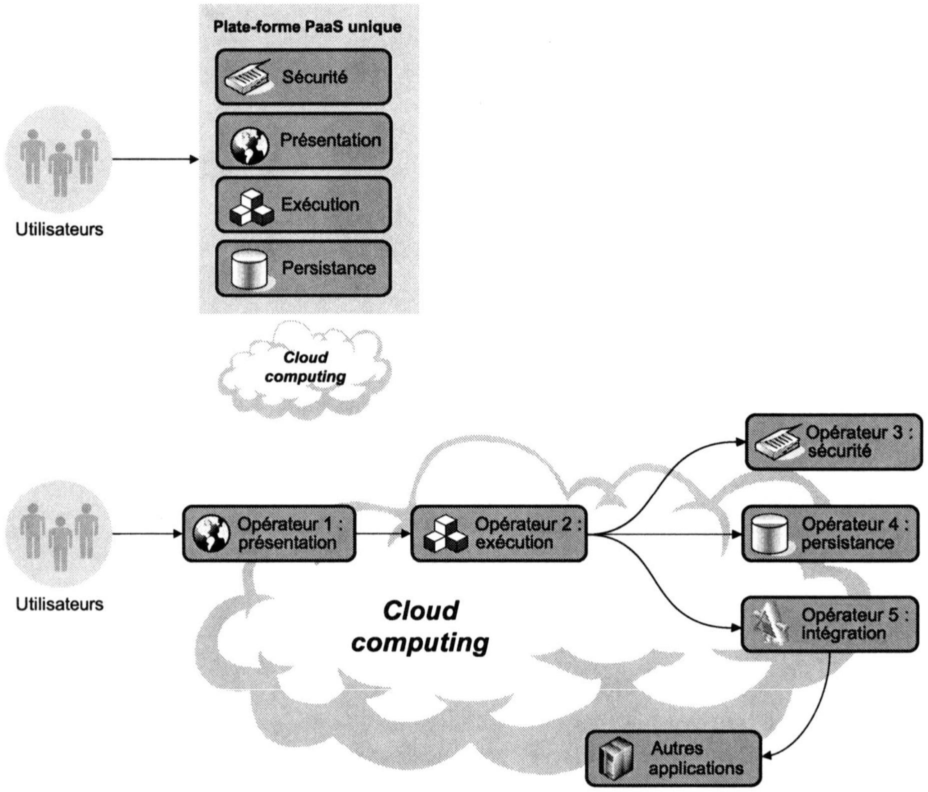

Figure 18.2 – Alternatives N-Tiers du ***cloud computing.***

18.2 CLOUD COMPUTING ET SOA

Par le passé, les applications informatiques ont presque toujours été conçues sans anticiper leurs échanges avec des tiers. Cette démarche de conception isolationniste a produit des « silos », c'est-à-dire des applications monolithiques et peu communicantes. La problématique d'intégration interapplicative est un vieux défi de l'informatique. On a tenté de le résoudre avec diverses technologies : batch pilotés par des scripts, échanges de fichiers par FTP, middleware orientés message, EAI, etc. Les premiers à pâtir de ces silos sont les équipes métiers des entreprises : elles se trouvent en effet face à des systèmes informatiques peu évolutifs, inaptes à suivre les évolutions de leurs modes de travail et de leur environnement concurrentiel.

Les **architectures orientées services (SOA[1])** offrent un modèle pour résoudre cette problématique. Elles proposent que chaque application mette à disposition ses fonctions et informations métier sous une forme utilisable par les autres : les **services.**

1. *Service Oriented Architecture*

Elles incitent également à remettre la gestion des processus métier au centre des enjeux des systèmes d'information, en simplifiant leur implémentation et en favorisant leur évolutivité. Les applications issues de l'assemblage des services sont appelées « **applications composites** ».

Les architectures SOA ont été conçues pour résoudre les problématiques d'architecture d'entreprise. Nous allons voir comment les SaaS portent le modèle sur Internet.

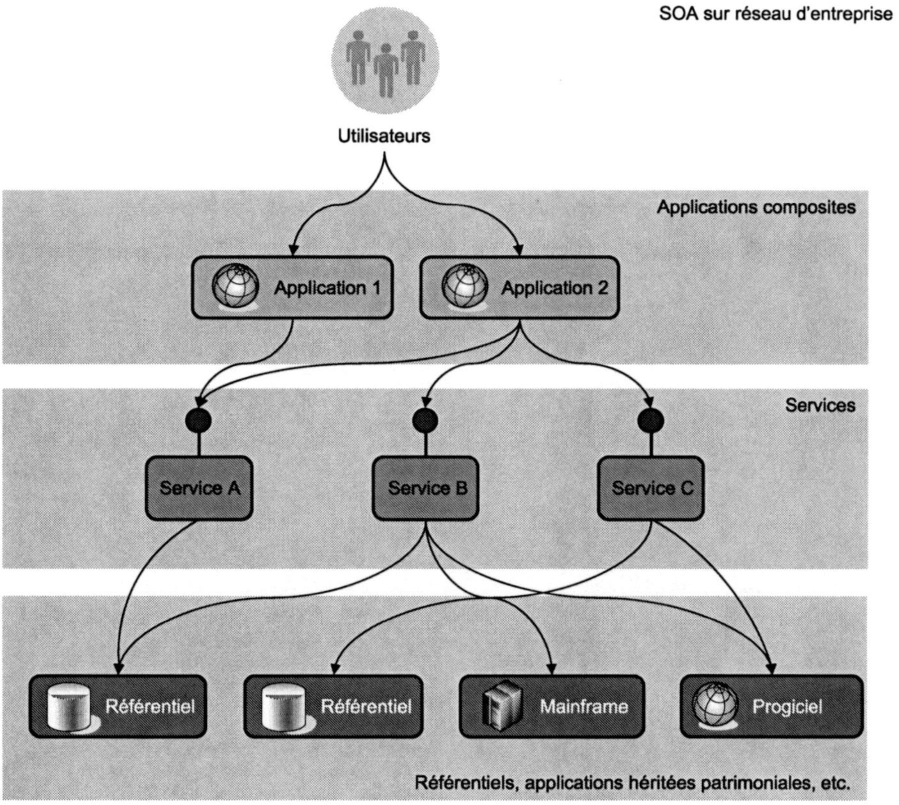

Figure 18.3 — L'architecture de référence SOA.

Les applications SaaS reprennent le modèle d'architecture de service. En effet, elles exposent bien des services intégrables par des tiers. En revanche, elles utilisent généralement la sémantique issue du web 2.0 : les services sont intitulés « API » et les applications composites sont renommées « *mashup* ». De plus, elles privilégient les architectures de services simplifiées, suivant le style REST.

À propos de REST[1]

REST signifie *Representational State Transfer*.. Le sens de cet acronyme n'est aujourd'hui plus très significatif. Il ne s'agit pas d'une technologie mais d'un style d'architecture, c'est-à-dire de pratiques, de partis pris en matière d'implémentation.

REST se définit par opposition aux architectures basées sur les web services, jugées trop complexes pour des usages simples. La philosophie de REST consiste à tirer parti des fonctions de base du protocole HTTP. Ce protocole permet en effet de lire, mettre à jour ou supprimer des ressources sur le web. REST utilise donc tout simplement les fonctions CRUD[2] de HTTP plutôt que de passer par l'invocation de web services. On parle parfois d'architecture orientée ressource (ROA, *Ressource Oriented Architecture*).

Ce principe connaît des limites en termes de sécurité, de robustesse et de gestion des échanges asynchrones. Cependant, il est suffisant dans des configurations simples, pour des applications web. Il est ainsi largement utilisé par les acteurs du web 2.0 comme Google, Amazon, etc.

Le *cloud computing* est donc la synthèse du modèle SOA et des pratiques du web 2.0. Il suit ainsi l'état de l'art en matière d'architecture distribuée, ce qui le rend compatible avec les architectures SOA déployées dans les entreprises.

Les SaaS reposent finalement sur des architectures SOA déployées sur Internet.

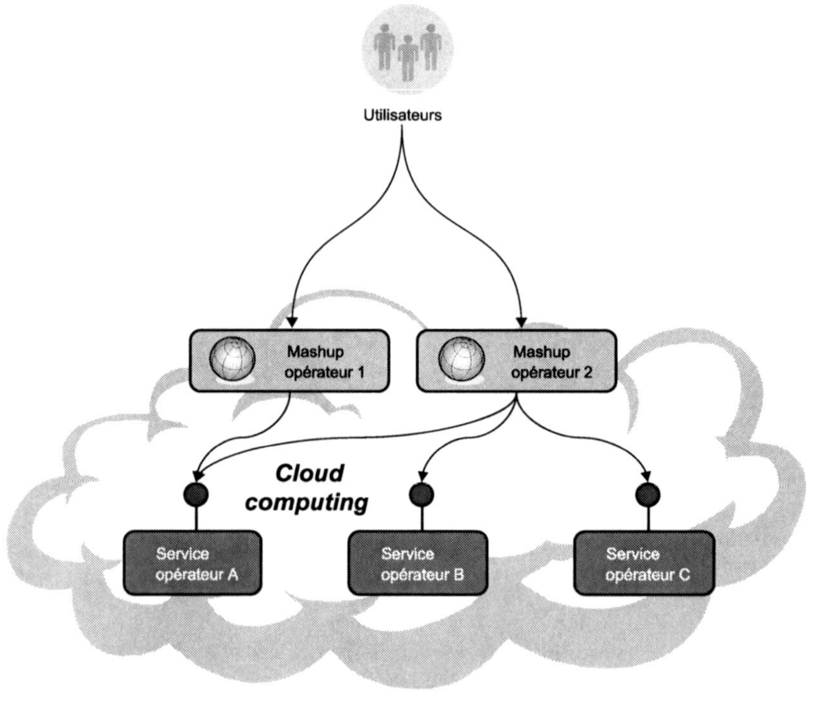

Figure 18.4 – ***Cloud computing*** et architecture SOA.

1. Pour des précisions techniques sur le style REST, voir Fournier-Morel X., Grojean P., Plouin G., Rognon C. SOA. *Le guide de l'architecte du SI*, 2e édition, Dunod, 2008.
2. *CRUD signife Create, Read, Update, Delete. Les commandes CRUD de HTTP sont HTTP GET, HTTP PUT, HTTP UPDATE, HTTP DELETE.*

18.3 DES ARCHITECTURES À COUPLAGE LÂCHE

Dans le *cloud computing*, l'intégration entre les tiers utilise les principes du couplage lâche. Le faible couplage sous-entend une indépendance d'implémentation entre le service et le client qui l'invoque. Il est donc possible de faire évoluer le service, sans affecter les applications appelantes, dès lors que son interface ou API reste identique. De plus, il est possible pour l'application appelante de changer simplement de service si une alternative équivalente est disponible. Si l'on considère par exemple les services de persistance offerts par Amazon et Google, à savoir SimpleDB et DataStore, les architectures de *cloud computing* permettent de passer assez simplement de l'un à l'autre. Il est ainsi possible d'utiliser un environnement d'exécution sur une première plate-forme de *cloud computing* et un système de persistance sur une seconde.

Le couplage est d'autant plus lâche qu'on travaille ici dans un mode totalement ouvert où l'utilisation des standards est incontournable. S'il est possible d'utiliser des protocoles propriétaires comme RMI[1] sur une plate-forme d'entreprise complètement maîtrisée, le besoin d'interopérabilité sur Internet nécessite d'utiliser des protocoles bâtis sur HTTP.

Dans le monde du *cloud computing*, l'intégration s'appuie essentiellement sur REST. Ce style d'architecture est différent des modèles d'entreprises :

- Le **temps de latence réseau** est à prendre en compte.
- Il ne permet pas les **échanges asynchrones.**
- Il n'offre pas de **garantie transactionnelle** (*cf.* théorème de CAP plus loin dans ce chapitre).
- Il pose des **problèmes de sécurité** liés à une architecture ouverte.

Les architectes d'entreprise devront donc s'y former pour en comprendre les bénéfices et les limites.

18.4 CONCEPTS DES ARCHITECTURES MULTI-TENANT

La terminologie multi-tenant (expression anglaise qui signifie multi-locataires) s'appuie sur une métaphore : celle des bailleurs et des locataires que l'on peut illustrer de la façon suivante :

- Dans le cadre de l'externalisation selon le **modèle « outsourcing »**, chaque entreprise dispose d'un environnement complètement indépendant chez l'hébergeur. L'application et les machines nécessaires à son exploitation sont purement et simplement déplacées chez l'hébergeur qui les exploite dans des armoires de serveurs indépendantes. On peut donc comparer cette approche à

1. RMI (*Remote Method Invocation*) est un protocole d'invocation à distance du monde Java

la création d'un **lotissement immobilier** où toutes les maisons sont autonomes.

- Dans le cadre de l'utilisation d'une **application web classique**, les ressources sont totalement mutualisées entre les utilisateurs. L'application est unique, non adaptable aux entreprises utilisatrices. On peut donc comparer cette approche à la création d'un **dortoir de pensionnat** où tout est partagé entre les étudiants.
- Dans le cadre d'une **application SaaS**, certaines ressources sont partagées entre les entreprises utilisatrices, comme la plate-forme matérielle, ou le système de persistance. Mais elles bénéficient d'un certain degré de customisation. Elles peuvent utiliser leurs logos, leurs noms de domaines, paramétrer finement les applications, publier leur propre code. On peut donc comparer cette approche à la création d'un **immeuble de location** où certaines ressources sont partagées (eau, électricité, accès à Internet, gardiennage, buanderie, piscine, etc.) et d'autres non (salle de bain et cuisine dans chaque appartement).

L'objectif des architectures multi-tenant est donc de trouver le juste milieu entre mutualisation et possibilités de customisation. La mutualisation est intéressante car elle permet une rationalisation en termes de :

- Automatisation de l'exploitation des applications (surveillance et monitoring).
- Automatisation des mises à jour applicatives (montées de version).
- Réduction des coûts liée à des infrastructures mises en commun (la facture d'électricité d'une famille de cinq personnes est généralement inférieure à la somme des factures de cinq célibataires).

A contrario, la customisation permet de satisfaire les besoins spécifiques de chaque entreprise, lorsque les besoins ne sont pas totalement génériques.

Ainsi les opérateurs de plates-formes de *cloud computing* cherchent tous le meilleur compromis entre rationalisation et possibilité de customisation. Chacun a sa propre stratégie et son propre modèle pour atteindre cette cible. Nous verrons quelques-unes de ces stratégies dans le chapitre 20.

18.5 SPÉCIFICITÉS DES PAAS VIS-À-VIS DES PLATES-FORMES D'ENTREPRISE

18.5.1 Une différence de structuration

Comme on l'a évoqué dans la deuxième partie, les PaaS reposent sur des datacenters de grande envergure, comprenant des dizaines voire des centaines de milliers de serveurs. Ce gigantisme leur offre de grandes capacités d'exécution et de stockage. Ils sont donc adaptés à des applications à forte charge utilisateurs, ainsi qu'à des applications nécessitant beaucoup d'espace de persistance (médias : images, audio, vidéo).

Ces *datacenters* utilisent les principes de la virtualisation, ce qui leur permet d'attribuer une grande capacité de traitement à une application donnée par simple réaffectation des ressources. Cette réaffectation est généralement effectuée de manière automatique, sans intervention humaine. Ainsi, un ensemble de machines peut être alloué dynamiquement à une application en cas de pic d'activité, et désalloué dynamiquement à la fin de ce pic d'activité.

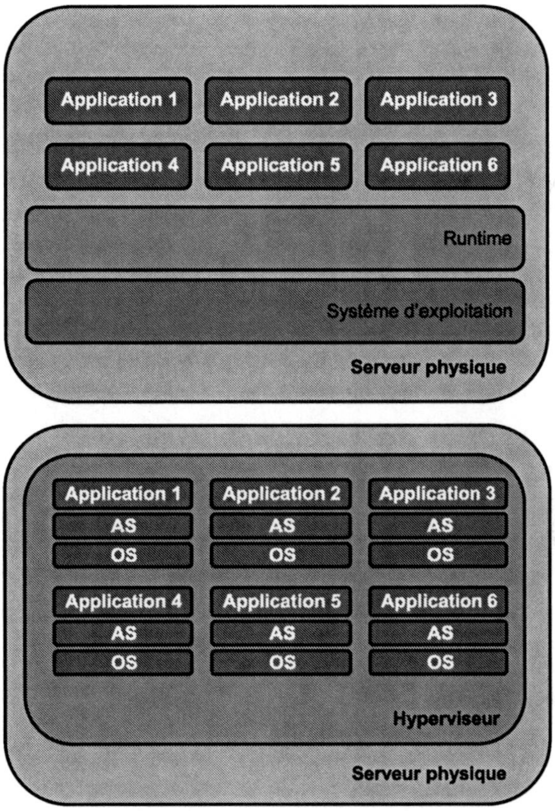

Figure 18.5 — La virtualisation basée sur machine virtuelle ou hyperviseur.

À propos de la virtualisation

La virtualisation permet de masquer la nature physique des ressources utilisées. Elle fournit une couche d'abstraction entre l'application et les serveurs physiques. Elle vise à augmenter la flexibilité de l'infrastructure en l'affranchissant de certaines limites physiques.

Ces solutions intéressent de plus en plus les équipes de production des DSI car elles permettent de rationaliser les coûts d'infrastructures matérielles en répartissant au mieux leurs ressources en fonction des besoins applicatifs.

La virtualisation la plus courante est celle qui repose sur les runtimes intégrées aux plates-formes d'entreprises (machines virtuelles JEE, .NET, etc.).

Il est aussi possible de virtualiser l'ensemble des couches logicielles : le système d'exploitation[1], le serveur d'application[2] et l'application. Dans ce cas, on introduit une couche entre le serveur et le système : cette couche est intitulée « hyperviseur ». C'est un logiciel de bas niveau. Les offres Xen, ESX de VMware et Microsoft Hyper V sont les plus intéressantes sur les machines en architectures X86. L'intérêt de cette approche est de pouvoir fournir à chaque application un environnement unique avec des libraires spécifiques.

On ne connaît pas bien l'architecture détaillée des PaaS, car cette information est jalousement gardée par leurs opérateurs : elle constitue le cœur de leur savoir-faire. Elles fournissent des interfaces de plus ou moins haut niveau, qui permettent de les utiliser sans entrer dans les détails de leur architecture. Ces interfaces, toutes spécifiques, demandent un effort d'apprentissage aux entreprises utilisatrices.

A contrario, les architectures d'entreprise sont très génériques : les plates-formes Java/JEE et .NET et les architectures matérielles sous-jacentes sont bien connues des sociétés de services et des équipes d'exploitation des entreprises utilisatrices. De fait, elles sont plus simples à prendre en main. Néanmoins, ces architectures sont peu dynamiques : une ou plusieurs machines sont affectées de manière figée à chaque fonction de l'entreprise. Par conséquent, il est fréquent que :

- les ressources soient surdimensionnées en gestion courante (en particulier, il est fréquent que 50 % de la capacité des disques durs soient inutilisés),
- et que ces ressources se révèlent insuffisantes lors de pics d'activités.

18.5.2 Le théorème de CAP

Le principe ou théorème de CAP donne un éclairage sur les problématiques complexes des plates-formes PaaS, et leurs différences vis-à-vis des plates-formes d'entreprise.

L'acronyme CAP signifie *Consistency, Availability and Partition-Tolerant.* On peut expliquer ces termes de la manière suivante :

- La **Consistency**, ou *consistance*, concerne l'intégrité d'une transaction en base de donnés. Il s'agit de garantir qu'un traitement laisse toutes les données dans un état cohérent (par exemple une réservation avec option d'achat est annulée lorsque l'achat à proprement parler a eu lieu).

1. En anglais, OS pour *Operating System*
2. En Anglais, AS pour *Application Server*

- L'**Availability**, ou *disponibilité*, concerne la capacité du système à offrir une qualité de service constante aux utilisateurs.
- La **Partition-tolerance,** ou *tolérance*, concerne la capacité du système à fonctionner si un de ses composants tombe en panne.

Le théorème de CAP énonce la propriété suivante :
« Dans une architecture web distribuée, il n'est possible d'assurer que deux des trois propriétés CAP ».
Ce théorème a été proposé par Eric Brewer, professeur à l'université de Berkeley.

Ainsi le service de stockage d'Amazon assure la disponibilité et la tolérance aux pannes, mais pas la consistance. Les données sont répliquées automatiquement sur plusieurs *datacenters* pour assurer la haute disponibilité, et leur accès reste toujours possible, même si la communication entre les *datacenters* est rompue lors d'une panne. Cependant, dès lors que cette communication est rompue, il n'est plus possible de garantir la cohérence des données, c'est-à-dire la consistance.

A contrario, les clusters de serveurs dans les grandes banques garantissent la consistance des transactions et la haute disponibilité. Mais, si un composant réseaux tombe en panne, le système peut en pâtir.

Le théorème de CAP souligne les différences fondamentales entre architectures d'entreprise et *cloud computing*. Ces dernières doivent en effet prendre en compte un risque de défaut de consistance.

18.6 USAGE DES PaaS

Il existe deux grands types d'utilisateurs des plates-formes de *cloud computing* : les entreprises et les fournisseurs de service.

18.6.1 Usages par les entreprises

Applications candidates aux PaaS

Les entreprises sont susceptibles d'utiliser les PaaS comme une plate-forme d'hébergement pour leurs applications. Le recours à ces plates-formes est pertinent pour servir des **applications à très forte charge** ou des **applications à charge très variable**.

Prenons les cas de **sites web grand public à fort trafic**, ou d'extranets clients demandant des traitements lourds. Ces deux types d'applications nécessitent une plate-forme à très haute disponibilité, garantissant une grande tolérance aux pannes. L'internalisation d'une telle plate-forme est très coûteuse car elle nécessite le déploiement de clusters de serveurs et une forte compétence dans leur exploitation.

Les plates-formes PaaS reposent sur ces types d'architecture, et ce à grande échelle. Une entreprise aura donc du mal à se doter d'une plate-forme équivalente à un coût similaire. Le recours à une PaaS est donc une bonne opportunité de réduction des coûts et de déport vers un tiers des problématiques d'exploitation d'architecture complexes.

Prenons le cas **d'applications à trafic variable**, comme les sites de commerces électroniques très sollicités à l'approche de Noël, ou bien le site des impôts, très sollicité à la date limite de déclaration. Pour gérer ces types d'applications, les entreprises doivent surdimensionner leur parc de serveurs, afin de bien gérer les pics de trafic. Elles sont ainsi amenées à gérer tout au long de l'année des machines quasi inutiles, ce qui représente un important coût d'achat matériel et un important coût d'exploitation. Le recours à des PaaS leur permet d'absorber plus facilement les pics de charges. En effet, la facture de location de la plate-forme PaaS sera un peu plus chère lors des périodes critiques, mais les coûts seront globalement fortement réduits. Par ailleurs, la problématique de dimensionnement et d'exploitation de la plate-forme sera déléguée à un tiers.

Notons que, dans les deux cas évoqués, l'externalisation vers un hébergeur serait plus coûteuse, et qu'il faudrait concevoir l'architecture à haute disponibilité, les hébergeurs ne fournissant pas d'architecture générique. Ces derniers fournissent en effet un service d'exploitation sur mesure, donc plus cher qu'un service mutualisé.

Il existe un cas particulier d'application à charge variable : le **test de montée en charge**. Ce type de test doit être effectué lorsque le développement d'une application a été terminé et que l'on souhaite vérifier sa capacité à supporter un nombre suffisant d'utilisateurs. Les plates-formes PaaS constituent un socle idéal pour ce type de test : en effet, elles permettent d'avoir des machines à disposition pendant une période courte correspondant à la durée du test. Il est ainsi inutile d'acheter des machines qui serviraient de manière très épisodique.

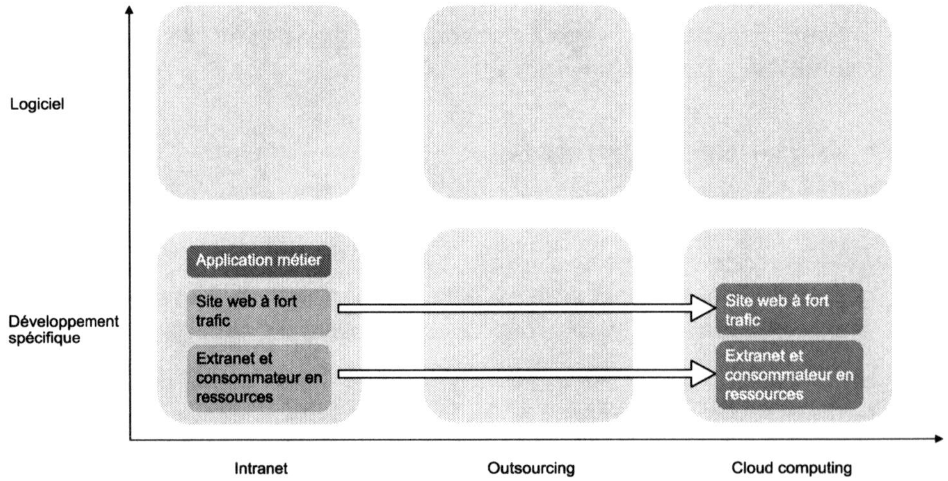

Figure 18.6 — Applications candidates aux PaaS.

Autres applications

Certaines entreprises pourront à long terme décider d'externaliser tous leurs développements spécifiques vers des PaaS, en particulier leurs applications métiers.

Ce type de stratégie peut se justifier si l'on souhaite se débarrasser complètement des problématiques d'exploitation. Les entreprises y viendront dans un second temps, lorsqu'elles auront acquis suffisamment d'expérience et de confiance dans les plates-formes PaaS.

18.6.2 Fournisseurs de services en ligne

Les fournisseurs de nouveaux services en ligne doivent généralement faire face aux deux problématiques suivantes : **lancer un service à moindre coût** car il ne sera pas rentable à son démarrage tant qu'il ne sera pas connu des utilisateurs intéressés et **gérer la montée en charge du service** liée à la croissance de son utilisation.

Dans ces deux situations, les PaaS se révèlent intéressantes. En effet, elles permettent de mettre en production un service sans achat de machine, ni compétence sur les problématiques d'exploitation. De plus, si le service ne fonctionne pas, le fournisseur n'aura qu'à stopper son abonnement et il n'aura aucune dette à gérer.

Par ailleurs, si le service connaît un succès croissant, il sera simple de demander à l'opérateur de la plate-forme PaaS d'augmenter les ressources. L'architecture ne sera pas remise en cause, comme c'est souvent le cas lorsqu'une application doit être transférée d'un petit serveur à une ferme de cluster. Les PaaS constituent donc un socle idéal pour gérer la croissance d'un nouveau service.

Un certain nombre de start-up l'ont compris : on peut citer l'exemple de SlideShare qui utilise la plate-forme Amazon.

Enfin, les plates-formes PaaS proposent généralement un annuaire des services qu'elles hébergent (*cf.* AppExchange sur Salesforce). Cet annuaire peut aider les nouveaux services à se faire connaître.

En résumé

Les architectures de *cloud computing* reprennent certaines bonnes pratiques des architectures d'entreprise : multi-tiers et SOA. Elles ont cependant des spécificités marquées. Si elles offrent une grande souplesse dans l'allocation des ressources, à coût réduit, elles pâtissent de problématiques de latence réseau, d'intégrité transactionnelle.

Elles sont adaptées à des applications à fort trafic ou à des applications à trafic variable.

19

Les composants des PaaS

Objectif

L'objectif de ce chapitre est d'ouvrir le capot d'une plate-forme de *cloud computing* et de présenter les composantes d'une plate-forme PaaS.

19.1 LES *DATACENTERS*

19.1.1 Principes

Les PaaS reposent sur un ensemble de centres de données, dont le nombre est presque toujours supérieur à trois ; dans les cas de Microsoft ou de Google, les centres se comptent en dizaines. Cette redondance permet d'assurer la reprise de l'activité en cas de sinistre (incendie, inondation, etc.). En général, les fournisseurs de PaaS maîtrisent et gèrent eux-mêmes leurs *datacenters*, gardant leur architecture secrète.

Les PaaS proposent de manière quasi standard un niveau de disponibilité de 99,9 %.

À titre de comparaison, les grandes entreprises déploient généralement des centres de données redondants dans le cadre de leur PRA (plan de reprise d'activité). Mais, elles utilisent souvent les services d'hébergeurs et le nombre de leurs centres dépasse rarement trois, pour des raisons évidentes de coûts.

Les plates-formes PaaS intégrant une grande quantité de serveurs considèrent comme inévitable, voire normal, que des composants serveurs tombent en panne régulièrement. Leurs concepteurs savent qu'il est statistiquement inévitable de perdre un ou plusieurs serveur(s) chaque jour. Les PaaS sont donc conçues pour ne pas souffrir de ces pannes : les données sont répliquées sur plusieurs disques et lorsque l'un d'entre eux flanche, elles sont automatiquement recopiées sur un autre disque opérationnel. Les exécutions d'application sont soumises à la même règle : lorsqu'un serveur flanche, le traitement est repris sur une autre machine.

19.1.2 Architecture logicielle

Les PaaS reposent donc sur des grappes de serveurs de grande envergure. Ces clusters embarquent généralement (à l'exception notable de ceux de Microsoft) des composants Open Source optimisés pour une performance maximale à un coût minimum. La valeur ajoutée d'une PaaS vis-à-vis de ses concurrents repose sur les aspects suivants :

- **Haute disponibilité**, pour satisfaire l'expérience client.
- **Tolérance aux pannes** et capacité à se réorganiser dynamiquement en cas de panne d'un composant.
- **Optimisation des performances** pour tirer le meilleur parti des ressources matérielles.
- **Automatisation des tâches d'exploitation et de maintenance.**

Les architectes qui conçoivent ces plates-formes sont parmi les plus brillants sur le marché de l'informatique : les opérateurs de PaaS se les arrachent.

19.1.3 Architecture matérielle

Certaines PaaS sont aujourd'hui fabriquées de manière industrielle, à base de modules préfabriqués. Ces *datacenters* sont constitués d'un assemblage de containers intégrant des milliers de serveurs et un système de climatisation, et qui offrent juste des interfaces réseaux et des prises de courant. Ces containers sont optimisés en termes d'encombrement et de circulation des flux d'air, à tel point qu'il est impossible de changer un composant d'un serveur en panne ; la philosophie étant que l'on change le container lorsque tous ses composants sont en panne.

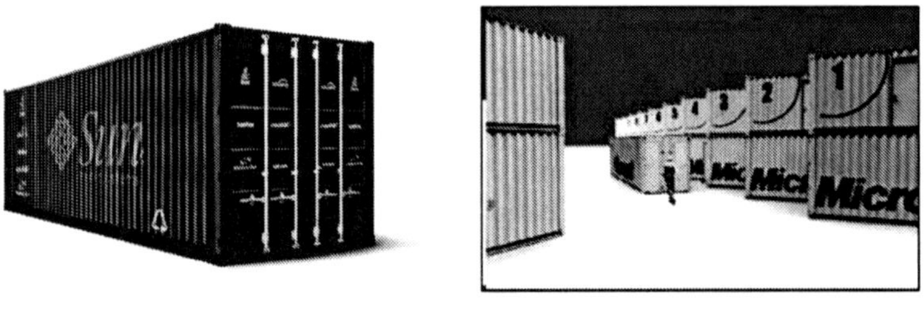

Figure 19.1 — Les containers BlackBox de Sun, et C-Blox de Microsoft.

19.2 ARCHITECTURE DNS

Les PaaS proposent en général la possibilité d'héberger un sous-domaine DNS[1] de l'entreprise. Ainsi il est possible d'accéder à une application hébergée via une adresse URL[2] du type `application.mon-entreprise.com`.

Il est pour cela nécessaire de créer des entrées DNS spécifiques dans son espace de gestion de domaines. Cet espace est généralement hébergé par le Registrar de l'entreprise, c'est-à-dire son prestataire de réservation et de gestion de domaine.

19.3 L'ENVIRONNEMENT D'EXÉCUTION

Les PaaS fournissent un environnement d'exécution logiciel permettant aux entreprises utilisatrices de faire tourner leurs applications. Il existe deux philosophies pour cette exécution : la virtualisation par hyperviseur et la virtualisation basée sur des *runtimes*.

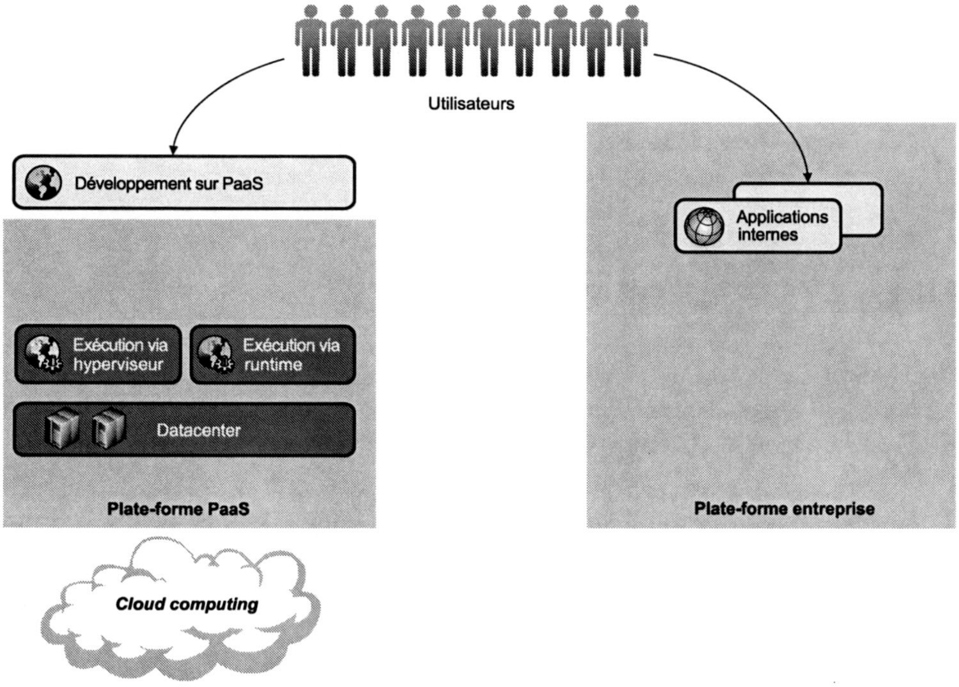

Figure 19.2 — Stratégies d'exécution des PaaS.

1. *Domain Name Service*
2. *Uniform Ressource Locator*

19.3.1 La virtualisation par hyperviseur

Dans ce cas, l'entreprise fabrique une machine virtuelle intégrant un système d'exploitation, un environnement d'exécution et une application. Cette machine virtuelle complète est ensuite envoyée vers environnement d'exécution PaaS.

Dès lors, l'architecture de l'application est à l'entière charge de l'entreprise. Seul le système de persistance est généralement externalisé à la machine virtuelle, afin que les données survivent à une éventuelle extinction de cette dernière. En effet, lorsqu'une base de données est intégrée à une machine virtuelle qui cesse de fonctionner, les données sont généralement perdues.

L'entreprise a donc la possibilité de choisir la technologie qui lui convient pour exécuter son application : Java, .Net, Python, PHP, etc.

19.3.2 La virtualisation basée sur des *runtimes* d'exécution

Dans ce cas, l'entreprise doit produire une application conforme à l'architecture logicielle de la PaaS. Elle doit utiliser le langage et les librairies (frameworks) fournies par la plate-forme. Elle ne produit qu'un package applicatif à envoyer vers l'environnement d'exécution PaaS.

Cette stratégie permet de tirer le meilleur parti des orientations techniques prises par les architectes de la plate-forme. Les développeurs doivent utiliser une API propre à la plate-forme, pour la persistance, mais aussi pour l'écriture de l'application. Cette dernière sera limitée par les possibilités de l'API. Par exemple, si l'API ne fournit pas de fonctions pour invoquer des web services, il sera impossible d'en appeler.

19.4 LE SYSTÈME DE PERSISTANCE

Toutes les plates-formes PaaS fournissent un système de persistance sous forme de base de données[1] de grande envergure, capable de stocker des volumes de données de l'ordre du térabit. Ces bases sont souvent non relationnelles.

Le système est généralement appelé au travers de HTTP, suivant le style REST. Ce type de persistance permet de grandes disponibilité/tolérance aux pannes, mais il ne permet pas d'assurer la consistance des transactions.

Certaines PaaS permettent aussi le stockage de fichiers, toujours au travers de REST.

1. SGBD : système de gestion de base de données

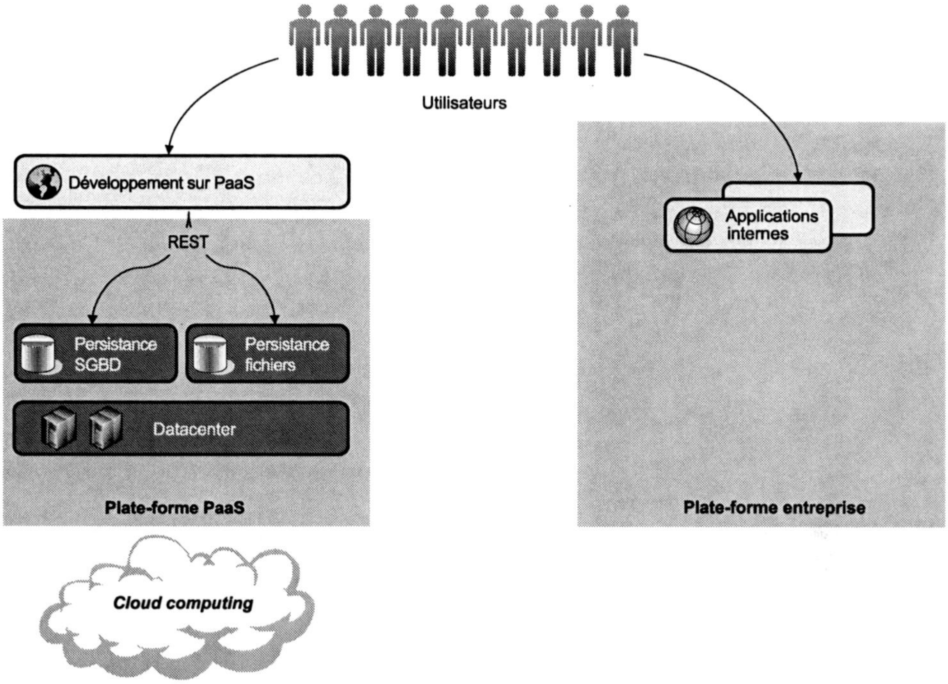

Figure 19.3 – Stratégies de persistance des PaaS.

19.5 LE SERVICE D'AUTHENTIFICATION

Les PaaS permettent l'authentification des utilisateurs au travers de diverses stratégies de sécurité. Il est toujours possible de reposer sur le système de persistance évoqué plus haut, et de stocker des identifiants/mots de passe dans une table. Il est parfois aussi possible de reposer sur un annuaire de sécurité intégré à la plate-forme. Enfin, certaines PaaS proposent la possibilité de déléguer l'authentification à l'annuaire de l'entreprise, selon les principes de la fédération d'identité.

À propos de la fédération d'identité

La fédération d'identité est une approche d'architecture qui propose d'établir des liens de confiance de manière distribuée entre des services applicatifs et un annuaire utilisateurs, appelés *serveur d'identité*. Le serveur d'identité est une sorte d'annuaire LDAP amélioré, capable d'authentifier des accédants pour le compte d'applications internes ou externes à l'entreprise. Il fournit aussi des fonctions de Single Sign On.

Le principal objectif de la fédération d'identité est de faciliter les échanges entre partenaires sans avoir à dupliquer les annuaires de sécurité et donc en faisant de la délégation d'authentification sur la base de liens de confiance entre entreprises.

Il existe aujourd'hui un protocole standardisé pour la mise en œuvre de la fédération d'identité : le protocole SAML (*Security Assertion Markup Language*). C'est une grammaire XML normalisée par l'OASIS qui permet d'attester la bonne authentification d'un utilisateur souhaitant accéder à plusieurs services. Une alternative a été proposée par les acteurs du mode web 2.0 : il s'agit de la norme OpenID[1]. Cette norme est plus simple à prendre en main que SAML, mais elle est plutôt destinée aux sites web grand public. Elle laisse l'utilisateur libre de fédérer son identité avec les sites qui l'intéresse, ce qui n'est pas toujours souhaitable pour les entreprises qui préfèrent contrôler les activités de leurs collaborateurs.

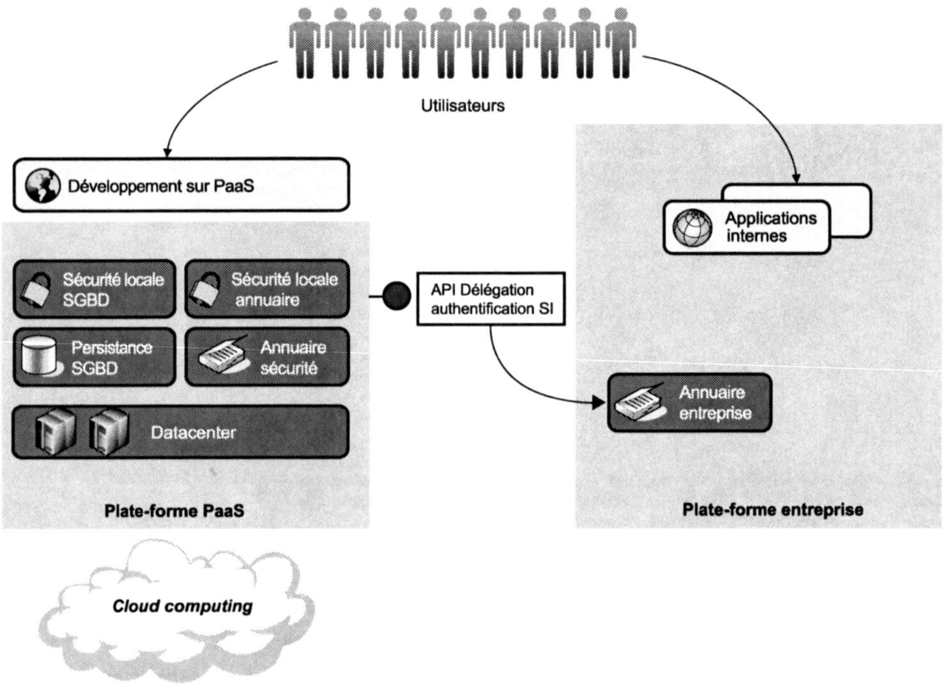

Figure 19.4 – Stratégies d'authentification des PaaS.

19.6 LE BUS D'INTÉGRATION

Il est fréquent que les applications hébergées sur les PaaS aient besoin d'échanger des données avec la plate-forme d'entreprise. Par conséquent, les PaaS doivent offrir un système d'intégration. Ce système peut prendre plusieurs formes :

1. Il existe de nombreuses autres technologies de fédération d'identité. Nous n'avons pas souhaité les aborder pour éviter de noyer le lecteur.

- Une simple API permettant de lire et d'écrire des données sur la plate-forme depuis le système d'information d'entreprise.
- Un vrai bus d'intégration capable de piloter les échanges avec le SI d'entreprise en modes synchrone, asynchrone ou suivant un processus d'intégration.

À propos des bus d'intégration

Un bus d'intégration doit être capable de véhiculer des informations entre les applications selon différents modes d'échange :
– **Échange synchrone** : dans ce cas, l'application appelante attend la réponse à sa requête avant de continuer ses traitements.
– **Échange asynchrone** : dans ce cas, la demande est placée dans une queue d'attente et le traitement en cours n'est pas interrompu. Il prendra en compte la réponse à sa requête lorsque celle-ci sera disponible.
– **Processus d'intégration** : il s'agit là d'un mode d'intégration plus complexe. Le bus d'intégration doit orchestrer un enchaînement d'échanges suivant un processus préétabli.

Le bus d'intégration peut aussi être un service d'infrastructure en ligne hébergé par une autre plate-forme : nous verrons des exemples de ce type de service dans le chapitre 20.

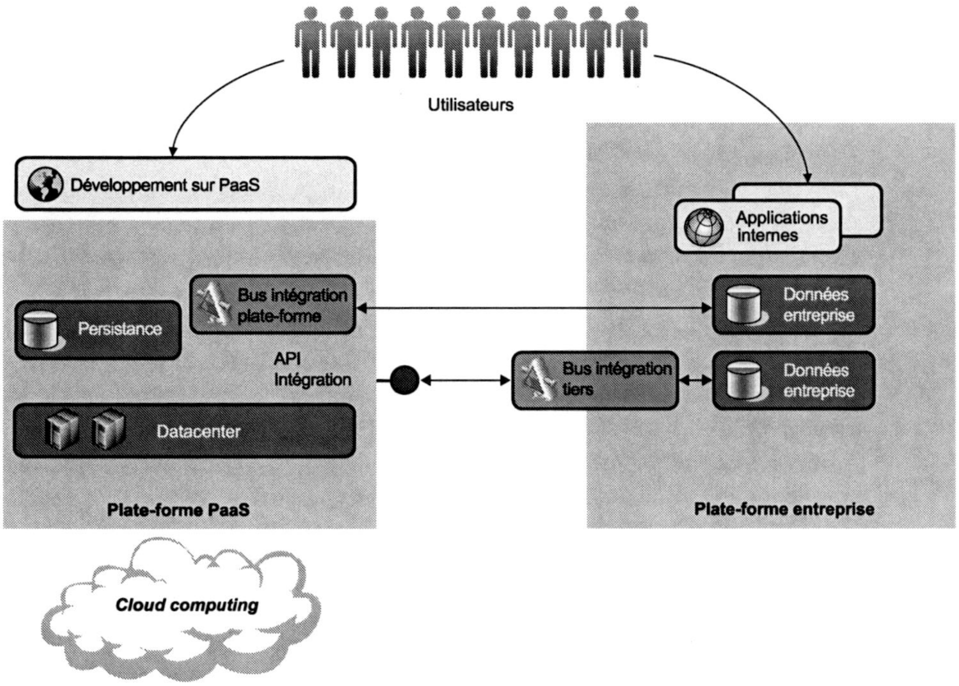

Figure 19.5 — Stratégies d'intégration des PaaS.

19.7 LA CONSTRUCTION DE L'INTERFACE GRAPHIQUE

Les PaaS proposent généralement un système de composition des interfaces. Ce système permet de produire des interfaces composites, par assemblage de contenus. Il repose sur le principe des portails composés de fragments de pages intitulés « *portlets* ». Les PaaS privilégient cependant une terminologie issue du web 2.0 : les « *mashups* d'entreprise » composés de « *widgets* ». Les grands principes des *mashups* d'entreprise sont les mêmes que ceux des portails, mais ils proposent une architecture plus simple inspirée du style REST.

Ces *widgets* utilisent souvent un standard technique proposé par la société Netvibes et intitulé UWA (*Universal Widget API*). Ce standard extrêmement simple permet de produire des contenus intégrables dans diverses *mashups* d'entreprise en mode SaaS ou software : Netvibes, iGoogle, Portaneo, Dreamface Interactive, etc.

19.8 L'ENVIRONNEMENT DE DÉVELOPPEMENT

Lorsqu'elles proposent un modèle de développement spécifique, les PaaS proposent généralement un environnement de développement associé, permettant l'écriture du code, son débogage, sa compilation, son packaging et son déploiement (voir la présentation de l'usine logicielle au chapitre 11). Deux options peuvent alors être proposées :

- **L'environnement de développement est proposé sous la forme d'un kit de développement** ou SDK[1] à télécharger. Ce SDK intègre les fonctions de construction du code source évoquées plus haut. Il propose aussi un *runtime* simulant la plate-forme PaaS et permettant de tester l'application en local, sur le poste du développeur. Il intègre parfois aussi un logiciel de dessin des interfaces hommes machines.
- **L'environnement de développement est proposé sous forme de service en ligne**. Dans ce cas, l'écriture du code se fait au travers d'un éditeur SaaS, à la manière d'un traitement de texte en ligne (*cf.* Zoho Writer ou Google Docs, présentés au chapitre 14). Il intègre parfois aussi un logiciel de dessin des interfaces hommes machines, également sous forme SaaS. Puis, l'application est testée par le développeur directement sur la plate-forme.

L'architecture de l'application peut être plus ou moins guidée, en fonction des librairies de code (framework) fournies et du degré d'abstraction de l'API.

À titre de comparaison, Java et C# fournissent une API d'assez bas niveau : il est possible de développer quasiment n'importe quoi avec ces langages. A contrario, des environnements de développement rapide[2] comme PowerBuilder ou Oracle Forms offrent des possibilités limitées.

1. *Source Development Kit*
2. RAD : *Rapid Application Development*

19.9 LA GESTION DU CYCLE DE VIE DES APPLICATIONS

Tout projet de développement logiciel nécessite divers environnements, à minima :

- Environnement de développement.
- Environnement de test/recette.
- Environnement de production.

La gestion de ces environnements est souvent proposée par les plates-formes SaaS qui fournissent au moins l'environnement de test et de celui de production. Lorsque l'environnement de développement est proposé sous forme de service en ligne, il est aussi intégré à la plate-forme.

Les PaaS offrent aussi un versioning des applications, c'est-à-dire que l'on peut stocker sur la plate-forme différentes versions de l'application et choisir laquelle mettre en production. Il est ainsi possible de faire un retour en arrière si l'on constate un problème dans une nouvelle version. Ce système de versioning peut être utilisé pour décliner les environnements de test et de production.

19.10 LE MONITORING

Il est essentiel pour l'entreprise de pouvoir surveiller les applications hébergées sur des PaaS. Cette surveillance a deux objectifs :

- Vérifier que le niveau de service est bien conforme aux engagements de l'opérateur PaaS.
- Observer la montée en charge de l'application (usage de la puissance de traitement et de l'espace disque) afin de statuer sur l'achat d'un complément de ressources auprès de l'opérateur PaaS. Cette démarche est la même que pour un opérateur télécom : lorsque la bande passante pour l'accès à Internet devient insuffisante, les entreprises sont amenées à acheter une extension de cette bande passante.

Les PaaS répondent à ce besoin de deux manières :

- Elles peuvent proposer une API pour extraire les données et les analyser via un outil interne à l'entreprise.
- Elles peuvent proposer directement une interface graphique de suivi en temps réel des statistiques.

Il est peu probable que les PaaS offriront un jour une interface SNMP[1], car ce protocole est conçu pour un suivi des infrastructures sur réseau local et non via Internet.

Enfin, les entreprises utiliseront certainement un outil tiers et indépendant de la PaaS, comme Xiti Monitor, pour pouvoir s'assurer de la disponibilité de leur application de manière incontestable.

19.11 SYNTHÈSE SUR L'ARCHITECTURE DES PaaS

Le schéma de la figure 19.6 fait apparaître les différentes composantes d'une plate-forme PaaS, évoquées plus haut. On retrouve :

- Le *datacenter*.
- La couche de persistance sous forme de base de données ou de fichiers.
- La couche d'exécution sur machine virtuelle ou sur *runtime*.
- La couche d'authentification locale ou déléguée.
- La couche d'intégration : API ou bus d'intégration.
- La couche de composition d'interface sous la forme de *mashups* d'entreprise.

Le schéma présente aussi une **console d'administration** qui permet de gérer les autorisations d'accès pour les développeurs, le déploiement et le versioning des applications, ainsi que le monitoring de la plate-forme (paramètres processeur, mémoire, disque, etc.) s'il est proposé sous forme graphique. Cette console offre souvent des fonctions concernant la persistance : possibilité de visualiser les données stockées en base, d'optimiser les index de recherche, etc. La console donne généralement aussi accès à une documentation en ligne.

Le schéma fait aussi apparaître l'API qui permet la **collecte des données de monitoring**. Enfin, il présente le **catalogue des applications** publiées sur la plate-forme. Ce catalogue permet aux entreprises intéressées d'acheter un certain nombre d'applications produites par différents acteurs, mais fournissant des interfaces cohérentes entre elles. Ces applications sont souvent classées par catégories, notées et commentées par les utilisateurs, suivant un principe de prise de parole issu du web 2.0.

1. *Simple Network Management Protocol*, il s'agit du standard pour le suivi des métriques de fonctionnement des plates-formes d'entreprises.

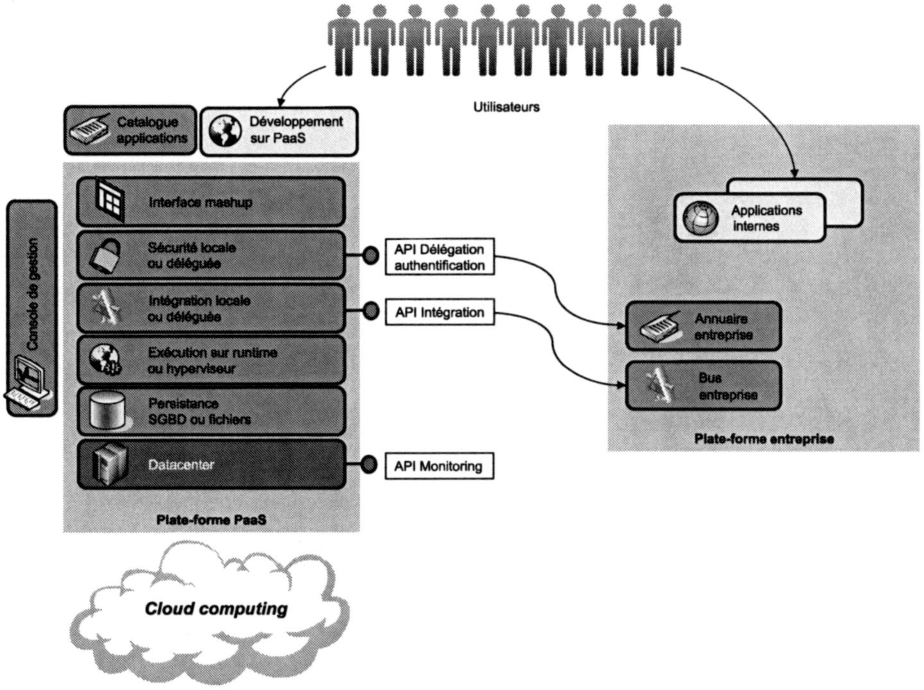

Figure 19.6 – Synthèse sur l'architecture des PaaS.

En résumé

Ce chapitre a présenté les différents services attendus d'une plate-forme PaaS : en particulier, hébergement, exécution, persistance, sécurité, intégration. Il a aussi abordé les options possibles pour assurer ces services.

20

Les principales offres de *PaaS*

Objectif

Ce chapitre présente les principales PaaS disponibles aujourd'hui. Il aborde aussi des outils d'intégration tiers qui peuvent servir de complément à une PaaS.

20.1 AMAZON WEB SERVICES

L'offre AWS (*Amazon Web Services*) a été la première offre PaaS disponible en 2002. Le service EC2, pour *Elastic Cloud Computing*, est même à l'origine du terme *cloud computing*.

Cette offre a été lancée sur la base du constat suivant : les *datacenters* du site de commerce électronique amazon.com sont dimensionnés pour faire face à la charge correspondant à la période des fêtes de Noël. Ils sont donc surdimensionnés le reste de l'année. Amazon a souhaité les rentabiliser en vendant leurs ressources à d'autres entreprises avec AWS. Ainsi les ressources sont vendues en fonction de leur durée d'usage (quelques centimes d'euros par heure). L'offre est accessible sur aws.amazon.com.

Selon datacenterknowledge.com, Amazon exploite 14 *datacenters* : 8 aux États-Unis, 4 en Europe, et 2 en Asie.

L'offre AWS se décompose en plusieurs couches :

- **EC2 est le service d'exécution de la plate-forme.** Il est basé sur la virtualisation par hyperviseur, évoquée dans le chapitre 19. Il utilise pour cela la technologie Open Source Xen. EC2 supporte les machines virtuelles sous Open

Solaris, Linux et Windows Server 2003. L'entreprise utilisatrice doit donc produire une application complète sous forme de machine virtuelle avec les outils fournis par Amazon, puis la publier sur AWS.

- **SimpleDB et S3, Simple Storage Service, sont les services de persistance.** SimpleDB est un service de base de données, tandis que S3 permet le stockage de fichiers. Ces services sont accédés selon le style REST. Amazon propose aussi EBS (*Elastic Block Store*) : une solution de stockage intégrée à EC2 et dont l'objectif est de ne pas perdre les données manipulées par une machine virtuelle lorsqu'elle est éteinte. Il s'agit de résoudre la problématique évoquée dans la présentation de la virtualisation par hyperviseur (voir chapitre 19).
- SQS, ***Simple Queue Service* est le service d'intégration.** Il permet l'échange de messages entre AWS et d'autres infrastructures. Il intègre une queue de messages et peut donc fonctionner en mode asynchrone. Il permet enfin d'enchaîner des échanges sous forme de workflow.
- **CloudFront est un service de cache distribué.** Cette fonction ne rentre pas dans notre architecture de référence, présentée plus haut. Elle concurrence l'offre d'Akamai, un acteur historique du cache distribué, antérieur à l'émergence du *cloud computing*. Son objectif est de dupliquer les données au plus près des utilisateurs afin de réduire les temps de chargement.

AWS ne fournit pas d'interface *mashup* : l'interface doit être développée en spécifique et intégrée dans la machine virtuelle. Il en est de même pour l'authentification. La liberté du développeur est totale pour ces deux aspects.

Pour l'administration, Amazon fournit AWS console : elle permet les opérations de publication, démarrage et arrêt des machines virtuelles, ainsi que le monitoring des services.

Figure 20.1 — La console AWS.

AWS ne fournit pas de catalogue des applications disponibles sur la plate-forme. En effet, les applications n'ont pas vocation à être commercialisées par le biais d'Amazon. En revanche, un catalogue de machines virtuelles « sur étagère » est disponible. Ainsi, une entreprise qui souhaite créer une machine virtuelle LAMP (Linux, Apache, MySQL, PHP) aura à sa disposition une solution réutilisable.

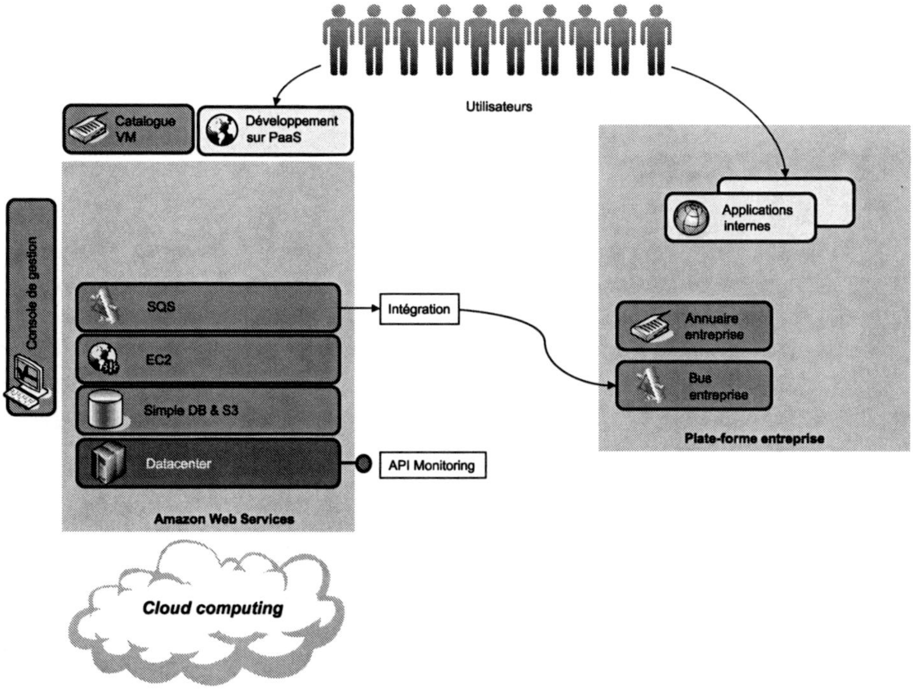

Figure 20.2 – L'architecture d'AWS.

La philosophie d'AWS consiste à donner aux équipes informatiques une maîtrise complète de leur architecture logicielle. L'offre est destinée à des profils très techniques, qui souhaitent gérer leur application à bas niveau. Les utilisateurs d'AWS peuvent gérer eux-mêmes leurs sauvegardes, ce qui va à l'encontre de l'idée selon laquelle l'opérateur PaaS s'occupe de l'exploitation.

La seule abstraction proposée par AWS concerne la partie matérielle : lorsqu'on utilise la plate-forme, on n'a pas connaissance des machines ou disques utilisés ; en revanche, on connaît toutes les couches de son architecture logicielle. Cette approche est différente de celle de Salesforce, Google, Microsoft, où une partie de la plate-forme logicielle est abstraite.

Le gros avantage de l'approche AWS est que l'équipe d'exploitation a la possibilité d'utiliser **les mêmes technologies de virtualisation sur la plate-forme d'entreprise et sur la plate-forme Amazon.** Ainsi, il est possible de basculer les machines virtuelles d'une plate-forme vers l'autre, si nécessaire. Cette approche est particulièrement pertinente dans le cas suivant : lorsqu'un site web connaît une forte charge seulement un mois par an, on peut l'exploiter pendant onze mois sur la plate-forme d'entreprise, et le basculer pendant le mois de forte charge sur la plate-forme AWS, afin de profiter de sa puissance.

Cette approche donne une grande souplesse aux équipes techniques. De plus, elle leur donne la satisfaction de comprendre et maîtriser la plate-forme PaaS, ce qui, répétons-le encore, va à l'encontre de l'idée de déporter complètement l'exploitation vers un tiers.

20.2 FORCE.COM

Le terme PaaS a été inventé par Salesforce. La société a d'abord édité un logiciel de CRM en mode SaaS, puis elle a proposé son infrastructure comme plate-forme de développement afin de créer un écosystème de progiciels en ligne, avec le concours d'autres entreprises. Sa stratégie consistait en effet à rendre son offre plus attractive en l'enrichissant avec des offres tierces étroitement liées et accessibles dans une interface commune.

Selon la partie technique de son site web, Salesforce exploite 14 datacenters.

L'offre force.com se décompose en plusieurs couches :

- **Le service d'exécution de la plate-forme est basé sur le runtime Apex.** Ce langage spécifique, inconnu des entreprises, a été créé par Salesforce pour accélérer le développement des applications sur force.com. Il est censé être facile à prendre en main pour les développeurs Java. Apex est un langage de haut niveau qui permet de créer rapidement des applications d'informatique de gestion : il n'est pas adapté à la création d'autres types d'applications. Apex fournit une couche d'abstraction pour accéder aux données et créer des écrans utilisateurs. Il permet aussi de créer rapidement des workflow utilisateurs. Ce langage est comparable à un RAD comme PowerBuilder ou Oracle Forms.
- **Force.com IDE** est un environnement de développement basé sur Eclipse[1], permettant de coder et débugger en Apex.
- **VisualForce** est l'environnement en ligne de création des interfaces graphiques. Il permet de créer des interfaces qui s'intègrent dans le portail Salesforce, et disposent d'une apparence standardisée.
- **Force.com Database** est le service de persistance. C'est une base de données, accédée par un langage de requêtage de haut niveau : SOQL, Salesforce Object Query Langage.
- **Force.com Connect** est le service d'intégration. Il propose des connecteurs natifs pour ERP, comme SAP et Oracle Business ; il propose des connecteurs

1. Eclipse est l'environnement de développement Open Source de référence pour la communauté Java.

vers des bus d'entreprise comme TIBCO ; il supporte l'intégration web services, REST, JEE et .NET ; il propose des connecteurs pour Office et Lotus.

- **SXIP Access,** un service délivré par la société Ping Identity, est utilisé pour la délégation d'authentification, au travers du langage SAML. L'authentification peut aussi être menée sur la base d'utilisateurs de Salesforce.

Force.com fournit aussi des API pour exploiter du code Java, C# et PHP : ainsi les entreprises peuvent réutiliser une partie de leurs composants préexistants sur la PaaS.

La plate-forme propose **App Exchange,** un catalogue des applications disponibles sur force.com. C'est le premier catalogue de ce type à avoir été créé : Salesforce a été particulièrement innovant sur cette offre.

Enfin, **force.com Sandbox** est l'environnement de versioning des applications : il permet de tester les applications sur la PaaS avant leur mise en production.

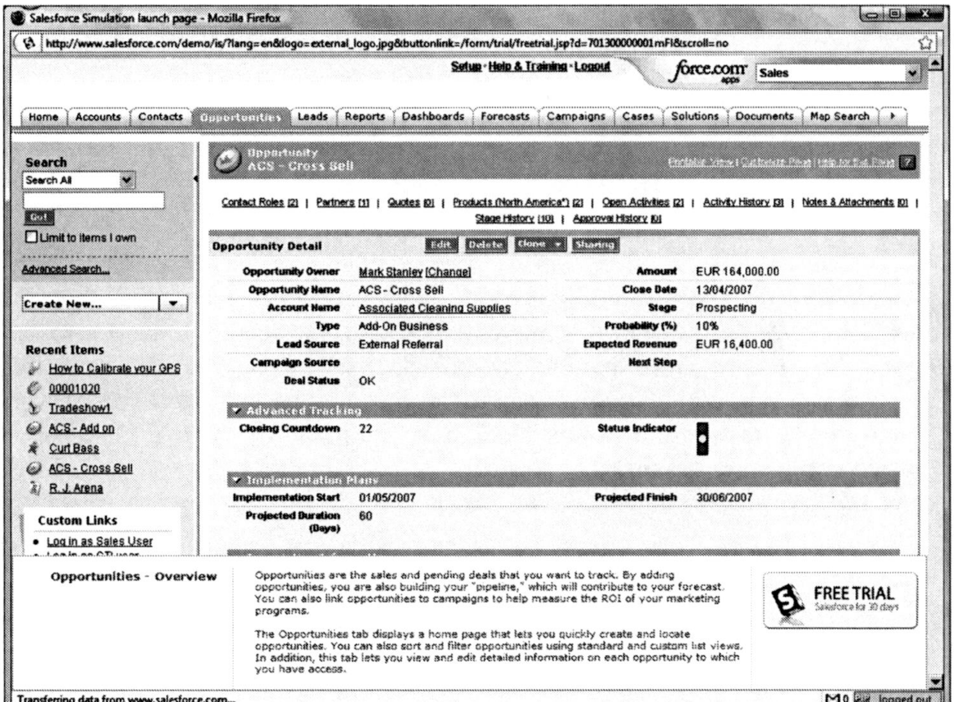

Figure 20.3 — L'interface *mashup* de Salesforce.

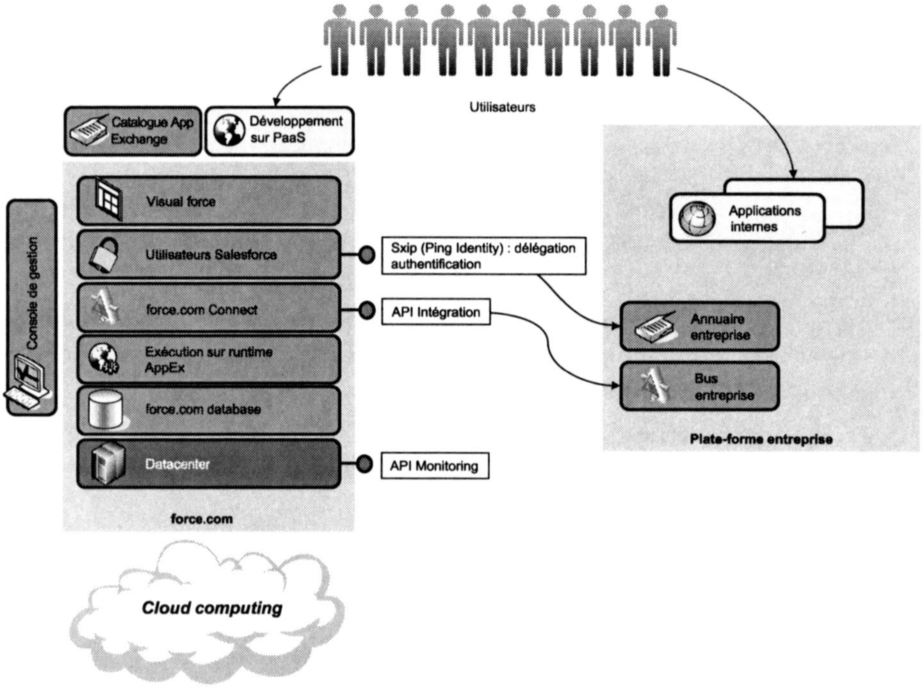

Figure 20.4 – L'architecture de force.com.

La philosophie de force.com est d'offrir une plate-forme de développement rapide pour des applications de gestion. L'accent est donc mis sur la simplicité du développement et non sur la compréhension de l'architecture sous-jacente, ce qui est cohérent avec l'idée que l'architecture logicielle de la PaaS est du ressort de l'opérateur, non de l'entreprise utilisatrice. Salesforce a fait des efforts importants pour permettre une intégration facile avec l'existant de l'entreprise (délégation d'authentification à l'annuaire d'entreprise, connecteurs SAP, API Java et .NET, etc.). Cette intégration ne nécessite pas un effort de développement important.

Cette approche est radicalement différente de celle d'Amazon, beaucoup plus axée sur une architecture totalement maîtrisée par les équipes techniques. Force.com plaira aux maîtrises d'ouvrages par sa proposition d'agilité et de délégation des tâches techniques. Tandis qu'AWS plaira aux équipes techniques qui souhaitent comprendre et maîtriser la plate-forme.

20.3 GOOGLE APP ENGINE

Google est très secret sur la structure de ses *datacenters* : ces derniers constituent sa force et permettent une certaine avance sur ses concurrents. Nous allons donc parler au conditionnel dans ce paragraphe...

Selon des rumeurs circulant sur le web et non vérifiables, Google exploiterait 36 *datacenters* (*cf.* chapitre 5) ; Google serait ainsi la société exploitant les plus grands *datacenters* dans le monde, et sa compétence sur le sujet serait la plus avancée à ce jour. La plate-forme Google reposant sur ces *datacenters* serait commune pour tous les services Google : services de recherche, de cartographie, services collaboratifs Google Apps, etc., et le service PaaS Google App Engine. Ainsi, Google ne ferait pas de distinguo entre les socles de ses applications grand public et ceux des applications d'entreprise : la plate-forme physique et logicielle de Google serait unifiée, ce qui lui offrirait une grande cohérence, une très grande puissance, une très grande disponibilité, une très grande capacité à gérer les pannes. En revanche, cette unification nécessiterait la maîtrise des composants déployés sur la plate-forme. En effet, si une entreprise développait une application instable sur la PaaS App Engine, cette instabilité pourrait affecter l'ensemble de l'écosystème de Google. Par conséquent, Google aurait choisi de limiter la marge de manœuvre des applications sur App Engine, afin de s'assurer la sécurité de sa plate-forme.

Selon la documentation en ligne, l'offre Google App Engine se décompose en plusieurs couches :

- **Le service d'exécution de la plate-forme est basé sur un runtime Python.** Python est un puissant langage objet, très utilisé dans la communauté Open Source, mais peu exploité sur les plates-formes d'entreprise. Python bénéficie de nombreuses librairies/frameworks, ainsi que d'une communauté de développeurs très active. Il semble que Google ait choisi ce langage pour permettre de créer des applications à très grande performance. Cependant, pour satisfaire aux exigences des entreprises, peu enclines à se former au langage Python, Google a annoncé le **support prochain du langage Java sur** Google App Engine.
- **Le Google App Engine SDK** est un environnement de développement téléchargeable assez frustre permettant de développer le code Python, puis de le déployer sur la PaaS.
- **DataStore** est le service de persistance. C'est une base de données, accédée par un langage de requêtage de haut niveau : GQL, Google Query Langage. DataStore s'appuie sur la plate-forme **Big Table** qui assure le stockage de tous les services de Google. Cette plate-forme de très grande envergure est capable de stocker des petaoctets[1] de données. Elle supporte des applications extrêmement consommatrices en espace de stockage, comme par exemple Google Earth, YouTube, Book Search, etc.
- **iGoogle et Gmail** sont proposés pour créer simplement des *mashups* à partir des applications développées sur App Engine. Ces deux environnements de type portail permettent en effet d'intégrer facilement des « *widgets* », c'est-à-dire des interfaces vers des applications. iGoogle est un portail traditionnel, tandis que Gmail prend la forme d'un portail centré sur la messagerie. Les

1. Un petaoctet vaut 1 000 teraoctet, soit 1 million de gigaoctects.

développements sur App Engine peuvent aussi tirer parti des librairies Ajax de GWT, Google Web Toolkit.

- **Le service Google Account** permet de stocker des données d'authentification sur la PaaS. Et la **SSO API** de Google permet de déléguer l'authentification à l'annuaire d'entreprise. L'offre d'authentification locale et d'authentification déléguée est donc complète. Il est possible de tirer parti de la base de comptes de l'offre de collaboration Google Apps, car Google App Engine fait partie du même écosystème.
- En termes d'intégration, la PaaS offre des API vers les documents, agendas, carnet d'adresses, messagerie de Google Apps. Mais elle ne propose pas de bus d'intégration à proprement parler. Il est donc intéressant de disposer d'un bus tiers afin d'invoquer les API fournies par Google.

La console d'administration permet d'autoriser les développeurs à accéder à la plate-forme, de gérer les données, de déployer les applications, et de suivre leur activité. App Engine offre un catalogue des applications disponibles sur la plate-forme intitulée **App Gallery**.

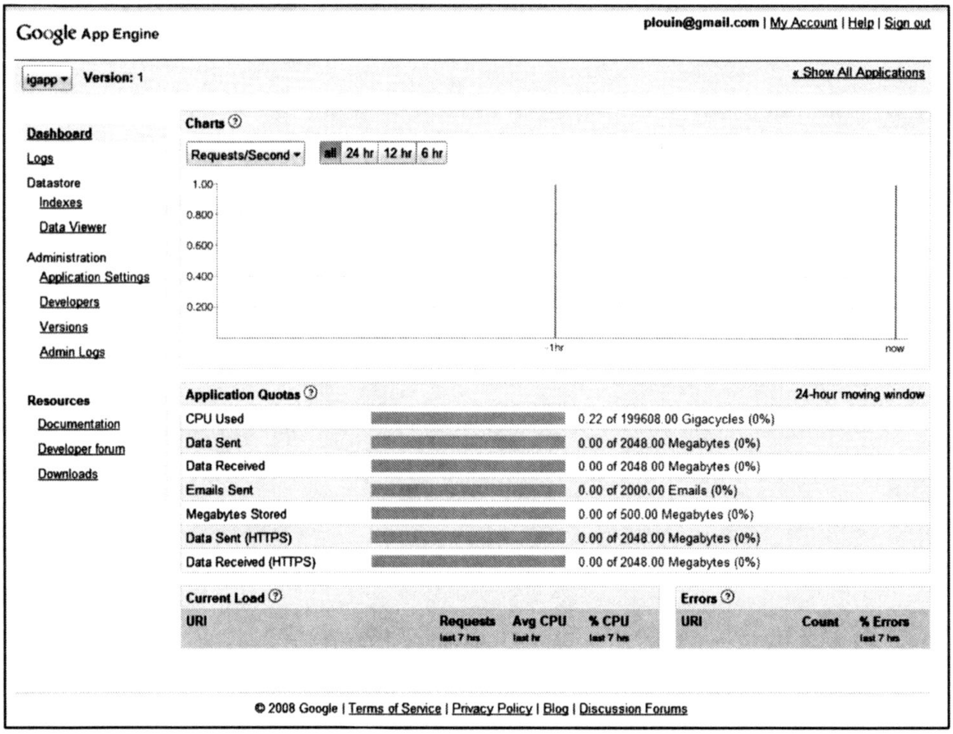

Figure 20.5 – La console Google App Engine.

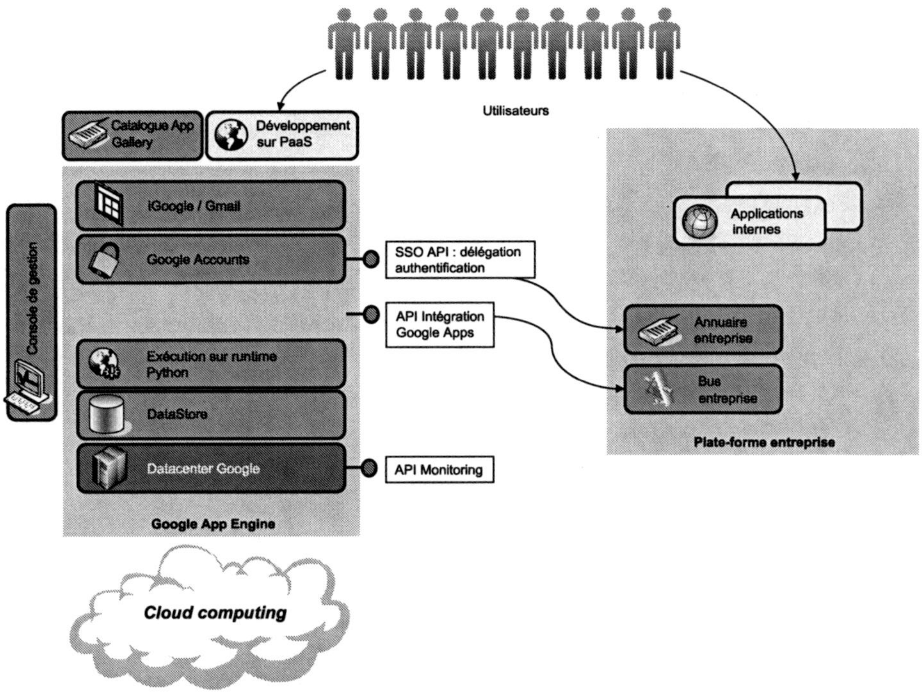

Figure 20.6 – L'architecture d'App Engine.

La philosophie de Google App Engine consiste à proposer une plate-forme offrant une grande puissance de traitement et une grande capacité de stockage : il s'agit de mettre les gigantesques capacités des datacenters Google à la disposition des entreprises. Ces dernières pourront donc lui confier leurs applications à très forte charge ou celles qui nécessitent beaucoup d'espace de stockage.

La contrepartie de cette promesse de puissance est une architecture assez contrainte et l'usage d'un langage peu utilisé dans les entreprises. Néanmoins, Google propose un langage de programmation complet et non un environnement RAD comme force.com : les entreprises utilisatrices ont donc une plus grande marge de manœuvre qu'avec Apex.

Même lorsque Google proposera l'usage de Java sur sa plate-forme, il est probable que l'architecture restera contrainte, afin d'utiliser au mieux les ressources des *datacenters* Google.

Enfin, une des grandes forces d'App Engine est son intégration avec Google Apps : Google propose ainsi un environnement unique et cohérent pour son offre SaaS et les applications développées par les entreprises sur sa plate-forme.

20.4 MICROSOFT AZURE SERVICES PLATFORM

Microsoft est arrivé tardivement sur le marché des PaaS. Sa plate-forme Azure a été annoncée en octobre 2008, et ses éléments seront progressivement opérationnels courant 2009.

Microsoft a tiré les enseignements des plates-formes lancées avant la sienne : l'éditeur de Redmond propose ainsi un modèle à la croisée des chemins entre runtime .NET et machine virtuelle.

Selon le site datacenterknowledge.com, Microsoft déploie des *datacenters* à partir de centaines containers de serveurs intitulés C-Blox (voir chapitre 19). Son ambition serait de rattraper Google en termes de parc de *datacenters*.

L'offre Azure se décompose en plusieurs couches :

- Le socle de la plate-forme est intitulé **Windows Azure**. L'appellation Windows a dû être choisie par souci de cohérence avec les produits Microsoft : elle est cependant trompeuse, car il ne s'agit pas d'un système d'exploitation mais d'une multitude de serveurs Microsoft, déployés dans un ensemble de datacenters. Windows Azure repose sur un gigantesque cluster de machines exécutant Windows 2008 Server et le système de virtualisation Hyper V.
- Le service d'exécution de la plate-forme est basé sur **le *runtime* .NET : la CLR (*Commun Runtime Library*).** L'entreprise utilisatrice est invitée à développer son application dans les langages .NET (C#, VB.NET, etc.). l'application est ensuite envoyée vers la plate-forme Azure, où une machine virtuelle est automatiquement générée en encapsulant Windows 2008 Server et le runtime .NET. Cette machine virtuelle sera ensuite exécutée dans l'environnement Hyper V de Windows Azure. L'approche de Microsoft est donc mixte car le développement est basé sur un *runtime* prédéfini, comme chez Google. Mais la PaaS exécute une machine virtuelle propre à l'entreprise, comme chez Amazon.
- Les développements Azure utilisent **l'environnement Visual Studio,** bien connu des entreprises utilisatrices des technologies Microsoft. Les développeurs retrouvent donc leurs langages habituels. Cependant, la plate-forme Azure exige une architecture applicative spécifique, en particulier pour bien adresser le théorème de CAP (évoqué au chapitre 18). Par conséquent, il n'est pas possible de déployer sur Azure le même code que celui utilisé dans l'entreprise : des aménagements seront nécessaires.
- **Le Windows Azure SDK** permet aux développeurs d'intégrer les spécificités d'Azure dans Visual Studio et de simuler la plate-forme sur leur PC, afin de tester leurs applications en local avant de les publier sur la PaaS.
- **SQL Services** est le service de persistance. C'est une base de données non relationnelle, accédée selon le style REST.

- **.NET Services** intègre le service d'intégration, des services de contrôle d'accès et des fonctions de workflow.
- **SharePoint Services** est proposé pour intégrer dans un portail les applications développées sur Azure.
- **Le service Live ID** permet de gérer un annuaire d'utilisateurs, et la **librairie Geneva** est proposée pour la délégation d'authentification à la plate-forme d'entreprise.

La console d'administration permet aux développeurs d'accéder à la plate-forme, de déployer les applications, et de suivre leur activité.

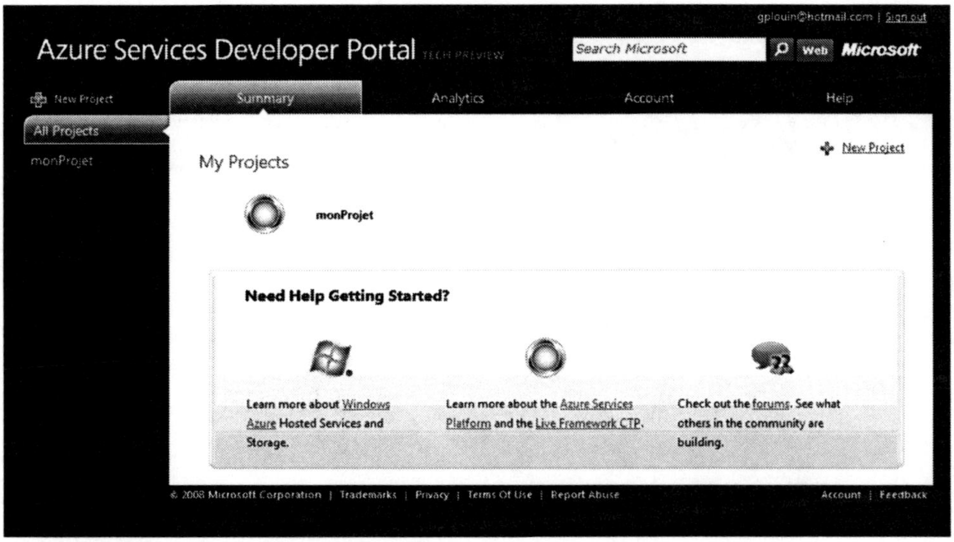

Figure 20.7 – La console Azure.

La philosophie d'Azure avec le développement .NET est de permettre aux développeurs de retrouver des langages/environnements de développement connus. Cependant, cette cohérence peut être trompeuse car les applications doivent être aménagées : elles ne sont pas publiables telles quelles sur la plate-forme, comme le propose la PaaS Amazon.

L'objectif de Microsoft est aussi d'offrir le maximum de souplesse aux entreprises. Ainsi, Azure pourra à terme exécuter du code natif (C++), et il sera possible de déployer ses propres machines virtuelles, selon la pratique proposée par Amazon. Microsoft veut ainsi satisfaire tous les acteurs de l'entreprise :

- Les maîtrises d'ouvrage qui souhaitent un développement agile pourront utiliser .NET et l'option de génération automatique de la machine virtuelle. La plate-forme sera alors abstraite et exploitée par Microsoft, comme chez Google.

- Les profils techniques qui souhaitent maîtriser leur architecture logicielle de bout en bout pourront construire eux-mêmes leur machine virtuelle et la gérer, comme chez Amazon.

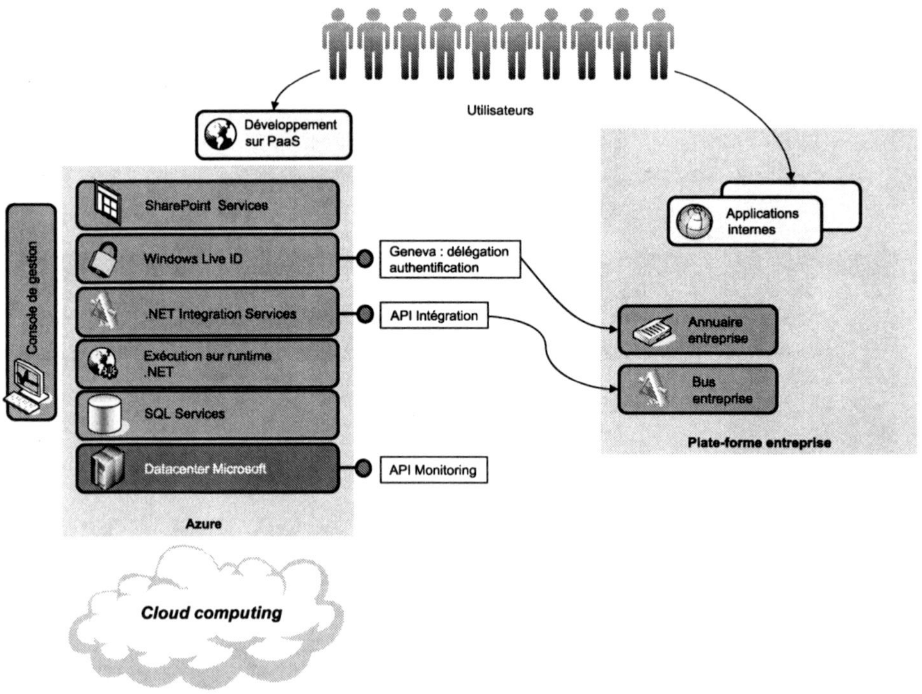

Figure 20.8 — L'architecture de la plate-forme Azure.

On retrouve ici une approche générale chez l'éditeur de Redmond : proposer aux entreprises un maximum d'options ou de scénarios possibles, plutôt que d'avoir une approche tranchée, un parti pris fort, comme chez Amazon, Salesforce ou Google.

20.5 LES OUTILS DE *MASHUP* D'ENTREPRISE

Il existe un certain nombre d'options pour créer un *mashup* d'entreprise, c'est-à-dire agréger différentes applications en ligne au sein d'une interface unique et cohérente. Nous allons décrire dans ce paragraphe des solutions indépendantes de toute plate-forme PaaS.

Certaines solutions sont proposées en mode SaaS, d'autres suivent le modèle software. Nous proposons de décrire celles qui nous paraissent les plus marquantes. Le panorama présenté dans ce paragraphe n'est pas exhaustif : on aurait pu présenter JackBe Presto, BEA AquaLogic Pages (la pérennité de cette solution est incertaine, à la suite du rachat de BEA par Oracle).

20.5.1 Netvibes

Netvibes est une solution SaaS de référence pour la création d'interfaces composites. Son ergonomie a séduit de nombreux utilisateurs, et inspiré bon nombres d'éditeurs (voir chapitre 5). Netvibes a par ailleurs rendue Open Source sa technologie d'intégration d'interfaces intitulée UWA (*Universal Widget API*).

Cependant, Netvibes s'adresse au grand public, plutôt qu'au marché des entreprises. Par conséquent, la solution n'offre aucune possibilité de délégation d'authentification à l'annuaire d'entreprise, et ne vise pas l'intégration de contenus issus de l'entreprise. Il est possible de contourner ces limitations en authentifiant les utilisateurs dans le *mashup* avant de l'intégrer au sein de l'interface Netvibes, et en fabriquant des *widgets* à partir des informations d'entreprise. C'est l'option qu'ont choisie par exemple MonaBank ou eBay. Il existe diverses possibilités d'architectures de mashup d'entreprise reposant sur Netvibes. Mais, comme cet acteur n'investit pas pour faciliter le travail d'intégration des entreprises, il est peu utilisé par ces dernières.

20.5.2 Portaneo

Portaneo est une solution Open Source utilisable par les entreprises pour déployer, dans leur système d'information, un portail avec une ergonomie proche de celle de Netvibes. Portaneo est compatible avec les widgets UWA. On peut l'intégrer avec un service d'identité au prix d'un effort de développement limité. Il peut ainsi fournir un *mashup* d'entreprise simple à déployer et ergonomique.

20.5.3 Dreamface Interactive

Dreamface interactive est une solution Open Source proposée par une start-up française. Elle permet de construire des *mashups* d'entreprise à partir de diverses sources : widgets UWA, services issus d'une démarche SOA d'entreprise, sources de données issues du web, etc.

La solution permet de construire une interface de type portail. Elle offre la possibilité de gérer des enchaînements d'écrans selon des processus préétablis. Elle permet aussi de faire communiquer les widgets entre eux. Ainsi, il est possible qu'un widget transmette un contexte ou les résultats d'un traitement à un autre, au sein de la page composite.

20.5.4 IBM Mashup Center

IBM s'intéresse depuis longtemps à la notion de *mashups* d'entreprise pour assembler des interfaces composites. L'éditeur propose une offre « software » complète autour de cette problématique :

- **Lotus Mashups** est un composant de la suite collaborative Lotus. C'est l'offre de *mashup* d'entreprise d'IBM. Elle permet d'assembler rapidement une application.
- **InfoSphere MashupHub** est un composant qui permet de transformer les informations de l'entreprise en flux ATOM ou RSS[1], facilement intégrables dans un *mashup*. MashupHub permet aussi de gérer des droits d'accès ces flux pour les exposer en toute sécurité.

Cette nouvelle offre d'IBM a vocation à remplacer Lotus Designer pour la création rapide d'applications tactiques ou départementales. Elle constitue une nouvelle génération d'outils pour l'assemblage rapide d'applications par des profils peu techniques.

L'offre IBM Mashup Center intègre aussi **Websphere sMash**, un environnement destiné aux développeurs qui souhaitent créer rapidement des petites applications en utilisant les langages de script PHP et Groovy. Cette partie de l'offre ne concerne pas l'assemblage d'interfaces.

20.6 LES SERVICES D'INTÉGRATION

Lorsque Microsoft ne disposait pas encore de PaaS, le géant de Redmond avait lancé un service hébergé intitulé Biztalk Services, qui permettait l'intégration entre des applications d'entreprise avec des applications déployées sur le *cloud*. Microsoft avait alors introduit le terme d'ISB, **Internet Service Bus**, pour qualifier ce type de service. Les ISB permettent de gérer les problématiques d'intégration en environnement ouvert (entreprise étendue) au travers de services en ligne.

L'objet de ce paragraphe est de présenter un de ces ISB, indépendant d'une PaaS particulière.

RunMyProcess

RunMyProcess est un ISB en mode SaaS proposé par une start-up française. Il propose un mode de facturation proche des PaaS : paiement à la consommation, en l'occurrence en fonction du nombre de messages véhiculés.

RunMyProcess repose sur quatre composants :

- **Un outil de modélisation en ligne :** un outil graphique (en technologie Flash) permet de modéliser des processus d'intégration ou d'échange au travers du langage BPMN[2]. Ces processus peuvent être modélisés par des

1. MashupHub reproduit ainsi le fonctionnement de Yahoo ! Pipes, une initiative très intéressante de Yahoo qui permet de générer un flux RSS/Atom en appliquant un traitement à n'importe quelle source d'informations issue du web. Yahoo ! Pipes propose pour cela un environnement graphique très ergonomique. Dans le même domaine, on peut aussi citer le Projet PopFly de Microsoft.
2. *Business Process Modeling Notation*

profils non techniques, comme des maîtrises d'ouvrage. Il est ensuite possible de décrire les flux d'informations concernés par le processus, via des grammaires XML. Enfin, l'outil permet de « câbler » les processus sur les flux d'informations concernés.

- **Une connectivité autour de standards techniques :** SOAP, fichiers XML, HTTP/HTTPS, FTP, MSMQ, MQSeries, SMTP/SMTPS
- **Un ensemble de connecteurs orientés vers les SaaS :** RunMyProcess propose des connecteurs vers les outils Salesforce, Google Apps, Zoho, Xignite (données financières), SAP by Design, ADP GSI, Netsuite, etc. Ces connecteurs permettent d'accélérer l'intégration des flux d'informations. Le catalogue de connecteurs peut être enrichi par chaque client par simple paramétrage.
- **Un environnement d'exécution** qui permet d'exécuter les différents flux d'informations définis sur la plate-forme. Une console de supervision permet de vérifier leur bon déroulement et d'accéder à toutes les données manipulées durant l'exécution.
- **Un portail de suivi et d'analyse** qui permet d'analyser les flux et les informations échangées à des fins de pilotage, de reporting ou d'optimisation. Toutes ces informations sont intégrables dans un *mashup* d'entreprise via des flux RSS sécurisés.

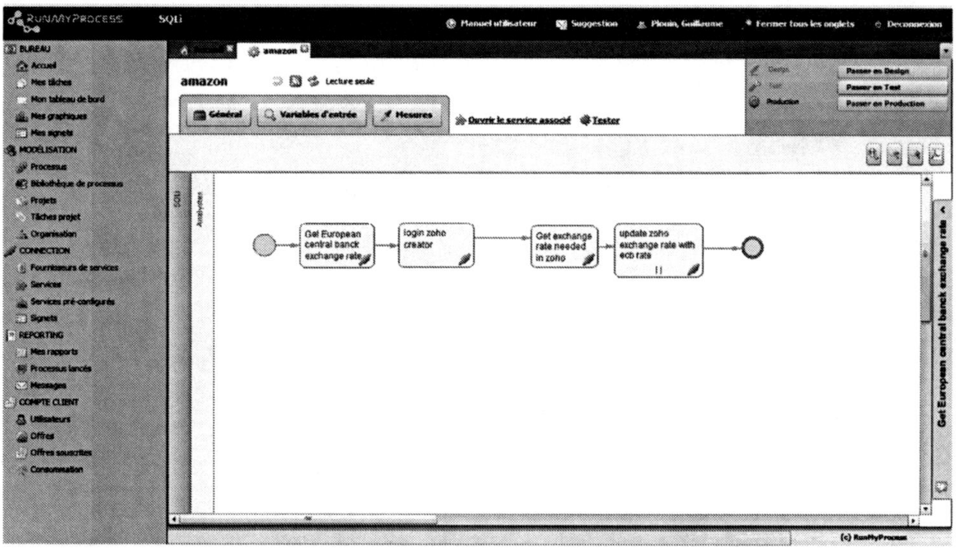

Figure 20.9 — L'interface de modélisation de processus RunMyProcess.

20.7 EN PERSPECTIVE : L'INTERNALISATION DU *CLOUD*

Le cabinet d'analyse Gartner parle dans ses prévisions pour les années à venir d'« **internalisation du *cloud* par les entreprises** ». Cette étrange assertion signifie que les grandes entreprises s'intéressent aux architectures des PaaS, car celles-ci offrent aujourd'hui le degré le plus avancé de haute disponibilité, de garantie d'intégrité sur les données. Ces architectures constituant le *nec plus ultra* des architectures informatiques, il est logique que les entreprises souhaitent se les approprier.

Par ailleurs, les entreprises commencent à se préoccuper de la consommation électrique de leurs serveurs. Beaucoup de projets se lancent dans le domaine du « *Green IT* » qui traite des conséquences environnementales de l'informatique, et en particulier de leur énorme gaspillage d'énergie. Ce gaspillage est lié essentiellement aux problématiques de refroidissement des serveurs. Les PaaS sont particulièrement avancées dans ce domaine : elles ont rationalisé depuis plusieurs années leur consommation d'électricité, pour des raisons économiques évidentes. En effet, la facture d'électricité de dizaines de milliers de serveurs est très conséquente. Par conséquent, les PaaS sont aussi le *nec plus ultra* du *Green IT*.

Un certain nombre d'offres « ***cloud* pour l'entreprise** » sont donc en train d'émerger. D'un côté les spécialistes de la virtualisation font apparaître à leur catalogue des solutions pour les *datacenters*. De l'autre, les fabricants de matériels commercialisent des containers de serveurs totalement optimisés et prêts à l'emploi.

Dans le domaine de la virtualisation orientée *datacenter*, on trouve en particulier :

- VMware Virtual Datacenter OS.
- Microsoft Windows Server 2003 R2 Datacenter Edition.

Ces produits permettent d'automatiser la gestion des centres de données d'entreprise, en particulier en reconfigurant à chaud les machines en fonction de la charge utilisateur et des pannes matérielles.

Dans le domaine de la fourniture de technologies de *datacenters* sous forme de containers, on a déjà évoqué l'offre BlackBox de Sun. Une offre d'IBM intitulée Blue Cloud semble se dessiner. Selon nous, il semble probable que Microsoft commercialisera un jour ses containers C-Blox.

Reste à savoir si Google fera un jour de même : en effet, le géant de Mountain View pourrait vendre aux entreprises ses technologies avancées de *datacenter*, mais sa stratégie semble plutôt se focaliser sur la vente de services, que sur la vente de logiciels ou de matériels.

En résumé

Ce chapitre a présenté les architectures des principales PaaS disponibles aujourd'hui : celles d'Amazon, Salesforce, Google et Microsoft. Il a montré que ces acteurs suivent des stratégies très différentes et que leurs offres ne sont pas vraiment comparables. On a aussi abordé les outils de *mashups* d'entreprise et des ISB.

Le chapitre conclut sur la possible internalisation du *cloud* par les entreprises dans le futur.

Bibliographie

Adam GREENFIELD, *Everyware : La révolution de l'ubimédia*, Fyp éditions, 2007

Francis PISANI, Comment le Web change le monde, Village mondial, 2008

N.G. CARR, *Does IT Matter ? – Information Technology and the Corrosion of Competitive Advantage*, Harvard Business School Press, Boston, Massachusetts, 2004

N. CARR, *The Big Switch, Rewriting the World, from Edison to Google*, Norton, 2008

Guillaume PLOUIN, Julien SOYER, Marc-Éric TRIOULLIER, *Sécurité des architectures Web*, Dunod, 2004

Xavier FOURNIER-MOREL, Pascal GROJEAN, Guillaume PLOUIN, Cyril ROGNON, *SOA. Le guide de l'architecte du SI*, 2e édition, Dunod, 2008

Pascal GROJEAN, Médéric MOREL, Guillaume PLOUIN, *Performance des architectures IT*, Dunod, 2007

Jean-Marc RIETSCH, Marie-Anne CHABIN, Éric CAPRIOLI, *Dématérialisation et archivage électronique. Mise en œuvre de l'ILM (Information Lifecycle Mangement)*, Dunod, 2006

Christophe LONGÉPÉ, *Le projet d'urbanisation du SI, Démarche pratique avec cas concret*, Dunod, 2006

Sites web

Techcrunch : http://www.techcrunch.com

ReadWriteWeb : http://www.readwriteweb.com

O'Reilly Radar : http://radar.oreilly.com

InternetActu : http://www.internetactu.net

Transnets : http://pisani.blog.lemonde.fr

L'atelier BNP Paribas : http://www.atelier.fr

Frédéric CAVAZZA : http://www.fredcavazza.net

Green IT : http://www.greenit.fr

Amazon Web Services Blog : http://aws.typepad.com/aws

The official update feed from the Google Apps team : http://googleappsupdates.blogspot.com

Gianpaolo's blog : http://blogs.msdn.com/gianpaolo (Microsoft Azure)

Index

G

H

I

J

L

M

N

O

DUNOD

Pour l'éditeur, le principe est d'utiliser des papiers composés de fibres naturelles, renouvelables, recyclables et fabriquées à partir de bois issus de forêts qui adoptent un système d'aménagement durable. En outre, l'éditeur attend de ses fournisseurs de papier qu'ils s'inscrivent dans une démarche de certification environnementale reconnue.

54595 - (I) - (0,2) - OSB 90° - NOC - MLN

Imprimé par JOUVE - 53100 Mayenne
N° 499937E - Dépôt légal : décembre 2009

Imprimé en France